文春文庫

# 沈黙のパレード

東野圭吾

文藝春秋

# 沈黙のパレード

# 1

　壁の時計を見ると、あと二十分ほどで午後十時になろうとしていた。今夜はここまでかな、と並木祐太郎は思った。厨房からカウンター越しに店内の様子を窺った。残っているのは、中年女性の二人組だけだった。店に入ってくるなり、久しぶりで懐かしいという意味のことを片方の女性がいっていたから、以前にも来たことがあるのだろう。並木はこっそりと顔を確認した。見たことがあるような気もするが、錯覚かもしれない。いずれにせよ常連客ではなかった。

　それから間もなく、女性客の一人が会計をしてくれるよう声を掛けてきた。並木の横で食器を洗っていた真智子が、返事をして出ていった。

「ごちそうさま。おいしかったわあ」女性客の声が聞こえてきた。

「ありがとうございます。よろしかったら、またどうぞ」真智子が応じている。

「近いうちにきっと。じつは、ずっと前に来たことがあるんです。五、六年前かな」

「あ、そうなんですか」

「すごくかわいい店員さんがいて、思わず話しかけてみたら、こちらのお嬢さんってことでした。まだ高校生といってたんじゃなかったかな。お嬢さん、お元気？」

並木は包丁を片付ける手を止めた。女性客の能天気な質問に妻がどのように答えるか、聞くのは辛いと思いつつ、聞き耳を立てていた。

「ええ、まあ、何とかやっています」真智子の口調は穏やかだった。内心の乱れなど、少しも感じさせない。

「そう、よかった。まだこちらにいらっしゃるのかしら」

「いえ、今はもう家を出ています」

「あら、そうなんですか。しっかりした子でしたもんね。うちの子たちなんて、いつまで親に甘えてるんだって感じで嫌になっちゃう」

「それはそれでいいじゃないですか」

「甘えてもらえるうちが花とかね」

「そうですよ」

真智子と女性客が出入口に向かう気配があった。がらりと引き戸の開く音がし、ありがとうございました、と真智子が礼を述べるのが聞こえた。

並木は包丁を置き、カウンターの外に出た。真智子が暖簾(のれん)を外し、店に入ってくるところだった。

目が合うと、彼女は小さく首を傾げた。「どうかした?」

「いや、お客さんとの話が耳に入ってきたものだから」並木は後頭部を掻いた。「よく平気で対応できたなと思ってさ。いや、もちろん、平気ではないんだろうけど」

真智子は、ああ、と薄い笑みを浮かべた。

「あれぐらい、どうってことない。何十年、客商売をしてると思ってるの」

「それはそうかもしれないけど……」

真智子は暖簾を壁に立てかけてから、改めて夫のほうを向いた。小柄で顔も小さいが、若い頃から目力があった。その目で見つめられると、後ずさりしそうになる。

「お父さん、まだ慣れてないの?」

「何が?」

「佐織のこと。佐織はもういないってこと。私は慣れたよ。お父さんは厨房の中にしかいないから知らないかもしれないけど、さっきみたいに話しかけられるのなんて、しょっちゅうなんだから。たぶん夏美だって、そうだと思う。でもあの子、泣き言をいわないでしょ。あの子も慣れたのよ」

夏美というのは並木たちの二人目の娘だった。今度、大学二年になる。用のない日は店を手伝ってくれる。

並木が黙り込むと、ごめん、と真智子は謝った。

「慣れてないからって、お父さんのことを責める気はないの。余計な心配はいらないっていってるだけ」

「うん、わかった」

「厨房の片付けはお願いしていい？　私、ちょっと上でやらなきゃいけないことがあるから」真智子が人差し指を天井に向けた。二階には並木家の居室があるのだった。

「ああ、いいよ」

「じゃ、お先に」真智子は店の隅にある階段を上がっていった。

並木は、ゆらゆらと頭を振った。すぐに動く気になれず、そばの椅子を引き、腰を下ろした。つい背中が丸くなってしまうのを抑えられなかった。やっぱり女は強いな、と過去に何度も思ったことを改めて痛感した。

佐織は並木たちにとって初めての子供だった。ピンク色の肌をした、目の大きな赤ん坊だった。一人目は男の子がいいと思っていたが、生まれてみたら、そんなことはどうでもよくなった。目の中に入れても痛くない、なんてものではない。この子のためならいつでも死ねる、本気でそう思った。

真智子は調理係としても接客係としても、『なみきや』にとって貴重な戦力だった。彼女が職場に復帰すると同時に、厨房や店内が子育ての場となった。たぶん大変だろうと覚悟していたが、思わぬ助太刀が現れた。忙しい時など馴染みの客が、佐織を抱いたり、あやしたりしてくれるのだった。おかげで佐織が一歳を迎える頃には、二人目を作っても大丈夫かなと思えた。

皆に愛され、佐織は健やかに成長していった。幼稚園に通う頃には、登園途中でいろいろな人に声をかけられるようになった。佐織ちゃんが大きな声で挨拶してくれるのが嬉しいといわれるたび、並木は誇らしい気持ちになった。

小学校でも中学校でも、佐織は人気者だったようだ。誰に対しても親切で明るく、辛い時でも辛そうにしないのが並木さんのいいところです、と家庭訪問の際に担任教師は真智子にいったらしい。

学校の成績は大してよくなかったようだが、並木も真智子もさほど気にしなかった。悪いことさえしなければいいと思っていた。その点において、自分たちの育て方は間違っていないという自信があった。佐織は根が真面目で、親に反抗したことは殆どなかった。三歳下の妹の面倒をよくみてくれる優しい姉でもあった。

それに学業以外で、佐織には光る才能が一つだけあった。歌だ。幼い頃から歌うことが好きだったのだが、小学校の高学年になると際立つものを示し始めた。どんな難しい歌も一度聞けばほぼ覚えたし、音程が狂うこともなかった。絶対音感という言葉を並木が知ったのも、この頃だ。それが佐織にはあるらしい。

そんな素晴らしい才能を大いに発揮できる機会があった。秋祭りだ。大がかりな仮装パレードがメインだが、地元の人間たちが楽しみにしている催しの一つが、のど自慢大会だった。佐織は小学校四年の時に初めて出場すると、映画『タイタニック』の主題歌である『My Heart Will Go On』を見事に歌い上げ、観客たちの度肝を抜いた。その場には並木もいたが、娘が本気で歌う姿を見たのは初めてだった。

以後、秋祭りには毎回駆り出されるようになった。地元では有名になり、のど自慢大会は佐織目当ての客で混み合うほどだった。

高校生になると、佐織も夏休みなどには店を手伝うようになった。口の悪い常連客の中には、「こんなしけた食堂を手伝うより、都心に行ってキャバクラで働いたら、百倍は稼げるのになあ」などという者もいた。実際、親の目から見ても、美しい娘に育ったと思った。佐織がいるだけで、花が咲いたように店の雰囲気が明るくなった。当然、客も増える。まさに看板娘だった。

新倉(にいくら)という人物が店に訪ねてきたのは、佐織が高校二年の時だ。地元では有名な資産家だった。若い頃にはミュージシャンを目指したことがあるそうで、業界人とは今も付き合いが続いているらしい。都内にいくつかの音楽スタジオを持っていて、常に新しい才能を探しているという。そしてこれまでに発掘した歌手の名前を何人か挙げた。

お嬢さんは歌手として絶対にプロで通用するから自分に預けてほしい、と新倉は並木たちにいった。

佐織が歌好きなことは知っていたが、芸能人にすることなど露ほども考えていなかったので、まさに寝耳に水の話で並木は当惑した。真智子も同様のようだった。

新倉が帰った後、二人で話し合った。佐織には平凡な人生を歩ませたいというのが共通の思いではあったが、まずは本人の気持ちを聞いてみようとなった。

話を聞いた佐織は、やってみたい、といいだした。反対されると思ったから黙っていたが、歌手に挑戦したかったのだという。大学を目指すつもりではいたけれど、特に学びたい学問や、進みたい学部があるわけでもなかったと告白したのだった。

本人が望むのならば仕方がない。好きなことがあるのなら挑戦させるべきだろうと真智子とも話し、佐織を新倉に託すことにした。だめならだめで、その時にまた考えればいい。おそらく、そううまくはいかないだろう、というのが並木の読みだった。しかしたとえ挫折したとしても、今後の人生の肥やしになればいいと思った。

次女の夏美は単純に喜んだ。まだデビューしてもいないのに、姉が大きなステージに立っている様子を想像し、はしゃぐのだった。

それ以後、佐織は高校に通いながら、新倉の下でレッスンを受けるようになった。ありがたいことに、レッスン料などは一切要求されなかった。

「デビューして売れっ子になったら、プロデュース料をたっぷりといただきますから、その点は御心配なく」お金の話になると、新倉はいつもこういった。ジョン・レノンへの憧れから長髪と丸眼鏡をトレードマークにしているという彼は、資産家であることを鼻に掛けない、温厚(おんこう)な好人物だった。

ただしレッスンは厳しかったようだ。「がんばってるのに、新倉先生はちっとも褒めてくれない」と佐織はよくこぼしていた。おまけに生活態度に口出しすることも少なくないらしい。スマートフォンなんて必要ない、歌の邪魔になるだけ、と何度かいわれたという。それを聞き、預けてよかった、と並木は思った。自分がいいたいことを新倉が代わりにいってくれるからだ。

やがて佐織は高校を卒業した。

「そろそろ知り合いのプロデューサーに聞かせてみようと思っているんです」新倉が店にやってきて、嬉しそうにそういったのは、新しい年になって間もなくの頃だ。佐織は十九歳になっていた。

それからわずか二週間後のことだった。夕方に出かけていった佐織が、いつまで経っても家に帰ってこない。心配して電話をかけてみたが、繋がらなかった。

新倉宅は無論、心当たりのあるところに片っ端から問い合わせたが、居場所はわからなかった。たまらず警察に届けたのは、日付が変わってからだった。

警察は翌朝から本格的に動いてくれた。付近一帯を捜索し、各所に設置された防犯カメラの映像をチェックしたようだ。

すると、近所のコンビニ前に設置された防犯カメラに、歩いている佐織の姿が映っていた。連れはおらず、スマートフォンを耳に当てていることから、誰かと話しながら歩いているのだろうと推測された。

警察は携帯電話会社に履歴を問い合わせた。だがその時間、佐織のほうからは発信されていない。つまり誰かからかかってきた電話に出ていたことになる。着信の履歴は、携帯電話会社でも把握できない。

何らかの事件に巻き込まれたおそれがある、ということで警察はかなり大々的な捜索を行った。近くを流れる川の中まで調べた。

しかし佐織は見つからなかった。煙のように消えてしまったのだ。

並木は真智子や夏美と共に、あちらこちらでビラを配った。近所の商店主や常連客たちも手伝ってくれた。だが有益な情報は、どこからも寄せられなかった。

心労から真智子は体調を崩し、寝込んだ。夏美も毎日のように涙で目を腫らし、しばしば学校を休んだ。事情を知っている馴染み客たちは、『なみきや』の臨時休業が増えたことについて、何もいわなかった。

やがて警察から、お嬢さんのＤＮＡを確認できるものを提出してくれ、といわれた。身元不明の遺体などが見つかった際には鑑定するという意味だと受け取った。深くて暗い穴に突き落とされたような気分だった。

だがその後、警察からの連絡はない。佐織らしき遺体が見つかっていないからだろう。そのことを喜んでいいのかどうか、並木は次第にわからなくなっていった。どうせもうこの世にはいない。それならばさっさと遺体を見つけ、手厚く葬ってやりたいという気持ちが強くなっていた。

佐織の失踪から、先々月で丸三年になった。やっても無駄だろうと思いつつ、去年や一昨年と同様、何箇所かで情報を募るビラ配りを行った。予想通り空振りに終わったが、落胆はさほど大きくない。もはや儀式のようなものだ。

並木は時計を見た。すでに十時半を過ぎていた。ぼんやりと時間を費やしてしまったようだ。立ち上がり、気合いを入れるために自分の右頬(ほお)を二度叩いた。たしかにそろそろ慣れるべきかもしれない。佐織のことを思い出すたびに停滞していたのでは、この先、まともに生きていけない。

厨房に戻りかけたところで店の電話が鳴った。誰だろうか、こんな時間に。並木一家は各自が携帯電話を持っている。誰かに用があるのなら、そちらにかけるはずだ。

とりあえず受話器を取り上げ、営業時間内と同様に、「はい、『なみきや』です」といってみた。

「並木祐太郎さんのお宅ですね」男性の低い声がいった。

「そうですが、どちら様で?」

並木の問いかけに対する相手の答えは、まるで予期しないものだった。

静岡県警の者です、といったのだ。

## 2

深呼吸を一つしてから会議室のドアをノックした。誰だ、というぶっきらぼうな声が聞こえた。

「草薙(くさなぎ)です」

「入れ」

失礼します、といってドアを開けた。一礼してから顔を上げた。会議机の向こうに管理官の間宮がいた。上着を脱ぎ、ワイシャツの袖をまくっている。机の上には書類が何枚か置いてあった。

だが草薙を緊張させたのは、かつての係長ではなく、窓際に立ち、背中を向けている人物だった。オールバックにした見事な白髪だけで、誰なのかはわかる。

間宮が草薙の背後に目を向け、口元を緩めた。「女性秘書連れとは、さすがは一国一城の主だな」

「ほかの者は手が空いてなかったので」草薙は苦笑し、後ろを振り返った。部下の内海薫が、やや居心地が悪そうに立っている。

「板橋の強盗殺人にようやく解決の目途が立ったばかりで、忙しいことはわかっている。急に呼びつけて悪かったな」間宮が向かい側の席を手のひらで示した。「まあ、座れ」

はい、と答えつつ、草薙は椅子を引けなかった。窓際の人物を見つめた。

理事官、と間宮が呼びかけた。「草薙たちが来ました」

白髪の人物がこちらを向き、無言でそばの椅子に腰を下ろした。かつての管理官、今や捜査一課長に次ぐ立場となった多々良だった。

間宮が席につくよう目で促してきたので、草薙も椅子を引いた。だが内海薫は座ろうとしない。

「内海君も座ったらどうだ」多々良が初めて言葉を発した。相変わらず、腹に響くような声だった。

「いえ、私はここで……」

「話は少々長くなる」間宮がいった。「そんなところに立っていられたら落ち着かない。座りなさい」

「はい」内海薫は草薙の隣に腰掛けた。

さて、と間宮は草薙の顔を真っ正面から見据えてきた。

「ほかの事件で手一杯の係長にわざわざ出向いてもらったのには理由がある。どうしても、おまえのところで取り組んでもらいたい案件があるからだ」

草薙は怪訝（けげん）な思いを隠さず、身構えた。「うちで、ですか」

ただ事ではなさそうだと思った。事件が起きたなら、在庁の係に命ずるのがふつうだ。一段落しつつあるとはいえ、まだほかの捜査本部に詰めている係に声が掛かることはない。

「詳しい理由は後で説明する。まずは話を聞いてくれ」

そう前置きし、間宮は手元の書類を手にした。そして話し始めたのは、次のような内容だった。

二週間前、静岡県の小さな町で火災が起きた。焼けたのは付近で有名なゴミ屋敷だった。出火原因はわかっていない。迷惑していた近所の人間が放火したのではないかという憶測も出ているようだが、この火災が大きなニュースになったのは、それが理由ではない。

消火後に警察と消防が焼け跡を調べたところ、人間の遺体らしきものが見つかった。しかも二体で、どちらも火事が起きる前から白骨化していた可能性が高い。すぐに身元の確認が行われた。一方の遺体は、その家で独り暮らしをしていた老女と思われたが、もう一方の遺体については手がかりがなかった。

静岡県警は、焼け残ったアクセサリーや身長などから若い女性ではないかと推測し、全国の警察に照会を行った。やがていくつかの情報が寄せられたが、その中の一つに、三年前、東京都菊野市で行方不明になった若い女性に関するものが含まれていた。その女性が失踪時に身につけていた十字架のペンダントが、今回見つかったものと酷似していたため、ＤＮＡ鑑定が行われることになった。結果、本人に間違いないことが確認された。ただし、その女性と火事になった家との繋がりは全くない。遺族によれば、女性は生前、静岡県には行ったことさえないはずだとのことだった——。

間宮は、写真が添付された書類を草薙の前に置いた。そこには氏名と住所、生年月日などが記されている。

「女性の名前はナミキサオリ。失踪当時、十九歳だった」

草薙は書類を手に取った。氏名は漢字で並木佐織と書くようだ。写真の中ではＴシャツ姿の若い娘が指を二本立てて笑っていた。目元がくっきりとしていて顎は細く、唇は少し厚い。間違いなく男性からもてただろうと想像できる容姿だった。

「かわいい人ですね」隣にいる内海薫が、書類を覗き込んで囁いた。「アイドルみたい」

「その感想は、かなり妥当だ」間宮が真面目な顔で内海薫を見た。「高校卒業後、歌手を目指していたそうだ」

へえ、と草薙は声を漏らす。いつもなら、軽口の一つも叩きたくなる話題だが、今日ばかりはそんな気になれない。間宮の話を聞きながら、厄介なヤマだと感じていたからだ。どうしてまたこんな案件が自分のところに回ってくるのか――。

「もう一方の人骨が家の住人だというのは確かなんですか」草薙は訊いた。

「焼け跡から見つかった衣類などから採取したＤＮＡと照合した結果、おそらく間違いないだろうということだ。近所の住民の話では、六年ほど前から姿が見られなくなっている。しかし日頃から付き合いがなかったので、誰も気に留めなかったようだ。戸籍によれば、六年前の時点で八十歳を過ぎている。自然死と考えてまず間違いないだろうというのが静岡県警の見解だ。所謂、老人の孤独死というやつだ」

「六年前ということは」草薙は写真の若い女性を指差した。「その婆さんは、歌手志望の女性の死には関わっていない」

「まあ、そういうことになるな」

「並木佐織さんの死因は判明しているんですか」

間宮が、すうっと息を吸った。

「焼け残った骨を調べたところ、頭蓋骨(とうがいこつ)の陥没が確認できたらしい」

ただし、と続けながらゆっくりと腕を組んだ。

「それが致命傷なのかどうかは不明だ。今回の火事によるものではなさそうだ、ということだけはわかっている」

つまり、と草薙は上司の顔を見つめた。「殺された、という証拠は今のところないわけですね」

「今のところは、な」そういってから間宮は、隣にいる多々良のほうにちらりと視線を走らせた。

「筋の良くない面倒臭い仕事が回ってきた、と思っているようだな」多々良が金縁眼鏡の向こうで鋭い目を光らせた。一見したところは上品な顔立ちの紳士だが、現役時代は気性の激しい猛者(もさ)だったことは有名だ。

「いえ、別にそういうわけでは……」

「ごまかすな。顔に書いてあるぞ」多々良は不気味な笑みを浮かべた。「仮に殺しだとしても、事件が起きたのは三年以上も前。目撃者探しなど不可能に近い。物証にしてもそうだ。しかも遺体を隠してあった場所は火事で殆ど焼失。これでは何をどう捜査していいかわからない。捜査責任者としては、とんだ貧乏くじを引かされたと腐りたくもなるだろう」

草薙は黙ったまま、視線を机に落とした。多々良の言葉は、今の正直な気持ちを的確にいい当てていた。

　しかし、と理事官はいった。「――こっちを見ろ、草薙」

　草薙は多々良に顔を向け、金縁眼鏡の奥を見つめた。「はい」

「この事件は何としてでもおまえたちに……間宮管理官と草薙係長に取り組んでもらいたいんだ」

「といいますと？」

　多々良は間宮を見て、小さく頷いた。

　間宮が改めて身を乗り出してきた。

「ゴミ屋敷に住んでいた婆さんだが、全く身寄りがなかったわけではない。じつは息子が一人いる。婆さんの死後、家に侵入した者がいるとしたら、最も可能性が高いのが、その人物だ」

「居場所はわかっているんですか」

「二年前に免許を更新していた。住所は江戸川区で、今もそこに住んでいる。ただし、その前は菊野市南菊野のアパートにいた。被害者の家から直線距離で約二キロのところだ。だがある日突然勤めていた廃品回収会社を辞め、アパートを引き払っている。その時期は、並木佐織さんが失踪した直後だ」

　草薙は、安堵の息を漏らした。ようやく少し光明が見えてきた。

　間宮が書類をもう一枚出してきて、草薙の前に置いた。「この男だ。よく見ろ」

それは運転免許証の拡大コピーだった。写っている男の顔を見た瞬間、ぎくりとした。どこかで見たことが、いや、会ったことがある。そして名前を目にした瞬間、心臓が跳ねた。一気に体温が上昇する感覚があった。

免許証の氏名欄には、蓮沼寛一と記されていた。

草薙は目を見張り、二人の上司を交互に見た。「あの蓮沼……ですか」

「そうだ、あの蓮沼だ」間宮が重々しくいった。「優奈ちゃん事件の被告だ」

あまりに多くの思いが頭を駆け巡り、草薙は声を発せられなかった。頬がぴくぴくと引き攣った。

改めて写真を見つめた。草薙が会った頃よりも老けているが、冷たい表情はあの時のままだった。

「もう一つ、重要なことを思い出させてやろう」間宮が一枚の写真を出してきた。「今回、火事で焼けたゴミ屋敷だ。数年前に役所の人間が撮影していた。どうだ、見覚えはないか」

草薙は受け取った。そこには巨大なゴミの山が写っていた。だがよく見ると屋根があるし、小さな門らしきものも確認できる。

草薙は遠い記憶を探った。ふと思いついたことがあった。

「場所は静岡県でしたね。もしかすると、あの冷蔵庫を押収した家……ですか」

「その通りだ」間宮は草薙の鼻先を指差してきた。「おまえは俺と一緒に、この家へ行っている。十九年前に。もっとも、その時はこれほどのゴミ屋敷ではなかったけどな」

「あの家……でしたか」

「これでわかっただろう、草薙」多々良がいった。「なぜ俺が、この事件をおまえたちに任せたいか。この思いは刑事部長や捜査一課長にも伝えてある。それとも、ほかの係に回したほうがいいか」

いえ、と草薙は机の上で両方の拳を固めた。「よくわかりました。この事件は、是非とも自分の係で」

多々良は満足そうに頷いた。

あの、と横から内海薫が口を挟んできた。「優奈ちゃん事件というのは？」

「後で教えてやる」草薙はいった。

多々良が立ち上がったのを見て、草薙たちも起立した。多々良が大股で部屋を出ていく。間宮もそれに続きかけたが、足を止めて振り返った。

「静岡県警との合同捜査本部を菊野警察署に開設する手筈になっている。板橋の事件については後始末を所轄に任せて、すぐにでもこちらの捜査に加われるよう準備を整えてくれ」

「わかりました」草薙は気合いを込めて答えた。

ばたんとドアが閉まった後、草薙は内海薫のほうを向いた。「係の者全員に連絡してくれ。至急、本庁に集合だ」

「了解です」内海薫がスーツの内側からスマートフォンを取り出した。

## 3

東京都足立区で両親と共に住んでいた本橋優奈が行方不明になったのは、今から二十三年前の五月だ。当時、優奈は十二歳だった。夕方、友達と会いに近所の公園へ行く、といって出かけていった。公園は自宅のすぐ近くで、通学路の途中でもある。母親はまるで心配しなかった。ところが夕食時になっても帰らないので、公園まで迎えに行った。だが優奈の姿はない。そこで友達のところへ問い合わせてみると、優奈とはとうに別れたという。

ここに至って不安になった母親は、夫に連絡をした。夫妻はいくつかの心当たりを捜し回った後、警察に届けた。

事件性が高いと判断した警察は大々的な捜索を行った。だが、優奈の行方を示す手がかりは全く摑めなかった。当時は今ほど防犯カメラの数は多くなく、有益な目撃情報もなかなか得られなかった。

そんな中、唯一といっていい情報は、優奈らしき少女が水色の作業服を着た男と歩いていたという証言だった。後ろ姿だけなので、男の顔はわからない。平均的な身長で、特に太ってても痩せてもいなかった、と目撃した主婦は話した。優奈の様子がどんなふうだったかは覚えていないという。

水色の作業服と聞き、誰もが思いついたことがあった。優奈の父親、本橋誠二の経営する部品工場で働く従業員たちの作業服が、まさにその色だった。目撃した主婦に見せたところ、とてもよく似ている、と証言した。

工場には従業員が約三十人いた。全員のところへ捜査員が足を運び、話を聞いた。部屋の中を見せてほしいといったところ、殆どが了承した。拒んだ者にしても、それなりの説得力のある理由が存在し、怪しい点はない、と担当した捜査員は判断していた。

従業員の一人に、蓮沼寛一がいた。年齢は三十歳で、独り暮らし。当時の捜査記録によれば、捜査員は優奈が行方不明になった三日後に蓮沼のもとを訪れ、室内を確認している。特に不審な点はなし、というのがその時の所見だ。

結局、優奈は見つからなかった。その後も名ばかりの継続捜査は行われたが、成果はなかった。行方不明になってから一か月後、母親は自宅近くのビルから飛び降り自殺をした。遺書には、夫と優奈に詫びる言葉が記されていた。娘はもうこの世にいないと悲観し、遅い時間に娘を外出させたことが原因だと自分を責めたものと思われた。

事態が急転するのは、それから約四年後だ。奥多摩の山中をトレッキングしていた男性から、人骨らしきものが土中から出ているという通報があった。駆けつけた地元の警察が掘り起こすと、いくつかに解体された骨が見つかった。詳しく調べたところ、たしかに人間の、しかも大きさや長さなどから子供の骨だとわかった。

頭蓋骨が原形を留めていたので、それを基に科学捜査研究所が十種類の似顔絵を作成した。それらを全国の警察に配布したところ、本橋優奈ではないかとの情報が寄せられた。そうなればDNA鑑定の出番だ。間もなく、本人だと考えて間違いないという結果が出た。

捜査本部は足立警察署に置かれることになった。本庁から応援に駆けつけることになったのは、多々良が指揮を執る係だった。当時、間宮は主任を務めていた。そして捜査一課に配属されて間もなくの草薙は、若きホープとして期待を背負っていた。

手がかりは少なかったが、発見された人骨には、一つの特徴があった。単にバラバラに切断されてから埋められたのではなく、その前に焼かれた形跡があるのだった。

本橋優奈が最後に目撃された場所を中心に、遺体の焼却が可能なところを当たることになった。まさか空き地で焚き火のふりをして焼いたとは考えにくいから、焼却炉が使われた可能性が高い。近辺の焼却炉を片っ端から調べる一方、改めて部品工場の従業員について、身近なところに焼却炉がないかどうかを確認することになった。

その過程で草薙が目をつけたのが蓮沼寛一だった。この時点で蓮沼は本橋の会社を辞めていたが、履歴書は残っていた。それによれば、以前に産業廃棄物の処理を請け負う会社で働いていた。そこには当然、大小いくつかの焼却炉がある。

その会社に出向き、蓮沼の上司だった人物に会って話を聞いてみると、瞠目すべきことが判明した。四年ほど前に蓮沼から連絡があり、処分したいものがあるので会社が休みの日に焼却炉を貸してもらえないか、といってきたのだという。何を燃やす気かと尋ねたところ、知り合いから死んだペットを何頭か預かったので、それを燃やしたいのだと蓮沼は答えたらしい。ペットの葬儀屋の真似事をして小銭を稼ぐ、という意味のことを仄めかしていたそうだ。その会社では、猫や犬の死骸をゴミと一緒に焼くことは珍しくなかった。元上司は、きちんと後片付けをしてくれるなら構わない、と答えた。

正確な時期を確認すると、本橋優奈の失踪時期と一致していた。ここに至り、蓮沼寛一は当事件の有力な容疑者となった。

早速その経歴を調べてみたが、よくわからないことの多い男だった。判明したのは静岡県の出身で、いろいろな職場を転々としているらしい、ということぐらいだ。

とりあえず本人に会ってみたいと間宮がいいだしたので、草薙も同行させてもらうことにした。蓮沼は部品工場を辞めていたが、引っ越してはいなかった。直接部屋まで訪ねていき、本人と会った。

蓮沼は細い目をした、表情の乏しい男だった。話す時でさえ、削げた頬の肉を殆ど動かさない。

間宮が最初に質問したことは、焼却炉で処分したペットの飼い主たちの名前だった。それを聞き出せれば、話が本当かどうかを即座に確認できる。

だが蓮沼は、それを話すわけにはいかない、と答えた。飼い主たちと約束したことだからだ、という。

間宮は、ペットの種類、何頭だったか、いくらほどの料金で処分を請け負ったのかなどを尋ねたが、蓮沼は何ひとつ答えなかった。最後には、「答えなければ罪になるのですか」とまでいった。感情を押し殺した低い声が草薙の耳に残った。

答えを拒んだことで、疑惑は深まった。中肉中背の蓮沼は、目撃証言とも合致する。

しかし、そこから先の攻め手に難航した。優奈の父親である本橋誠二をはじめ関係者から話を聞いてみても、当時の社員と経営者の娘という以外、蓮沼と優奈の接点は見つからなかった。蓮沼と会社との間に何らかの揉め事があったわけでもない。

そんな中、草薙は一枚の写真に着目した。それは四年前に蓮沼の部屋を訪ねた捜査員が室内の様子を撮影したものだった。眺めているうちに、気づいたことがあった。

間宮と一緒に蓮沼の部屋へ行った時、草薙は二人のやりとりを聞きながら、周りをさりげなく観察した。死体を隠せそうなところがないかどうか確認しておけ、と事前に間宮からいわれていたからだ。焼却炉を借りるまでの間、遺体をどこかに隠していたと考えられるからだ。

蓮沼の部屋は質素な２Ｋだった。遺体を隠せるとすれば、押し入れ、天井裏といったところか。大きな衣装ケースのようなものは見当たらなかった。

ふと目に留まったのが冷蔵庫だった。ホテルの部屋に置いてあるような小型タイプだ。いくら子供の遺体でも、こいつに隠すのは無理だろうと草薙は思った。

ところが四年前の写真には、もっと大きな冷蔵庫が写っているのだった。一般家庭で使うものほど大きくはないが、大人の腰の高さぐらいはある。これなら遺体をバラバラにすれば、子供一人ぐらいは収まりそうだ。

　この四年の間に冷蔵庫を買い換えている。それはなぜか。草薙は推理を巡らせた。

最終的には遺体を焼却炉で燃やしたにせよ、それまでは自室に保管しておくしかない。腐敗を遅らせるためには冷蔵庫に入れておくのが一番だ。そして骨を山中に埋めた後は、冷蔵庫を処分した。いくら何でも、そのまま継続して使う気にはなれなかった、というわけだ。

　もしこの推理が当たっているなら、その冷蔵庫に遺体の痕跡が残っているかもしれない。

　草薙は間宮や多々良に写真を見せ、自分の考えを話した。すると上司たちは若手刑事の着想に、可能性はある、と同意してくれた。しかし表情はどちらも浮かなかった。その冷蔵庫をどうやって探し出すかが問題だからだ。いやそもそも現存しているだろうか。何しろ四年も前の話だ。

　そこで蓮沼が犯人だとして、冷蔵庫をどうするかを皆で考えてみた。警察に目をつけられないためには、なるべくこっそりと処分したいはずだ。つまり正規の業者を使ったりはできない。

　だが自分でどこかへ運ぶにしても、一人では無理だろう。誰かに手伝わせるしかない。

蓮沼が親しくしている人間となれば限られた。調べてみると、すぐに麻雀仲間の名前が挙がった。しかもその男は軽トラックを所持していた。

その男に当たったところ、あっさりと認めた。四年ほど前に、冷蔵庫を運ぶのを手伝ったというのだ。行き先は蓮沼の実家だった。静岡で独り暮らしをしている母親に、古くなった冷蔵庫をやることにした、と蓮沼は説明したらしい。

早速、草薙は間宮と共に、その家を訪ねていった。蓮沼の母親は芳恵といった。背が低いうえに猫背で、実年齢よりもはるかに老けて見えた。突然やってきた見知らぬ男たちが刑事だとわかり、彼女はひどく怯えた。自分は何も悪いことをしていない、と呪文のように繰り返した。

冷蔵庫のことを訊きたいだけだと間宮がいうと、蓮沼芳恵はぽかんと口を開けた。何の話かわからない様子だった。四年前に息子さんが冷蔵庫を持ってきたはずだがと説明したら、ようやく腑に落ちた顔になった。そして眉間の皺を一層深くし、こういった。

「あんなもの、使ってません。勝手に置いていったんですけど、邪魔でしょうがない」

どこにあるかと尋ねると、奥の和室にあるという。案内され、草薙は啞然とした。和室というより物置だった。乱雑に物が積み重ねられていた。

それらの奥に、たしかに冷蔵庫はあった。あの写真の冷蔵庫に違いなかった。

すぐに押収の手続きが取られた。それでようやく蓮沼芳恵は事情を知りたがった。もちろん詳しいことを話すわけにはいかない。ある事件に関わっている可能性がある、とだけ説明した。

冷蔵庫は科捜研に回され、徹底的に調べられた。その結果、微量の血痕（けっこん）および肉片らしきものが見つかった。ＤＮＡ鑑定が行われ、いずれも本橋優奈のものと断定された。そのことが発表された時、捜査本部中に歓声が湧いた。

これで解決だ、と誰もが思った。草薙は、捜査一課に配属されて早々に手柄を挙げられた、と自慢したい気分だった。

ところが事態は思わぬ方向に転がっていく。

蓮沼寛一は犯行を完全否認したのだ。

冷蔵庫から本橋優奈の遺体の一部が見つかったことについては、「わからない」と答え、冷蔵庫を買い換えた理由については、「古くなったから」と説明した。

それでも多々良ら捜査責任者たちは逮捕に踏み切った。とりあえず身柄を拘束し、徹底的に取り調べれば、いずれ自供を得られると考えたからだ。

本来ならば、まずは死体遺棄か死体損壊で逮捕するところだが、それはできなかった。死体遺棄や死体損壊の時効である三年は過ぎている。殺人罪で逮捕するしかなかった。だが蓮沼は落ちなかった。取り調べの途中から、徹底的に黙秘を決め込んだのだ。脅してもすかしても、決して揺らがなかった。

何としてでも証拠を掻き集めろ――捜査会議で多々良は吼（ほ）えるように命じた。それを聞いた部下たちも力強く返事をした。

草薙たちの懸命の捜査により、蓮沼の犯行を窺わせる事実が、新たにいくつか明らかになった。たとえば、焼却炉を使用した二日後、蓮沼はレンタカーを借りている。その走行距離は、自宅と骨が見つかった場所を往復した距離に、ほぼ等しかった。また蓮沼の部屋を捜索した捜査員たちは、新聞紙に包まれた古いスコップを見つけた。スコップに付着した土を分析してみると、骨が埋まっていたところの土と成分が近かった。

そのほかにも新情報は増えていった。ただし、いずれも状況証拠に過ぎず、蓮沼の犯行を決定的に裏付けるものとはいいがたかった。

妥協案をいいだす者もいた。沈黙を続ける蓮沼に、殺人罪ではなく傷害致死、あるいはそれより軽い過失致死を認めさせてはどうか、というわけだ。死因が不明なので、話は矛盾しない。

この意見に多々良は激怒した。犯人相手に取引を持ちかけるなど言語道断と切って捨てた。そもそも黙秘するのは重罪を犯したという意識が本人にあるからで、何としても殺人罪で起訴しなければならない、と続けた。

結局、殺人の物証は何ひとつ得られないまま、送検することになった。後は検察の判断次第だった。

そして検察は起訴を選んだ。これだけの状況証拠が揃っているのだから、裁判になれば必ず真相が明らかになるはずだと判断したようだった。

だが裁判は検察の思惑通りには進まなかった。

初公判で蓮沼は起訴事実を否認した。実質的に彼が意味のある言葉を発したのは、これが最初で最後になった。その後、徹頭徹尾（てっとうてつび）、黙秘を貫いたのだ。検察官のいかなる質問に対しても、「お話しすることはありません」と繰り返すのみだった。

公判が進むうち、どうやら雲行きが怪しそうだ、無罪になるかもしれない、という噂が草薙たちの耳にも入ってきた。

まさか、と思った。状況証拠とはいえ、あれだけの材料があるのに裁けないというのか。

裁判の焦点は二つあった。ひとつは、本橋優奈の死亡が殺人によるものかどうか。もう一つは、殺害動機や殺害方法を特定できなくても、状況証拠の積み重ねによる殺人の立証が認められるか、だった。

死体を焼き、埋めたのだ。殺したに決まっているじゃないかと思うのだが、司法とはそういうものではないらしい。「殺していない」可能性がごくわずかでもあれば、殺人罪は成立しないというわけだ。

一審での判決が出たのは、朝から寒い日だった。逮捕から約千日が経っていた。その結果を草薙は、その時に担当していた事件の捜査本部で聞いた。

被告人は無罪、というものだった。

## 4

焼け跡を見て、草薙は小さく首を振った。「ここに家があったとは思えないな」

同感です、と隣に立った内海薫がいった。

それは家の焼け跡というより、ゴミ焼却場だった。しかも全く分別されていない状態だ。夥(おびただ)しい量の木材、金属製品、プラスチックなどが一緒くたに焼かれていた。おそらくどす黒い煙と共に、有毒ガスも盛大に発生したことだろう。草薙は消火に当たった消防隊員に同情したくなった。

合同捜査本部に入る前に、静岡県警への挨拶がてら、内海薫と共に火災現場を見に来たのだった。

「自分も何度か近くを通ったことがあるのですが、近くに行かないと、家だということさえわからないほどでした」そういったのは地元の警察に所属する上野という刑事だった。案内役として同行してくれたのだ。まだ三十代前半だろう。いかにも馬力がありそうな体格をしている。

「そんなにひどかったんですか」

草薙の問いに、若手刑事は頷いた。

「壊れた家電製品とか家具とか布団とか、とにかくありとあらゆるゴミが敷地内いっぱいに積み上げられていました。束ねた新聞紙や本なんかも多かったですね。たぶんどこかのゴミ集積所から運んできたんじゃないですかね」

「どうしてそんなふうになっちゃったんでしょう」内海薫が訊いた。

　さあねえ、と上野は首を捻った。

「近所の人の話では、十年ほど前からそんなふうだったらしいです。人付き合いが悪くて、臭いのことなんかで苦情をいっても、全く聞く耳を持たなかったそうです。役所の人間も何度か訪ねて、処分に困っているなら手伝ってもいいと提案したところ、これは全部うちの財産だから捨てる気はない、放っておいてくれといって追い返されたとか」

　上野の話を聞きながら、草薙は十九年前に会った蓮沼芳恵の顔を思い出していた。あの時にも変わった人物だと思ったが、変人ぶりに拍車が掛かっていたようだ。もしかすると息子が逮捕されたことに関係しているのかもしれない。

「蓮沼芳恵の姿は六年ほど前から目撃されていないそうですね。誰も不審に思わなかったんでしょうか」草薙が質問した。

「多少、噂にはなっていたみたいです。最近あまり見ないね、というふうに。でもそれ以上は話題にならなかったようです。関わり合いになるのを避けていたんでしょうね」

「水道代や電気代などの公共料金はどうなっていたんですか」

「それが、きちんと支払われていたんです。婆さんの銀行口座は生きていて、そこから引き落とされていたようです。使用されていないから基本料金のみのわけですが、だからといって水道局や電力会社の人間が出向くことはありません」

　それはそうだろう、と草薙は思った。

「年金は？　支払われていたんですか」

「そのようです。だから公共料金が引き落とされても預金が底をつくことがなかったんだと思われます」

「ほかに預金の入出金状況は？」

現在確認中です、と上野は答えた。

草薙は両手を腰に当て、改めて焼け跡を眺めた。

「報告書によれば、二つの死体は別々に見つかったそうですね」

「そうです。まず一階の和室から一人目の白骨死体が見つかりました。焼けた布団の中で横たわっていたんです。それで警察と消防がほかのところも調べたところ、元は床下だったと思われる場所から、二人目が見つかったというわけです」

「そちらが並木佐織さんですね」

「その通りです」

話を聞いたかぎりでは、一人目の遺体、つまり蓮沼芳恵は六年ほど前に自然死したと考えるのが妥当だ。それから約三年後、何者かが並木佐織の遺体を床下に隠した、ということになる。

「蓮沼芳恵さんの人間関係については、どの程度明らかになっているんですか」

草薙の質問に、上野は渋い表情を作った。

「あまりよくわかっていない、というのが実情です。遠い親戚はいるようですけど、付き合いはなかった模様です。旦那さんとは二十五年ほど前に死別しています。家族は御存じの通り、一人息子の蓮沼寛一がいるだけです。でも正確にいうと、本当の息子ではなく、死んだ旦那さんの連れ子です。芳恵さんは蓮沼にとっては継母だったわけです」

　そのことは草薙も把握していた。

「この家も、蓮沼の生家ではないそうですね」

「そうなんです」上野は小さな手帳を取り出してきた。「蓮沼夫妻が、それ以前に住んでいた浜松からこの場所に引っ越してきたのは、三十五年前です。その時、蓮沼寛一は家を出ていました」

　草薙は思わず舌打ちしていた。「そういうことか……」

　静岡県警は、すでに一度、蓮沼寛一の事情聴取を行っている。その調書によれば蓮沼は、継母とはもう何年も会っていないし連絡も取っていない、あんなゴミ屋敷のことなど知らない、自分とは何の関係もない家だ、と主張しているらしい。もちろん遺体についても何の心当たりもないと答えたようだ。十九年前の完全黙秘に比べれば、聴取に応じているだけ少しはましだが、捜査に非協力的である点は何も変わっていない。

　上野に静岡駅まで送ってもらい、新幹線で東京に向かった。自由席で内海薫と並んで座り、缶コーヒーを口に含んだ。

「並木佐織さんの遺体をゴミ屋敷に隠したのは、蓮沼だとみて間違いないでしょうか」内海薫が訊いてきた。

「おそらくな。まず蓮沼芳恵は六年前に死んでいて、その死体は布団の上にあった。並木佐織さんの遺体を隠した人間は、そのことを知っていたはずだ。死んでから三年も経っているのに誰もそのことに気づかないような家だから、遺体を隠すにはもってこいだと考えたわけだ。ではその人物は、蓮沼芳恵が死んでいることを知っているのに、なぜ通報しなかったのか」

内海薫は首を少し傾けた。

「死んでいないほうが……生きていることにしたほうが都合がいいから、でしょうね」

「その通りだ。ではその理由は？　どんなことが考えられる？」

女性刑事は眉間に皺を寄せ、「年金……ですかね」と呟いた。

草薙は頷いた。この後輩は、やはり頭が切れる。

「それだと俺も思う。生きていることにして、年金をいただこうという魂胆だ。そんなことを企む人間は一人しかいない。芳恵の口座を把握し、暗証番号も知っているとしたら、蓮沼以外に考えられない」

「所謂、年金の不正受給ですね」

「ところが遺体の隠蔽場所という思わぬ形でゴミ屋敷の利用価値が出た――そういうことじゃないかな。静岡県警が芳恵の銀行口座を調べるまでは何ともいえないが、たぶん間違いないと思う」

内海薫は瞬きし、大きく頷いた。

「その推理、かなり説得力があると思います。まずは遺体を隠したのが蓮沼の仕業だということを、証明しなければなりませんね」

「そう。まずは、な」

もちろんそれがゴールではなかった。むしろ、そこはスタート地点だった。十九年前と同じ轍を踏んではいけない。明らかにすべきは、並木佐織の死に蓮沼がどう関わっているかだ。

缶コーヒーを飲み、窓の外に目をやった。だが草薙が見ているのは、遠い過去だった。あの強烈な敗北感は少しも薄れてはいなかった。捜査一課に配属になったばかりの若き刑事にとって、天地が逆転するような出来事だった。

主文、被告人は無罪――。

到底、納得できることではなかった。判決文を何度も読み返した。それによれば裁判官は、本橋優奈の死亡に蓮沼が関わっている疑いは非常に濃い、と断言している。しかし多数の状況証拠のいずれも、被告の殺意を認定させるものではない、との判断だった。性的悪戯が目的で襲い、抵抗されたので殺害したという説も、被告の部屋にアダルトビデオが多数あったという以外に具体的な根拠はなく説得力に乏しい、と却下している。

判決が出た後の本橋優奈の父誠二の会見についても、草薙はよく覚えている。テレビカメラの前で、懸命に平静を保とうとしつつも、怒りで声や身体が震えるのを抑えられない様子だった。

「まさか無罪になるとは思いませんでした。黙秘していれば何でも無罪になるってことですか。納得できません。もちろん、まだまだ戦います。検察と警察には、何としてでも真相を明らかにしてほしいです」

この言葉通り、検察は控訴した。だが十か月後に出た控訴審判決も、やはり遺族を絶望させるものだった。

裁判長は、「被告が本橋優奈さんを死亡させた疑いは強い」と一審の判断をさらに進めた表現を使ったが、検察側が新たに示した証拠については、「被告が殺意を持って死亡させたとする証拠として十分とはいい難い」と述べ、控訴を棄却し、一審に続いて被告を無罪とする判決をいい渡したのだった。

これに対して検察がどう動くかが注目されたが、最終的には最高裁に上告しないことを決めた。判決理由を仔細に分析してみたが、憲法やこれまでの判例には則って(のっと)おり、上告する材料がない、というのが理由だった。会見に臨んだ次席検事の顔に滲ん(にじ)でいた無念の色を、草薙は今でもはっきりと覚えている。

「十九年前の最大のミスは、死体遺棄の証拠を武器に問い詰めれば、蓮沼が落ちると思ってしまったことだ」窓の外に視線を向けたまま草薙はいった。「だけど当時の捜査責任者たちを責めるのは酷だ。冷蔵庫から遺体の痕跡が見つかったんだ。言い逃れできないと考えるのがふつうだろ」

「おっしゃる通りだと思います」

「ところが、あんな逃げ道があったとはな」草薙はため息をついた。

「黙秘……ですね」

草薙は頷き、コーヒーを飲み干した。空き缶を右手で握りつぶし、唇を噛んだ。

「当時はまだ黙秘権のことはよく知られていなかったから、質問されたら何か答えなきゃいけないという意識が被疑者たちにはあったはずなんだ。ところが蓮沼は黙り続けた。身の上話どころか世間話にも応じようとしなかった。しかもその態度を裁判中もずっと貫いた。こんな言い方をするのも変だが、あの精神力には驚かされた」

「今回も同じ手を使ってくるでしょうか」

「あいつが犯人なら間違いなく……な」

内海薫がスマートフォンを取り出した。「ちょっと失礼します」立ち上がり、通路を歩きだした。着信があったらしい。

草薙はコーヒーの空き缶を前の網袋に入れると、後ろの席に人がいないことを確認してから背もたれを少し倒し、軽く瞼（まぶた）を閉じた。これから大きな勝負が始まる。休める時に休んでおかないと身体が保たない。

とはいえ事件のことで頭が一杯で、眠れる気配はなかった。

十九年前と同様の問題が一つあった。今回もまた死体遺棄での逮捕は難しいということだ。並木佐織が失踪したのは、正確には三年二か月前だ。死体遺棄の時効は成立してしまっている。

殺人罪で逮捕するためにはどんな材料を揃えればいいか。発見された人骨の頭蓋骨が陥没していたということだから、殺害方法は凶器による強打か。蓮沼の部屋を捜索して、凶器が発見されれば万々歳だが――。

　係長、と内海薫の声が聞こえた。「お休みですか」

　草薙は目を開けた。「どこからの連絡だ」

「岸谷(きしたに)主任からでした。今後の捜査方針を確認したいと菊野警察署の副署長からいわれたそうです」

　主任の岸谷たちは、すでに合同捜査本部に出向き、情報の共有を図っているのだった。

「わかった。東京に戻ったら、その足で捜査本部に向かうと伝えてくれ」

「おそらくそうおっしゃるだろうと思ったので、そのように答えておきました」内海薫はさらりといい、隣の席に腰を下ろした。

「菊野市か。同じ東京都内とはいえ、殆ど、いや、まるっきり縁がないな。何のイメージも浮かばない」

　知っているのは東京の西にある町だということだけだった。車で通ったことはあるが、歩いたことはない。

「たしか、あれが有名ですよ。パレード」

「パレード？」

　内海薫が素早くスマートフォンを操作した。

「ありました。これです。キクノ・ストーリー・パレードといいます」

　草薙のほうに向けられた画像には、桃太郎の格好をした人物や、鬼の着ぐるみが映っている。

「何だ、それは？　仮装行列か」

「ええとですね」内海薫は、さらにスマートフォンを操作した。「元々は菊野商店街秋祭りパレードといったんだそうです。全国からコスプレをしたい人たちを集めて、歩いてもらってただけみたいです。でもそれだけじゃ面白くないからコンテストにした、と書いてあります」

「コスプレ日本一を決めようってわけか」

「そういうのは、ほかにもたくさんあるじゃないですか。そこで特徴を出そうってことで、チーム戦にしたそうです」

「チーム戦？」

「複数の人たちが仮装して、物語の名場面を再現するんです。たとえば浦島太郎と乙姫様の格好をした二人が御馳走を食べている周りで、タイやヒラメの着ぐるみを被った人たちが踊っている、とかです」

「その状態でパレードを行進するのか。難しそうだな」

「いろいろと工夫は必要でしょうね。山車を使うチームもあるそうですよ。大規模な仕掛けを使う場合の規定とか、細かく決められています」

「全国から集めて、といったな。そんなに集まるものなのか」

「応募が多すぎて、予選が行われています。自分たちで撮影した動画を実行委員会に送ってもらって、その中から選ぶんだそうです。去年は百本近い動画が送られてきて、しかもどれもクオリティが高いので選考に苦労したと書いてあります」

「それを聞いたかぎりでは、かなり大がかりだな」

「知り合いが毎年見物に行ってるんですけど、年々規模が大きくなっていて、見応えがあるといってました」

「時期は？」

「十月です」

「そうか」

草薙は安堵した。半年以上も先なら問題ない。その頃なら捜査も一段落しているだろう。

「あっ、そういえば」内海薫がスマートフォンをしまいながら声を上げた。「あの方、今は菊野にいらっしゃるんじゃないでしょうか」

「あの方って？」

「湯川先生です。帝都大学の湯川学先生。昨年の暮れ、メールをいただきました」

その名前を聞くのは久しぶりだった。草薙の大学時代の友人だ。物理学者だが、推理力に優れていて、捜査に協力してもらったのは一度や二度ではない。しかし最後に会ったのは何年も前だった。

「あいつ、アメリカに行ったんだったな。それ以来、音信不通だったが」

「去年、帰国されたらしいです。メールは、そのことを報告する内容でした。係長のところにも届いていると思っていたんですけど」

「届いてない。何だ、あいつ。失礼な奴だ」

「私から伝わるだろうから必要ないと思われたのかもしれません。何しろ、合理主義者ですからね」

「単に横着なだけだろう。で、あいつは今、菊野なんかで何をしているんだ」

「メールによれば、新しい研究施設が菊野市に作られたから、自分の研究拠点もそちらになりそうだ、とのことでした。どういう研究かは書いてありませんでした」

書いたところでわかるわけがない、と思ったのだろう。眼鏡の位置を指先で直す、湯川の癖を草薙は思い出した。

「あいつが菊野にねえ……」

今回の事件が一段落したなら連絡してみようと草薙は思った。高級ウイスキーのソーダ割りなどを飲みながら、アメリカでの暮らしぶりを聞くのも悪くない。問題は、この厄介な事件を無事に片付けられるかどうか、だった。

## 5

合同捜査本部が菊野警察署に開設された翌日、草薙は内海薫を伴って『なみきや』を訪れることにした。三年前の並木佐織失踪事件については、警察に記録が残っていたので概(おおむ)ね把握しているが、実質的な捜査指揮官として、遺族から直接話を聞いておきたかったのだ。相手には余計な情報を与えないほうがいいと思ったので、まだ捜査員たちには接触させていなかった。

パレードが行われるという菊野通りに面した『なみきや』は、入り口が格子戸の庶民的な雰囲気の店だった。六人掛けのテーブルが四つ、四人掛けのテーブルが二つある。草薙たちは中央にある六人掛けのテーブルを挟んで、並木家の三人と向き合った。夫妻と次女の夏美だ。

並木祐太郎は、広い額と三日月形の眉が人の良さを感じさせる人物だった。痩せているが、背筋をぴんと伸ばして座っているので堂々として見える。一方、妻の真智子は目の大きな美人だった。草薙は並木佐織の写真を思い出した。彼女は母親似だったようだ。夏美も整った顔立ちをしているが、やや和風で、姉や母親とはタイプが違う。

「何が何だか、さっぱりわからないんです。一体、どういうことなんでしょうか」並木が草薙の名刺を手にしたままいった。「突然静岡県警から連絡があって、娘さんらしき遺体が見つかったからDNA鑑定をしたい、といわれました。それで承諾したら、数日して、一致したので遺体を引き取りに静岡まで来てくれってことです。もちろん行きましたけど、まるっきり知らない土地の名前を出されて、途方に暮れるばかりです。何で佐織の遺体が静岡で見つからなきゃいけないのか、こっちが訊きたいぐらいです」

草薙はゆっくりと二度頷いた。

「お気持ちは大変よくわかります。おっしゃる通り、非常に謎の多い事件だと認識しています。なぜあのような場所で遺体が見つかったのか、そのあたりから捜査を進めていこうと考えています」

佐織は、と真智子が口を開いた。「やっぱり誰かに殺されたんですよね?」その声は細く、かすかに震えていた。

「その可能性もあります」草薙は慎重に答えた。「すべて、これからの捜査で明らかにしていきたいと思っています」

真智子の眉がぴくりと動いた。

「殺されたんじゃなかったら、何だというんですか。静岡まで行って、知らない家で病気になって死んだとでもおっしゃる気ですか」唾を飛ばす勢いでいった。

おい、と並木が窘めた。「落ち着け」

真智子は睨むような目を夫に向けた後、黙って俯いた。呼吸が荒くなっているのが肩の動きでわかった。

「奥様のおっしゃっていることは尤もです」草薙は穏やかな口調を心がけていった。

「状況から考えて、何らかの事件に巻き込まれた可能性が極めて高いです。そこでお伺いしたいのですが、お嬢さんが失踪する前、何か変わったことはありませんでしたか。

おかしな電話がかかってきたとか、不審な人物を見かけたとか」

　夫妻は顔を見合わせた。並木が草薙のほうを向き、首を横に振った。

「あの時も警察の人から同じようなことを訊かれましたけど、何も思い当たりませんでした。悪い人間と付き合っているふしもなかったし、至って平凡な日常を送っていたと思うんですが……」

「交際していた男性とかはいなかったんですか」

　すると真智子が何か思うところがある表情で、隣の夏美を見た。それで夏美が、やや躊躇いがちに口を動かした。

「姉からは口止めされていたんですけど、お店に来るお客さんと付き合っていました」

　高垣という男性だ、と夏美はいった。会社員で、佐織より五歳上らしい。店の客と深い仲になることは父親が嫌がると思ったので、夏美以外の者には隠していたという。

「私たちが知ったのは、佐織が行方不明になってからです。夏美から聞かされました」

　真智子がいった。

「その人は、今もよく店に？」

「ここ一年ほど、来ておられないと思います。佐織がいなくなった後も、時々はいらしてたんですけどねえ」真智子の口ぶりから察すると、来なくなった理由は不明のようだ。

「その方の連絡先はわかりますか」

　真智子がまたしても娘のほうを見た。夏美は、会社ならわかります、と答えた。四つ離れた駅の近くにある印刷会社らしい。

「ほかに佐織さんが特に親しくしていた方はいらっしゃいませんか。男女は問いませんし
「それは何人かは……。学生時代の同級生とか」真智子が答えた。「住所録があったと思います。持ってきましょうか」腰を浮かせかけた。

「後ほどで結構です。それより、皆さんに見ていただきたいものがあります」そういって草薙は隣の内海薫に目で促した。

内海薫がバッグから一枚の写真を取りだし、テーブルの上に置いた。正確には免許証の顔写真のカラーコピーだ。並木家の三人が揃って身を乗り出した。

真っ先に真智子が、あっと声をあげた。大きな目をさらに見開いている。

「何かお気づきになりましたか」草薙は訊いた。

真智子は写真を手に取り、改めて凝視してから頷いた。

「この人……覚えてるよね」そういって並木のほうに差し出した。

並木もすでに表情を険しくしていた。写真を見つめる目には、ただならぬ思いが込められているようだった。

「ああ、覚えてる。あいつだ」吐き捨てるようにいった。

「誰なの？」夏美が二人に訊いた。彼女は会ったことがないらしい。

「前によく来てたの。いつも一人で、陰気な顔をして……。何だか気味悪い人だなあと

思ってたんだけど」真智子は写真を草薙のほうに突き出した。「この男なんですかっ。こいつが佐織を殺したんですかっ」

「いえ、まだ何もわかってはいません。事件と関係があるかもしれない人物だと申し上げておきます」草薙は腕を伸ばし、真智子の手から写真を取り返した。そこに写っているのは蓮沼寛一の顔だった。それを改めて夫妻のほうに向けた。「この人物に、あまり良い感情を持っておられないようですね。何かトラブルでもありましたか」

「トラブルというか……」真智子が夫を見た。

「デキンにしたんです」並木がいった。

「デキン？　出入禁止のことですか」

「そうです」並木は首を縦に動かした。「あまりにも目に余りましたのでね」

「どんなことがあったんです」

「娘に……佐織に酌(しゃく)をさせようとしたんです」

「酌、ですか」

　ええ、と並木は不愉快そうな顔で顎を引いた。

「こんな小さな店ですから、顔馴染みになる常連さんはたくさんいます。そういう人たちとは佐織も打ち解けて、ビールを注ぐなんてこともあるわけです。ところがその様子を見ていたその男が」草薙が持っている写真を睨んで続けた。「俺にも酌をしろといいだしたわけです。しかも隣の席に座れとか。とりあえず客ですから、その時は佐織も我慢していわれた通りにしていたんですが、それからもちょくちょくそんなことがありましてね。ついには私のほうからいったんです。うちはただの定食屋なんだから、そういうことをするなら二度と来ないでくれ、と。たしか、その夜の代金は請求しなかったはずです」

「この男性は何と？」

「その後は？」

「何もいわずに出ていきました」

それからは、といって並木は妻のほうに顔を向けた。「もう来なかったんじゃないか」

真智子は頷いた。「来なかったと思います」

「いつ頃の話ですか」

いつだったかなあ、と並木が首を捻った。

「最初に酌をしろっていいだしたのは、パレードがあった日だったのよ。それから一か月以上経ってたと思うから……三年とちょっと前の十二月でしょうか」

おねえちゃんが、と夏美が呟いた。「いなくなるより少し前だね」

「わかりました」草薙は写真を内海薫に渡した。

「誰なんですか、その男」並木が強い語気で訊いた。「店には何度か来ましたけど、どこの誰なのかは知らないままだったんです」

草薙は口元を緩めた。「申し訳ありませんが、まだお話しできる段階では……」

「名前ぐらい教えてくれたっていいじゃないですか」真智子が訴えるような目を向けてきた。「お願いします」

「御理解ください。まだ捜査が始まったばかりなんです。何か御報告できることがあれば、すぐに連絡いたします」

草薙は内海薫に目配せしてから腰を上げ、改めて三人のほうを向いた。

「本日は、御協力ありがとうございました。全力を挙げて真相を解明していきたいと思いますので、今後もよろしくお願いいたします」そういって深々と頭を下げると、隣の内海薫も、よろしくお願いいたします、と倣った。

悲劇の渦中にある三人家族からの返答はなかった。

## 6

色を再調整した後、一度瞼を閉じ、数秒待ってから目を開けてモニターを見つめた。一旦頭をリセットしないと、良くなったのかどうか、自分でもよくわからなくなってしまうからだ。

画像の出来映えを確認し、まあまあかなと高垣智也は思った。画面に映っているのは、高級老人ホームの一室だ。パンフレットに載せる写真を選んでいるのだが、明るい雰囲気になるように、という注文をクライアントから受けている。そうなると、ただ写真を並べるだけではだめだ。ある程度の加工が必要になってくる。

　窓から光が射し込んでくる感じを出そうかなと考えた時、傍(かたわ)らに置いたスマートフォンが着信を告げた。出てみると受付の女性だった。

「高垣さんに会いたいという女性が来ておられます。ウツミさんという方です」

「ウツミさん？　どこのウツミさんですか」

　その名字には心当たりがなかった。

「菊野商店街の関係者です、とおっしゃっています」

「菊野の？」

　その地名なら馴染みがある。何しろ、智也が住んでいる町だ。ただしある理由から、最近は商店街には近づいていなかった。

「どうします？　手が離せないということなら、そのように説明しますけど」

「いえ、これから行きます。どういう用件なのか、気になるし」智也はパソコンをそのままにして、椅子から立ち上がった。

　受付で待っていたのは、黒いパンツスーツ姿の女性だった。長い髪を後ろでまとめている。年齢は三十過ぎ、あるいはもう少し上といったところか。

「高垣さんですか」女性が歩み寄ってきて、尋ねた。

　そうですと答えると、彼女はさらに一歩近づいてきた。そして受付のほうをちらりと見た後、上着の内ポケットから何か出し、「私はこういう者です」と声をひそめていった。

それが何なのか、すぐにはわからなかった。警察のバッジだと気づくのに数秒かかった。智也は瞬きし、相手の顔を見つめた。

女性警察官は勝ち気そうな目で、彼の視線を受け止めた。「どこか、静かに話せるところがあるといいのですが」

会話を他人に聞かれたくないという意味らしい。

「打ち合わせ用の部屋があります。そこでいいですか？　狭いですけど」

「十分です。ありがとうございます」

彼女の丁寧な物言いから、自分が何かの罪に問われるわけではなさそうだ、と智也は安堵した。もとより、警察沙汰になることをした覚えはまるでなかった。

テーブルと椅子を置いただけの殺風景な小部屋で、智也は女性警察官と向き合った。彼女は名刺を出してきて、改めて自己紹介をした。警視庁捜査一課に所属している、内海薫という巡査部長だった。

「お忙しいところ申し訳ありません。早速ですが、この女性を御存じですね」

そういって彼女が出してきた写真を見て、智也は息を呑んだ。御存じなんてものではない。忘れたことのない、忘れたくても忘れられない顔だった。

「並木佐織さん……です」笑顔でピースサインを出している佐織を見つめながら答えた。

「あなたとの御関係は？」

唾を呑み込んでから開口した。

「付き合っていました。三年前の話ですけど。あの、内海さん、もしかして佐織が……」後を続ける言葉が思いつかなかった。

女性刑事がかすかに眉をひそめ、小さく頷いた。

「静岡県で火事になった民家の焼け跡から遺体で発見されました」

「静岡？」

思いがけない地名だった。

「ただし亡くなったのは、ずいぶん前だとみられています。おそらく失踪直後だろうと」

身体の中から何かが抜けていくような感覚があった。やはりそうか。死んでいたのか。そうだろうと諦めてはいたが、こうして知らされるとやはりショックだった。

智也は呼吸を整えてから、内海薫を見た。「どうして静岡なんかで？」

「まだわかっていません。現在、それも含めて捜査中です。高垣さんに心当たりはありませんか。生前、佐織さんから静岡に関する話を聞いたこととか」

「一度もないです」智也は断言した。「彼女、静岡には行ったことさえないと思います」

「御両親もそのようにおっしゃっています」内海薫は頷きながらいった後、じっと智也の顔を見据えてきた。「佐織さんとは、どの程度のお付き合いでしたか。話せる範囲で結構です」

「どの程度といわれたら、まあ、ふつうだったんじゃないかと」智也は頭を掻きながら続けた。「正式に、という言い方は変ですけど、二人でデートをするようになったのは、彼女が高校を卒業した頃です。僕も入社して二年目で、仕事に慣れて、少し余裕が出てきた時期でした。それまでは、僕が『なみきや』へ行った時に話をする程度でした」

「デートの頻度は？」

「一、二週間に一度というところでしょうか。お互い、忙しかったので」

「どういったところでデートを？　差し支えがなければ、ですが」

「都心へ遊びに行くことが多かったです。といっても、ぶらぶら歩いただけです。買い物をしたりとか」

　肉体関係があったことも話さなければならないのだろうか、と智也は考えた。いくら警察といえど、そこまでプライバシーに立ち入る権利があるのだろうか。

だが内海薫は、それ以上踏み込んだことは尋ねてこなかった。その代わり、「佐織さんが失踪した頃のことを、できるかぎり詳しく教えていただきたいのですが」と本筋に触れる質問をしてきた。

　智也は記憶を辿った。

「失踪したということを僕が知ったのは、少し日にちが経ってからでした。メッセージを送っても既読にならないし、電話にも出ないので、おかしいなあと思っていたんです。それで会社の帰りに『なみきや』に行ったら、臨時休業になっていました。これはきっとただ事じゃないと思っていたら、夏美ちゃんから連絡があって、それでようやく事情を知りました」

「警察からの接触はなかったんですか」

「ありませんでした。僕と佐織の関係を知っていたのは夏美ちゃんだけで、ほかの人には秘密にするよう佐織と約束していたらしく、警察にも黙っていたみたいです。僕に迷惑がかかっちゃいけないとも思ったと、後に夏美ちゃんから聞きました」

話しているうちに当時のことが脳裏に蘇ってきた。

佐織の失踪を知った後、智也は何度も『なみきや』を訪ねた。だがその入り口はいつも閉まっていた。どういう状況なのかを知りたくて身悶えしたが、家族が一番辛いのだと自分にいい聞かせた。

「では単刀直入に伺いますが」内海薫が真っ直ぐに見つめてきた。「並木佐織さんは、何が原因で失踪し、そして亡くなったと思われますか」

本当にストレートな質問だった。智也は当惑し、首を横に振った。

「わかりません。そんなの、わかるわけないじゃないですか。ある日突然行方不明になって、そのままなんですから」

「我々は、並木佐織さんは何らかの事件に巻き込まれた可能性が高いと考えています。その点についてはいかがですか。同意できますか」

「もちろんです」今度は首を縦に振った。「誰かに殺されたんだと思います」

「その、誰か、に心当たりは？」女性刑事が探るような視線を向けてきた。

一瞬、ある想像が智也の脳裏をよぎった。そのせいで返答が少し遅れたが、ありません、と答えていた。

「今、何かを躊躇われましたね」内海薫が鋭く尋ねてきた。「思いついたことがあるのではありませんか」

「いや、その……」

智也が口ごもると、高垣さん、と内海薫は笑顔で優しく呼びかけてきた。

「私以外、誰も聞いていません。メモにとったりはしませんから、何かいいたいことがあるのなら、どうか遠慮なくおっしゃってください。誤解かもしれないとか、無責任な憶測を口にはできないとか、難しいことは考えなくて結構です。そういう真偽入り交じった情報の中から、私たちは真実を探しだしていくのです。どうか御協力をお願いいたします」最後には頭を下げた。

智也は乾いた唇を舐めた。女性刑事の指摘は見事だった。彼の内心をいい当てていた。

「大した根拠はないんです。単なる想像です」

「それで結構です」内海薫は顔を上げた。切れ長の目が光ったようだ。

咳払いを一つしてから智也は口を開いた。

「佐織が卒業した年の秋頃からだったと思うんですけど、『なみきや』に嫌な客が来るようになったと彼女から聞きました。じろじろといやらしい目で見てくるし、ビールの酌をさせられることもあるとか。遅い時間らしく、僕は店で会ったことがありませんでした。それで一度、遅くまで残っていたら、その男がやってきたんです。彼女がいうように、酌をするように命じました。おまけに隣に座らせようとまでするんです。その時は佐織がうまく言い訳して、二階に逃げたんですけど、その後もそいつは頻繁に店に来ていたみたいです。僕が心配すると、大丈夫だと佐織はいいました。実際、親父さんが追い払ってくれて、それ以後は来なくなったそうです。ただ——」

この先を話していいものかどうか、迷いが生じた。

「何ですか？」内海薫は当然のごとく食いついてくる。

「佐織はしばしば、町でその男と会うといってました。気がついたら、すぐそばにいたということが何度かあったと。そんな時には足早に逃げたそうです」

「跡をつけられていた？」

「それはよくわかりません。気のせいかもしれないと佐織はいってましたけど」

「その人物について、ほかに何か御存じのことはありますか。名前とか、職業とか」

智也はかぶりを振った。「何も知りません。『なみきや』に来ていた客というだけで、どのあたりに住んでいたのかもわかりません」

「その話を警察にするのは初めてなのですね」

「そうです。だって、あの……佐織が失踪するより、少し前の話で、失踪直後には関連づけられなかったんです。でもあれこれ考えているうちに、もしかしたらあの男が関係していんじゃないかと……」

内海薫は考え込むように黙り込んだ後、傍らのバッグを開けた。

「この中に、その人物はいますか」そういってテーブルに五枚の写真を置いた。いずれも男性の顔写真だった。雰囲気から運転免許証のものだと思われた。

左から二番目の写真を見て、はっとした。削げた頰と暗い目に見覚えがあった。

この人です、と指差した。

「そうですか」女性刑事は特に表情を変えることなく、手早く写真をバッグにしまった。

「やっぱり、その男なんですか」智也は訊いた。「刑事さんが写真を持ち歩いておられるぐらいだから、すでに警察はそいつに目をつけているということですよね。何か証拠とかが見つかっているんですか」

内海薫は口元をかすかに緩めた。「いろいろなことを捜査中です。この人物だけを疑っているわけではありません」

「だけど……じゃあせめて、名前だけでも教えてください。どこの誰なんですか」

「申し訳ありませんが、それをあなたに教えても、捜査のプラスにはなりませんので」

「マイナスにもならないでしょう？」

「あなたが誰かに話し、その情報が一人歩きすれば、捜査の弊害になるおそれは十分にあります」

「誰にも話しません。約束します」

「その言葉を信用するより、話さないほうがこちらとしてはリスクが少ないのです。どうか御理解ください」

女性刑事が淡々と語る言葉に、智也は唇を嚙んだ。悔しいが、彼女のいっていることは正論ではあった。

内海薫は腕時計に目を落とした。

「大変参考になりました。御協力に感謝します」頭を下げ、椅子から立ち上がった。

彼女を玄関まで見送った後、智也は席に戻った。しかしなかなか仕事に気持ちが向かわなかった。気づくとスマートフォンで、記事の検索を行っていた。だが並木佐織という名前だけではヒットしない。ネットニュースに実名は流されていないようだ。

スマートフォンを置き、椅子の背もたれに体重を預けた。ぼんやりと机を見つめる。入社した時に支給された机だ。その頃の記憶が蘇ってきた。

五年前の四月、智也は初めて『なみきや』で夕食を摂った。一緒に暮らしている母の里枝(りえ)は看護師で、その日は夜勤だったからだ。それまでは病院へ出勤する前に食事を用意してもらっていたのだが、社会人になったのだし、夕食ぐらいは自分で何とかしようと思った。『なみきや』は駅から自宅に帰る途中にあるのだが、雰囲気のよさそうな店だな、いつか入ってみたいなと思っていた。

その最初の日に、智也は店で働く佐織を見た。顔が小さくて目が大きく、今すぐに芸能界に入ってもおかしくないほどの容姿だった。何より、表情が生き生きしているところに惹かれた。一見(いちげん)の客である智也に、まるで常連客のように親しげに接してくれるのも嬉しかった。

　智也が本物の常連客になるのに、さほど時間はかからなかった。気づけば週に一度は訪れるようになっていた。時には里枝が夜勤でない時でも、今夜は外で食べてくるからといって会社帰りに『なみきや』へ行くこともあった。料理が美味しいこともあるが、もちろん佐織に会うのが目的だった。

　しかし急いで気持ちを打ち明けようとは思わなかった。何しろ相手はまだ高校生だ。それに佐織が受け入れてくれるとはかぎらない。足繁く通っているうちに、憎からず思ってくれているのではという感触を得られるようになっていたが、都合よく誤解しているおそれは十分にあった。

　佐織に恋人がいないらしいことは、彼女の母親である並木真智子たちの会話からわかっていた。とはいえ、智也と同様に彼女を目当てに来ている客も少なくないはずだった。若い男性客がいると気になった。皆が彼女を狙っているように思えてならないのだ。誰にでも愛想のいい彼女の態度を見ると落ち着かなかった。

　そんなふうにして瞬く間に一年近くが経った。三月のある夜、智也はほかに客がいないタイミングを狙い、佐織にプレゼントをした。卒業祝いだといった。金色の蝶を象(かたど)ったバレッタだ。

　佐織は目を輝かせ、その場ですぐに自分の髪に付けた。そばに鏡がなかったので、智也は彼女の頭を後ろからスマートフォンで撮影し、見せてやった。

「すっごくかわいいっ」佐織は画像を見て、はしゃいだ声を出した。その表情は演技とは思えなかった。「これを付けて、早くどこかへ行きたいな。どこへ行こうかな？」バレッタを触りながらいった後、彼女は智也を見た。「ねえ高垣さん、どっか連れてってよ」

どきりとした。まさかこんなふうにいわれるとは予想していなかった。

「じゃあ映画でも行く？」

ややうろたえながら智也は提案すると、佐織は難色を示した。暗いところでは意味がない、というのだった。

こうして最初のデートは東京ディズニーランドになった。佐織は鏡を見つけるたびにバレッタを付けた自分の後ろ姿を映し、かわいいと何度もいった。

これを機に、定期的にデートをするようになった。付き合ううち、智也は佐織のことがますます好きになった。彼女は優しく、思いやりのある女性だった。

交際していることは周囲には秘密にしていたが、里枝には話した。すると会いたいというので、自宅に連れて帰った。里枝は一目で気に入ったようだ。あんな素敵なお嬢さん、智也なんかにはもったいない、とさえいった。

佐織はまだ十九歳だったし、将来のことを考えるのは早すぎるとわかっていた。何より彼女にはプロの歌手になるという夢があった。それが叶うよう、自分も支えてやらねばと思っていた。

だが何もかもが一瞬にして奪われたのだった。佐織が消えてからの三年間は地獄だった。ただ悶々とし、もがき苦しんだ。何か情報を得たくて『なみきや』に通い続けたが、やがては足が遠のいてしまった。もう何の望みもないと諦めていたからだった。

## 7

新倉直紀（にいくらなおき）の自宅を訪ねてきたのは、岸谷という警視庁の警部補と菊野警察署の若い刑事だった。岸谷は四十歳前後の理知的な顔つきをした男性で、話し方も穏やかだった。

いずれ自分たちのところへも警察が来るだろうと予想していたので、新倉にとって彼等の訪問は意外ではなかった。すでに『なみきや』の並木祐太郎から連絡があり、佐織の遺体が見つかったという話を聞いていたのだ。並木たちのところへは、捜査責任者の一人が直々に来たらしい。

岸谷の質問の主旨は三つだった。佐織が失踪した当時の状況、人間関係、そして巻き込まれたと思われる事件に関する心当たりだ。

新倉としても、何とか彼等の捜査に役立ちそうな情報を提供したかった。だが実際には岸谷が投げかけてくる質問に対し、眉間に皺を寄せて首を捻るしかなかった。情けなかったが、それが事実だった。今ここで話せるような手がかりがあるのなら、三年前、警察に話していただろう。

　収穫など殆どなかったはずだが、御協力ありがとうございました、といって岸谷たちは立ち去った。彼等を玄関先まで見送りながら、新倉は虚しい無力感を味わっていた。

　妻の留美と共に居間に戻った。センターテーブルの上には、刑事たちが口をつけなかった湯飲み茶碗が残っていた。

「コーヒーでも淹れる？」茶碗を片付けながら留美が尋ねてきた。

「ああ、そうだな。もらおうか」新倉はソファに腰を下ろした。岸谷が置いていった名刺を手にし、吐息を漏らす。

　警察に大した情報を提供できなかったのと同様に、新倉たちが彼等から得られたものも少なかった。佐織の遺体が見つかったという静岡の家が、誰のものであるかさえも教えてもらえなかった。

　唯一の収穫は、こういう人物に見覚えはないかと男の顔写真を見せられたことだ。そういえば並木も、警察から男の写真を見せられたといっていた。たぶん同じ写真だろう。並木によれば、店によく来た客で、しばしば佐織に不届きなことをしていたらしい。だが新倉はその男を見たことはなかった。当然、どこの誰かも知らない。

　あの男が犯人なのだろうか。佐織は、あいつに殺されたのだろうか。

　写真の顔を思い返した。人相がいいとはとてもいえなかった。悪戯目的で近づき、抵抗されたので殺した——そんなところだろうか。だとすれば、何と理不尽な。

並木佐織は、新倉が久しぶりに出会ったダイヤの原石だった。

菊野商店街に天才少女がいるという噂は聞いていた。その歌声を聴きたくて、のど自慢大会の会場がいっぱいになるらしい。しかし新倉は興味を示さなかった。所詮のど自慢大会。小さな女の子が多少うまく歌えば、大人たちは盛り上がる、その程度のことだろうと高をくっていた。

だがある時、知り合いの音楽関係者から、悪いことはいわないから一度聴いてみたらいいと一枚のパンフレットを見せられた。地元の高校の文化祭を紹介するものだった。それによれば軽音楽部のコンサートというのが行われるらしい。そこでボーカルをしているのが、例の天才少女だというのだった。

たまたま時間が空いていたので留美と二人で足を運ぶことにした。内心では全く期待していなかった。安っぽいロックもどきを聞かされるのだろうと覚悟していた。

しかしその予想は大きく覆(くつがえ)された。並木佐織たちが披露したのはロックではなく、ジャズやブルースだった。スタンダードナンバーもあれば、かなりの通でないと知らない曲もあった。いずれも歌唱の難易度は半端ではない。ところが佐織は見事に歌い上げていた。独特の声には、木管楽器を想起させる深い響きがあった。また、音に関する感性も素晴らしかった。彼女は曲の意味を完全に理解しているように見えた。女子高校生の技とは到底思えなかった。

気がつけば新倉たちは、コンサートが終わるまで会場に残っていた。もっともっと聴いていたいと思った。

会場を出た後、留美と話し合った。どちらも興奮していた。あの才能を放っておく手はないと二人の意見は一致した。

早速、自宅を訪ねていき、両親に会った。彼等は娘に才能があることはわかっていたが、プロになるほどだとは考えたこともないらしく、明らかに困惑していた。だが新倉が熱い口調で説得すると、現実の問題として受け止められるようになったようだ。本人の気持ちを訊いてみるといってくれた。

娘は挑戦したいといっています――後日に並木から電話を貰い、夫婦で小躍りした。

こうして新倉は並木佐織というダイヤを手に入れた。しかしまだまだ原石だ。もっと光り輝かせるには磨かなくてはならない。新倉は人脈を駆使し、信頼できるボイストレーナーを佐織につけた。新倉の屋敷には防音室がある。そこでレッスンを受けさせた。

この才能を何としてでも開花させねばならないと思った。日本の、いやもしかすると世界の財産になるかもしれないのだ。そのためならすべてを注ぎ込んでもいいと思っていた。

新倉家は代々医者だ。病院をいくつか経営していて、現在は二人の兄がそれらを継いでくれている。新倉自身も大学は医学部に進んだ。そのまま医師の道に進むはずだったが、学生時代にバンド活動にのめり込み、人生が変わった。元々、音楽が好きだった。ピアノは五歳の時から習っていて、中学に上がる頃には作曲に興味を持つようになった。

医師よりも音楽家になりたい、という夢はあったのだ。

大学を中退した時には周囲から反対されたが、地道ながらも音楽活動を続けているうちに、応援してくれる人々が増えてきた。特に理解を示したのは二人の兄で、病院のほうは自分たちが何とかするから、おまえは好きなことをやれといってくれた。金銭面で全く苦労しなかったのは、兄たちのおかげといって過言ではない。

だが自らに才能がないことは、比較的早い段階で思い知った。四十歳を過ぎたあたりからは、才能のある若い人間を見つけ、育成したいと考えるようになった。音楽学校やスタジオを経営し、そのチャンスを窺った。実際、これまでに何人かの才能を音楽界に送り出してきた。その中でも佐織は別格だった。

新倉たちの期待通り、佐織はめきめき上達していった。これなら世界でも通用する――そんなふうに自信を深めた時、思いがけないことが起きた。その至宝が姿を消したのだ。

夢にも思わないことだった。事故に遭ったり、病気を発症したというのなら諦めもつく。突然いなくなってしまうとはどういうことか。その事実を知った時、なぜ娘の行動にもっと気をつけていなかったのか、と、筋違いとわかりつつ並木夫妻に腹を立てた。

佐織が消えて以来、新倉の生活は一変した。生き甲斐を失ってしまい、ただぼんやりと過ごすだけの毎日だ。傍からは抜け殻のように見えたことだろう。

香ばしい匂いに我に返った。留美がトレイにコーヒーカップを載せて戻ってきた。

「ブラックでいいわね？」

ああ、と答え、新倉はカップに手を伸ばした。コーヒーを口に含んだが、味がよくわからない。感度が鈍っているからだ。頭の中には佐織のことしかない。

ねえ、と留美がいった。「あの写真の男が犯人なのかしら」

「さあ……でも、その可能性が高いんじゃないか」

「犯人なら死刑になるわよねえ」

新倉は首を傾げた。

「それはわからない。一人を殺しただけでは死刑にならないと聞いたことがある」

「そうなの？」妻は意外そうに目を見開いた。

「たしかそうだ。懲役十何年、とかじゃないかな」新倉はカップを置き、宙を見据えて続けた。「できることなら、逮捕される前に、この手で殺してやりたいよ」

## 8

合同捜査本部開設から一週間、草薙から進捗状況を聞いた間宮の表情は曇ったままだった。事件解決に繋がりそうな好材料が少ないのだから無理はなかった。

「今のところ攻め手としては年金だけか」席についた間宮が報告書を眺めながらいった。

「それにしても、蓮沼がゴミ屋敷に出入りしていたことを証明する必要があるかと」草薙は立ったままでいった。

「聞き込みの成果はなしか」

「今のところ」

間宮は渋面を浮かべ、唸った。

合同捜査本部が開設されて以来、大勢の捜査員たちが、蓮沼芳恵が死亡したと思われる六年前から今までの間に、蓮沼寛一が芳恵の家に出入りした痕跡を探している。一度でもそういう事実があれば、少なくとも芳恵の死亡には気づいていたはずで、その点を追及できるというのが草薙や間宮の考えだった。

じつは静岡県警が重要なことを突き止めていた。芳恵の年金が振り込まれる銀行口座から、時折何者かによって現金がカードで引き出されていたのだ。つい先日には都内のＡＴＭで、預金のほぼ全額が下ろされている。防犯カメラの映像を確認したところ、蓮沼と思われる男が映っていた。おそらく芳恵の遺体が見つかったことを知り、口座が凍結される前に引き出しておこうと考えたのだろう。

草薙の睨んだ通りだった。つまり、もし母親の死亡に気づいていたはずだという証拠が得られれば、蓮沼を詐欺罪で逮捕することが可能になるのだ。

だが大勢の捜査員たちが懸命に聞き込みに回ったにもかかわらず、この六年の間に蓮沼が芳恵の家へ行ったという事実は摑めなかった。静岡県警でも引き続き、焼けたゴミ屋敷周辺で蓮沼らしき人物が目撃されていないか調べているが、今のところ有益な情報は得られていない。

　死体遺棄での逮捕も検討されたが、あの家に出入りしたという証拠がなければ起訴できないのは同じことだ。それに時効の問題もある。死体遺棄で立件するには、並木佐織が失踪後も最低二か月は生きていたことを証明しなければならない。

「蓮沼に何か動きは？」間宮が訊いた。

「ありません。相変わらずです」

　ゴミ屋敷の焼け跡から二人の遺体が見つかって以降、蓮沼には常に見張りがつけられている。遺体の身元が判明するまでは静岡県警の捜査員が、合同捜査本部開設後は主に警視庁の捜査員がその任についている。逃亡するおそれがあるからだが、蓮沼が証拠隠滅のために何らかの動きを見せるのではないか、という思惑もあった。

　だがこれまでの報告によれば、蓮沼は買い物やパチンコなどで外出する以外、殆どの時間を江戸川区にあるアパートで過ごしているらしい。ひと月前に、それまで働いていた鉄屑業者が倒産しており、現在、収入はないと思われる。

　気になるのは何人かの捜査員が、尾行や監視に気づいているふしがある、といっていることだ。あるベテラン刑事は、蓮沼がデパートの女性下着売り場を通り抜ける途中、急に振り返ったので隠れる場所に困った、と漏らしている。

　間宮は太いため息をつき、腕を組んだ。「まだ任意で呼び出せる段階ではない、ということだな」

「継母が住んでいたゴミ屋敷に誰の死体があろうと自分には関係がない、といい張るだけでしょう」

だろうな、と間宮は苦い顔を作った。「わかった。引き続き、よろしく頼む」

草薙が自分の席に戻って資料に目を通していると、係長、と岸谷が駆け寄ってきた。

「蓮沼が三年前、頻繁に使っていた車がわかりました。勤務先のライトバンです」岸谷は白いライトバンの画像がプリントされた紙を出してきた。「これと同型の車です」

草薙は紙を受け取り、画像を見て頷いた。

もし蓮沼が並木佐織の遺体を運んだのなら、車が必要だったはずだ。しかし記録によれば、当時蓮沼は車を所持していなかった。ただ、勤務していた廃品回収会社の車を使った可能性があると考え、岸谷たちに調べさせていたのだった。

「当時、この車を使っていたのは蓮沼だけで、ほかの従業員が乗ることはなかったそうです。車両利用記録というのがあって、確認済みです」

よし、と草薙は改めてライトバンの画像を睨んだ。

「それで一つ、興味深いことが」岸谷がいった。

「何だ」

「並木佐織さんの姿が最後に確認されたのは、コンビニの防犯カメラです。その動画を詳しく調べたところ――」岸谷は二枚の画像のプリントを机に置いた。一枚には並木佐織がスマートフォンを耳に当てて歩いているところが写っている。そしてもう一枚には、白いライトバンが写っているのだった。

「おい、これは……」草薙は時刻表示を見た。二つの画面の時間差は一分もなかった。

「並木佐織さんがコンビニの前を通過してから間もなく、このライトバンが通っています。佐織さんの跡を付けていた、とは考えられませんか」

「車のナンバーはわかっているか」

「もちろんです」

「Nシステムの記録を当たれ。静岡県警にも連絡だ」

「了解です」岸谷は気合いの籠もった声で答えた後、それともう一つ、といって人差指を立てた。「その会社に、蓮沼と特に親しくしていた人物がいるんですが、少々面白い話が聞けました。この三年間、ごくたまに蓮沼のほうから連絡があったそうです。しかも公衆電話で」

「公衆電話?」

「蓮沼の用件というのはいつも決まっていて、会社の様子を尋ねてきたらしいです。特に警察が来たかどうかを気にしているようだった、とか。ただし頻繁に連絡があったのは最初の数か月で、徐々に回数が減り、ここ一年ぐらいは音信不通だったそうです」

岸谷の報告に草薙は頷いた。

「佐織さんの失踪事件で、自分が疑われていないことを確認していたんだろうな。アパートを引き払った後も、蓮沼はしばらく住民票を移していなかった。万一警察に追われた場合のことを考えたんだろう。連絡に公衆電話を使ったのも、そのためだ。しかしどうやら大丈夫らしいと安心して、住民票を移し、免許証も更新したというわけだ」

「自分もそう思います」岸谷は同意した。

また一つ、蓮沼の嫌疑を濃くする材料が見つかったわけだ。状況証拠ではあったが。

それから間もなくNシステムの追跡結果が出た。三年あまり前に、そのライトバンが菊野を出て最寄りのインターチェンジから高速に乗り、静岡に向かったことが判明した。さらに約二時間後には逆方向に走っている。日付も時刻も、並木佐織が失踪したタイミングとぴたり合致していた。

草薙は蓮沼の部屋の家宅捜索と任意での事情聴取を決めた。


聴取には草薙自らが当たることにした。

取調室で向き合った蓮沼は、十九年前に比べるとかなり痩せており、頬の肉がさらに削げ落ちていた。皺は顔全体に広がり、目は落ち窪んでいる。だが表情の変化が乏しく、目に何の色も浮かんでいないのは、昔のままだった。

草薙は最初に自己紹介をしたが、蓮沼は何の反応も示さなかった。十九年前に会った平刑事のことなど忘れているのだろう。

氏名と住所を尋ねたところ蓮沼が正直に答えたので、とりあえず安堵した。この時点から黙秘する者も時にはいるからだ。

最初のカードを切ることにした。一枚の画像を蓮沼の前に置いた。ＡＴＭで現金を引き出した時のものだ。「これはあなたですね?」

蓮沼は冷めた目で一瞥してから、わかりません、と素っ気なく答えた。

「この日、蓮沼芳恵さんの口座から現金が引き出されているんです。もしこの人物があなたでないのだとしたら、キャッシュカードが盗まれ、暗証番号も漏れていることになる。つまり窃盗事件として捜査しなければなりません。その場合、被害者の関係者であるあなたにも協力をお願いすることになりますが、了解していただけますね」

蓮沼は三白眼を草薙に向けてきた。鼻を啜る音をたてた後、上着のポケットから財布を出し、一枚のカードを抜き取った。キャッシュカードだった。それを机に置いた。

「拝見していいですか」

草薙が訊くと、蓮沼は頷く代わりにゆっくりと瞬きした。

カードには蓮沼芳恵の名前が片仮名で印刻されていた。指紋認証タイプではなかった。

「なぜあなたが持っているのですか」草薙はカードを返しながら尋ねた。

「わけがありまして」蓮沼はカードを手に取った。

「どういうわけでしょうか」

蓮沼はかすかに肩を上下させた。「プライベートなことなので、話したくありませんね」

「あなたは静岡県警の事情聴取で、芳恵さんとは何年間も会ってないし、連絡も取ってないといっておられます。では最後に会ったのはいつですか」

「昔のことなので忘れました」

「大体で結構ですが」

「曖昧なことはしゃべりたくありません」そういってから蓮沼は口元を曲げた。笑いを嚙み殺しているように草薙には見えた。

本領発揮のようだな、と腹を据えた。蓮沼は、余計なことは話さないと決めている。草薙は違う角度から攻めることにした。

「あなたは三年前、どこに住んでおられましたか」

蓮沼は首を傾げた。「忘れました。転々としているので」

「菊野市南菊野でアパートを借りておられました。記録が残っています」

「そうですか」眉ひとつ動かさない。

「なぜ引っ越したんですか」

「なぜだったかな。忘れました」

「勤めていた会社まで辞めていますね。余程のことがあったのではないですか」

さあねえ、と蓮沼は気のない声を発した。「覚えてないなあ。何しろ、仕事も転々としているので」

徹頭徹尾、とぼける作戦らしい。

「当時、夕食などはどうされてましたか。自炊ですか。それとも外食？」

「どうでしたかね。自炊することもあれば外で食べることもある、といったところでしょうか」

「『なみきや』という定食屋に通っておられたのではないですか」

蓮沼は薄く笑った。

「腹ごしらえのために、いろいろな店に行きます。いちいち名前は覚えちゃいません」

「その店の娘さんが並木佐織さん。火事で焼けたあなたのお母さんの家で、遺体で見つかった女性です。そのことについて何か思い当たることはありませんか」

蓮沼は軽く目を閉じた後、首を機械的に横に動かした。「お話しできることは何もありません」

能面のような顔を草薙は睨みつけた。だが蓮沼は何も感じないのか、脱力した様子でじっと座っているだけだ。こうして時間を過ごすことが、少しも苦痛ではないように見えた。

「三年あまり前、あなたは会社の車を使い、自宅と蓮沼芳恵さんの家を往復しておられますね。Nシステムに記録が残っています」

実際にはそこまで細かくは確認できていないのだが、草薙はブラフを使った。

しかし蓮沼の表情に変化はなかった。「覚えていません」平坦な口調で答えた。Nシステムだけではそんなことまで断言できるわけがない、と高をくくっているように見えなくもなかった。

今日はここまでにしておこう、と草薙は思った。

「結構です。お忙しい中、ありがとうございました」

蓮沼がゆっくりと立ち上がった。記録担当の若手刑事が開けたドアに向かって、歩きだした。だが途中で立ち止まると、草薙を振り返った。

「今度はどうなりますかね、草薙さん」口元を歪めるようにしていった。

「はあ？」

「間宮さん、でしたっけ。あの人も偉くなったんでしょうねえ」

粘り着くような口調で放たれた台詞に、草薙は声を失った。

覚えていたのだ。たった今まで向き合っていた取調官が、十九年前に部屋にやってきた平刑事だということを――。

にやりと笑い、蓮沼は取調室を出ていった。


重大な進展があったのは、事情聴取から約二週間後のことだ。家宅捜索で押収した物の中から、廃品回収会社で勤務していた頃の制服が見つかった。洗った形跡はあるが、かすかに血痕らしきものが付着していたのだ。

即座に科学捜査研究所に回された。その結果、血液型およびＤＮＡが並木佐織のものと一致したのだった。

蓮沼寛一の逮捕に踏み切るべきかどうか、草薙は間宮や多々良と相談した。状況は十九年前と酷似している。蓮沼が並木佐織の死体を遺棄したことの証明はできる。だが殺したことについてはどうか。物証といえるものはあるだろうか。

話し合った結果、いける、と三人は判断した。今回の遺体には頭蓋骨陥没の痕がある。死因が特定できなかった十九年前とは違う。骨が陥没するほどの打撃を加えたのだから、殺意がなかったとはいえない。

ゴミ屋敷の焼け跡で並木佐織の遺体が見つかってから、一か月あまりが経っていた。そして——。

逮捕後の蓮沼の態度は、十九年前と全く同じだった。勾留期間中、完全黙秘を続けたのだ。検察での聴取でも同様のようだった。

ある程度想定していたことなので、草薙たちにさほどの驚きはなかった。自供を得られなくても起訴に持ち込めると踏んでの逮捕だった。

だが検察の判断は違った。勾留期限が切れる直前、彼等が下した結論は処分保留だった。

蓮沼寛一は釈放された。

## 9

菊野駅に繋がっている駅ビルは、四階建てのこぢんまりとした建物だった。改札を出てショッピングモールに足を踏み入れると、すぐにコーヒーショップがあった。

草薙は自動ドアをくぐり、店内を見渡した。広めの店内は六割ほどが埋まっている。目的の人物は窓際の席で雑誌を読んでいた。すでにコーヒーカップがテーブルの上に置いてあった。

草薙は近づいていき、古くからの友人を見下ろした。「よう」

湯川学が顔を上げ、口元を少し緩めた。「何年ぶりかな」

「四年ぶりだ。日本に帰ってきてるなら、連絡ぐらいしたらどうなんだ」草薙は向かい側の椅子に腰を下ろした。

「内海君には知らせたはずだが」

「その内海が俺に教えなかったんだ」

「後輩刑事の怠慢を僕に愚痴られても困る」

草薙は、ふっと苦笑した。「相変わらず、口が減らないな」

ウェイトレスが水を運んできたので、コーヒーを注文した。それから改めて旧友のほうを見た。

痩せた、というより引き締まった体つきは以前のままだった。髪にはほんのわずかだが、白いものが交じっているようだ。

「元気そうだな」草薙はいった。「アメリカはどうだった？」

湯川は冷めた表情で頷き、コップを手にした。

「それなりに刺激にはなった。研究の面でも、ある程度の成果は出たし、まあまあというところかな」

「内海から聞いたんだけど、教授になったそうだな」

湯川は内ポケットから名刺入れを出してきて、一枚を草薙の前に置いた。「連絡先が前と変わった」

名刺を手に取った。たしかに肩書きは教授となっていた。

おめでとう、と草薙はいった。

湯川はつまらなさそうに小さく首を傾げた。「大しておめでたいことでもない」

「そんなことはないだろ？　上から縛られることがなくなったんじゃないか」

「僕の場合、准教授時代にも縛られるようなことはなかった。余計なことは考えず、自由に好きな研究をやらせてもらっていたという印象だ。ところが教授になると、そうはいかない。何をするにも、このことを考えなければいけなくなった」湯川は親指と人差し指で輪を作った。金のことをいっているようだ。「今の僕の主な仕事はスポンサー集めだ。研究の価値をプレゼンして、出資を募る。研究者というよりプロデューサーだ」

「おまえがそんなことをしているのか。想像つかないな」

「どんな世界にも世代交代はある。後進のために道を切り拓いておく時がやってきたということだ。受け入れて、対応するしかない」乾いた口調でいった後、湯川は草薙に目を向けてきた。「君のほうにも変化があったんじゃないのか」

「内海から聞いたのか」

「何も聞いていないが、想像はつく」

草薙も自分の名刺を差し出した。受け取った湯川は片方の眉を動かした。

「警視庁捜査一課に、頼りになる係長がまた一人増えた、と考えていいのかな」

「さあね、それならいいんだが、役立たずと思っている人間も多いだろうな」

コーヒーが運ばれてきたので、ミルクを入れ、スプーンでかきまぜてから飲んだ。

「浮かない顔だな」湯川が観察するような視線を向けてきた。科学者の目だ。「そういえば、君から貰ったメールに気になることが書いてあったな。気の重い用があって近々菊野商店街に行くので、もし時間が空いていれば会えないか、とか」

昨日、草薙のほうからメールを送ったのだ。湯川のアドレスは内海薫から教わった。

「腹立たしいことがあってね」草薙は肩をすくめた。「もどかしくて、悔しくて、じつに情けない話だ」

「どうやら捜査が難航しているらしいな」

「難航というより座礁(ざしょう)だね」

「それは興味深い」湯川は身を乗り出し、テーブルの上で両手の指を組んだ。「もし一般人に聞かせても構わない内容なら、愚痴の聞き役になってもいいが」

「そうか？　単なる一般人には聞かせるわけにはいかないが、おまえは特別だからな」

そういって口火を切りかけたところで草薙は顔をしかめ、右手をひらひらと振った。

「いや、やっぱりやめておこう。せっかく久しぶりに会ったんだ。俺なんかの辛気くさい話より、おまえの土産話で盛り上がったほうがよっぽど楽しい」

　湯川は眉根を寄せた。

「僕の土産話なんかで盛り上がるわけがない」

「どうして？　アメリカでのことを話してくれよ。大いに興味がある」

「アメリカでは研究しかしていない。それとも君は、モノポール探索が大統一理論の証明に繋がるか否か、なんて話を聞きたいのか？」

　何かの呪文にしか聞こえない台詞に、草薙は顔をしかめた。

「研究ばっかりやってたわけじゃないだろ。休みの日には何をしてた？」

「身体を休めていた」湯川はさらりと答えた。「休みが明けたら、即座に研究に没頭できるようにね。アメリカに滞在できる日数は決まっていたから、一日たりとも無駄にできなかったんだ」

　草薙は、げんなりした。冗談をいっているみたいだが、おそらく湯川は事実を述べている。休日にゴルフを楽しんだり、ドライブに出かけたりする姿は想像できなかった。

「どうした？　遠慮せずに座礁した捜査とやらに関する愚痴を聞かせてくれ」湯川は、さあさあと両手で招くような手つきをした。

「おまえ、アメリカに行って変わったな。以前は警察の捜査には興味がないといっていたじゃないか」

「それは君が捜査の話をしに来る時は、いつも厄介な問題がくっついていたからだ。突然人間の頭が燃え上がったとか、怪しげな宗教家が念力で人を突き落としたとか。で、その仕掛けを僕に解かせようとした。でも今回は、どうやらその心配はなさそうだ」

草薙は、ふんと鼻を鳴らした。

「単なる野次馬でいられるのなら捜査の話も大歓迎というわけか。まあいいや、おまえを楽しませられるかどうかはわからんが」素早く周囲に視線を走らせた。ほかの客とは離れているし、聞き耳を立てている者もいなさそうだった。

草薙は、まずは今回の事件のあらましを説明した。三年あまり前に行方不明になった娘が最近になって遺体で見つかり、犯人と思われる男を逮捕したが、処分保留で釈放されたという内容だ。

「それは警察としては歯がゆいだろうな。しかし証拠不十分で処分保留というのは、まれにある話じゃないのか」

「たしかに、まれにはある」草薙はいった。「だけど今回のケースで起訴しないなんてあり得ないと思った。いや、被疑者がふつうの人間なら、検察も強気に出たはずなんだ。ところがそうじゃなかった」

湯川が、つんと顎を上げ、指先で眼鏡の位置を直した。話に興味を持ってきた時の癖だということを草薙は知っている。

「どう、ふつうじゃないんだ」

「今回の被疑者は、黙り込む男だ」

「黙り込む？」

「話は約二十年前に遡る」

草薙は本橋優奈殺害事件について手短に説明した後、裁判の顚末を話した。

さすがの湯川が唸り声を漏らした。

「そこまでの状況証拠が揃っていて無罪か。不条理な気がするが、それが裁判というものなのだろうな。それにしても、君がそんな事件を担当していたとは初耳だな。で、今回の事件とは、どう繋がっているんだ？」

「驚くなかれ、今回の被疑者は、その時の被告なんだ」

湯川のこめかみがぴくりと動いた。

「それは興味深いな。だから、黙り込む男か」

「今回の事件は、様々な点で優奈ちゃん事件と酷似している。死体遺棄や損壊の時効が過ぎていること、殺害したという物証がないことなどだ。唯一の違いは、頭蓋骨陥没という特徴で、それが死因の特定、ひいては殺害方法になると俺たちは踏んだんだが……」

「検察はそうではなかった？」

草薙はしかめっ面を作り、頷いた。

「それだけでは、まだ弱いと思ったらしい。頭蓋骨が陥没していたからといって、凶器で殴られたか、何らかの事故によるものか、特定はできないというわけだ。それどころか、死因かどうかさえも断定できないと」

「いわれてみれば、その通りだな」

「しかしさっきもいったが、被疑者が別の人間だったなら、検察も躊躇(ためら)わなかっただろう。だけど何しろ相手はあの、黙り込む蓮沼だ。聞くところによれば、検察の聴取でもあいつはびくともしなかったらしい。起訴したければしたらいい、そんな感じだったそうだ」

「たとえ起訴されても黙秘すれば裁判で勝てる、そう確信しているからか」

「そうだ」

「でも裁判が終わるまで、身柄を拘束されるじゃないか。それは嫌じゃないのだろうか」

「あいつに関しては話が別だ。また一儲けできるぐらいにしか思っていないかもしれない」

「一儲け？」湯川が怪訝そうに眉をひそめた。「どういうことだ」

「前回の事件で無罪が確定した後、あいつはすぐに刑事補償金と裁判費用を要求している。その金額は一千万円以上だったらしい」

「なるほど。それはかなりの強者(つわもの)だな」湯川は視線を宙に彷徨(さまよ)わせた後、草薙を指差してきた。「君の話を聞くかぎりだと、その人物の知能レベルは決して低くない」

「おまえのいう通りだ。子供の頃から学校の成績はよかったらしい」

蓮沼寛一の生い立ちについては、静岡県警がかなり詳しく調べていた。蓮沼家の一人息子として生まれたが、十歳の時に両親が離婚し、父親に引き取られた。十三歳の時に父親が再婚、芳恵が継母となった。だがどうやらこの頃から悪い連中と付き合うようになり、素行不良が目立ち始めたらしい。高校卒業と同時に家を出ているが、父親に追い出されたというのが実情だという。

「父親は、これ以上自分の顔に泥を塗られたらたまらないと思ったんだろう。というのは、父親の仕事は――」草薙は少し間を置いてから続けた。「警察官だった」

湯川がぴんと背筋を伸ばした。「ほう、ますます興味深い」

「父親への憎しみが警察組織への敵愾心(てきがいしん)になったんじゃないか、と考えたくはなるな」

「その考えはあまりに情緒的だと僕は思うね。むしろ、父親の行いを見て、反面教師とした可能性のほうが高いんじゃないかな」

「反面教師？　父親のどんなところを？」

湯川は首を横に振った。

「反面教師としたのは父親じゃない。父親が担当した被疑者たちだ。時代から推測すると、警察は自白至上主義だった。物的証拠がなくても、状況証拠だけで逮捕し、取調室で自供を迫る。被疑者が根負けして、警察が作り上げた自白調書にサインをすればゲームセットだ。裁判ではそれが決め手となり、ほぼ間違いなく有罪が確定する。そうした流れを父親が家で得意満面で話していたとすれば、それを聞いていた息子はどう思うだろう？」

湯川のいいたいことが草薙にもわかってきた。

「何かやって万一捕まった場合、自白したらおしまい、というわけか」

「逆にいえば、自白さえしなければ勝機を見出せる——そう学習したんじゃないか」

草薙は頬杖をつき、ため息をついた。「そんなふうに考えたことはなかったな……」

「もし僕の空想が当たっていたなら、その蓮沼とかいう怪物を作りだしたのは、ほかでもない、日本の警察組織ということになる」

すました顔でいう湯川を草薙は睨みつけた。「嫌なことをいいやがる」

「空想だといっただろ。気にすることはない」湯川は腕時計を見てから残っていたコーヒーを飲み干した。「そろそろ仕事に戻る時間だ。面白い話を聞けてよかった。今度またゆっくり続きを聞かせてもらうとしよう」

「菊野には毎日来ているのか」草薙は訊いた。

「週に二、三度というところかな」

「通ってるのか」

「基本的にはそうだが、泊まることもある。施設内に宿泊設備があるんでね。何しろここは都心から遠いからな」

湯川が伝票に手を伸ばしたが、先に草薙が横取りした。「今日は俺の奢(おご)りだ。研究室では何度もコーヒーを御馳走になったからな」

「インスタントだったがね。しかもマグカップはあまり綺麗じゃなかった。機会があれば、また御馳走しよう」

じゃあこれで、と湯川は腰を浮かしたが、何かを思いだしたように座り直した。

「肝心なことを聞いていない。気の重い用件というのは何だ？　そのついでに僕を呼び出したはずだが」

ああ、と草薙は頷いた。浮かない表情になっているのを自覚する。

「これから被害者遺族の家に行くんだ。なぜ被疑者が釈放されたのか、説明しようと思ってな。いつもならこんなことはしないんだが、今回は特別だ」

「遺族か。菊野商店街にある食堂だといってたな。何という店だ」

草薙は少し迷った後、『なみきや』という店名を教えた。湯川相手に、プライバシーの侵害を持ち出すのはナンセンスだと思った。

「そこで料理を食べたことは？」

湯川の問いに、ない、と草薙は答えた。「でも庶民的な、いい雰囲気の店だ」

「覚えておこう」そういってから湯川は立ち上がり、ではまた、といって出口に向かった。

草薙はカップを手にした。冷めたコーヒーがまだ少し残っているが、ウェイトレスを手招きし、新しいものを注文した。

手帳を取り出し、細かなことをチェックした。並木夫妻たちの怒りを押し殺した表情が目に浮かぶようだった。あれだけの裏付けがありながら蓮沼を起訴できないとはどういうことなのか、執拗に説明を求められるに違いなかった。

彼等を納得させられる自信はなかった。草薙自身が納得していないのだから当然のことだ。だから、いずれにせよ最後にはこういおうと決めていた。

どうかお気を落とさないでください、我々はまだ諦めてはいませんから――。

## 10

暖簾を掛けようと格子戸を開けて外に出てみると、朝からしつこく降っていた雨がやんでいた。しかも肌にまとわりつくような湿気もなく、からりとさわやかな風が心地よい。遠くの空がほんのりと赤かった。

ようやく本格的な秋が来てくれるのかな、と並木夏美は思った。間もなく十月だというのに蒸し暑い日が多く、なかなか秋らしい服装ができなくてうんざりしていたのだ。名前から誤解されることが多いが、夏はそんなに好きではない。

店に入ってテーブルの上を整えていると、がらりと戸の開く音がした。

「おっと、一番乗りか」

岩のようにごつごつした顔を覗かせたのは、夏美もよく知っている人物だった。ワイシャツにネクタイ、その上から作業服を羽織っている。

「戸島さんっ」夏美は目を瞬かせた。「どうしたの？　こんな時間に」

「それがねえ、いろいろあってさ」戸島修作は入り口に近い、四人掛けのテーブル席の椅子を引いた。

　夏美は奥に駆け込むと、厨房に向かって、お父さん、と声をかけた。「戸島さんがいらっしゃったよ」

「修作が？」何かの仕込みをしていた並木祐太郎が手を止めた。「なんで？」

「何かあったらしいよ」

「いいんだ、いいんだ。別にどうってことない」戸島が大きく手を振った。「なっちゃんも、いちいちいわなくていいんだって。それよりビールを一本頼むよ」

　はーいと返事し、夏美はそばの冷蔵庫から瓶ビールを一本出した。『なみきや』には生ビールサーバーなどという粋な器具は存在しない。

　並木が厨房から戸島に呼びかけた。「どうしたんだ、一体」

「大したことじゃない」戸島が手を振った。「機械がトラブって、仕事にならないから、今日は早じまいにしたんだ」

「トラブルって？」

「食品の冷凍機が壊れたんだよ」

「冷凍機？　またやったのか。何か月か前にも、冷凍機の事故で従業員が危ない目に遭ったとかいってたじゃないか」

「今回壊れたのは、あれとは別の機械だ。メーカーに問い合わせたんだけど、明日までどうにもならんらしい。参ったよ、この忙しい時に」

祐太郎によれば、戸島は小学生時代からの悪友だという。タバコに酒にギャンブル、悪いことの大半は一緒に覚えたそうだ。高校の授業をサボってパチンコ店に出入りしているのを補導された時には、二人揃って坊主にさせられたらしい。

戸島も祐太郎と同様に家業を継いでいる。食品加工業で、町外れにある工場に自転車で通う姿を、夏美は通学中に何度も目撃した。

そして仕事帰りに『なみきや』に寄り、ちょっとした肴(さかな)をつまみながらビールを一本だけ飲むのが戸島の昔からの習慣だった。いつもは八時頃に顔を出す。

夏美は瓶ビールとグラスと突き出しを戸島の席まで運んだ。

「まあ、たまにはいいんじゃないの。働き過ぎはよくないよ」夏美は戸島のグラスにビールを注いだ。

戸島はグラスを手にし、相好を崩した。

「そういってくれるのはなっちゃんだけだ。うちのやつなんか、仕事が忙しいんならわざわざ家に帰ってこなくていいよ、なんてことをいいやがる」

ははは、と夏美は笑った。

「冗談じゃなくて、本当の話だぜ。まったく、亭主を何だと思ってるんだか――」突き出しのきんぴらを箸で口に入れた後、戸島の視線が一点で止まった。「おっ、ポスターが出来てきたんだな」

　夏美は後ろの壁を振り返った。「うん、昨日、麻耶さんが持ってきてくれた」

　そこに貼ってあるのは、間もなく行われる秋祭りのポスターだった。おとぎ話や童話の登場人物に扮した大勢の人々が、晴れやかな表情で行進している。昨年撮影したものを、今年の宣伝用に使っているのだ。『キクノ・ストーリー・パレード』という名称はすっかり定着し、今では遠いところから見物客が訪れるようになった。

　麻耶さんというのは、市内でも有数の大型書店である『宮沢書店』の跡継ぎ娘、宮沢麻耶のことだ。まだ三十代前半だが、女性ながらリーダーシップがあり、町内会の理事だけでなく、パレードの実行委員長も務めている。

「あれからもう一年が経つのか。早いものだなあ」戸島が、しみじみとした口調でいった。

「楽しみですよね。今年も、いろいろな新しい仕掛けを考えているみたいですよ。いつも以上に準備が大変になりそうだって、麻耶さんがいってました」

「なっちゃんも手伝いに行くのか？」

「時間があれば来てほしいといわれました。去年、初めて行ったけど、手伝ってるだけでも楽しかったですよ。子供たちの顔にペインティングしたり」

「手伝うだけか？　パレードには出ないのか？」

パレードに出るのは、全国から応募してきたコスプレーヤーたちだが、菊野商店街からも一チームが出場することになっていた。去年の演(だ)し物は、『かぐや姫』だった。竹から赤ん坊が見つかる場面、成長したかぐや姫に多くの男性がプロポーズする場面、そして月からの使者の駕籠に乗り、去っていく場面などが見事に表現されていた。結果は三位だ。主催町の代表として最低でも五位入賞とスタッフたちはいっていたから、胸を撫で下ろしたことだろう。

「あたしは、そういうの出ません」夏美はいった。

「どうして？　出りゃいいのに。若い子は、どんどん出てくれなきゃあ。特に、なっちゃんみたいなかわいい女の子が出なきゃ、花がないだろうが。ええと、何年前だったかな。あれはすごかった。でかい貝殻が出てきたと思ったら、途中でそれが開いて、中から人魚姫が出てきたんだ。それはもう、ものすごい盛り上がりで――」そこまでしゃべったところで、戸島は口を半開きにしたまま表情を固まらせた。その目の焦点はさだまっていない。話をしながら昔の記憶を取り戻し、自分がとんでもないことを口にしかけていることに気づいたようだ。

助かったと夏美は思った。どうやって話をやめさせようかと焦っていたところだ。何も聞いていないふりをし、冷蔵庫の整理などを始めた。ちらりと戸島の様子を窺うと、気まずそうな顔でビールを飲んでいる。

間もなくそばの階段から足音が聞こえてきて、真智子が姿を見せた。

「あら戸島さん、こんばんは。お早いですね」

「早退けだよ。たまにはサボらないとな」

どうぞごゆっくり、といって真智子は厨房に向かった。その後ろ姿を見ながら、もしかすると母は階段の上で、戸島の話を聞いていたのかもしれないと思った。だからすぐには下りてこられなくて、少し待っていたのではないだろうか。

戸島が話したパレードのことは夏美もよく覚えている。約四年前だ。貝殻の中から現れた人魚姫を見て、夏美も驚いた。

自分の姉だとは信じられないほどに佐織は美しかった。


間もなく午後六時になろうという頃、がらりと戸が開いて、一人の客が入ってきた。夏美は厨房のほうを向いていたが、それが誰なのか、予想がついた。このところ、いつもこの曜日、この時間に現れるのだ。

振り返ると思った通りの人物が、まだ誰も座っていない六人掛けテーブルの端に腰掛けるところだった。

夏美はおしぼりを持っていった。「いらっしゃいませ」

男性客は微笑んで頷き、こんばんは、といった。フレームのない眼鏡をかけている。年齢は四十過ぎといったところだが、引き締まった体つきをしているので、実際よりも若く見えているのかもしれない。

「最初はビールでいいですか」

「結構。それから、まずはいつものやつを」

「炊き合わせですね。わかりました」

夏美は厨房に戻り、注文を伝えた。その後、戸島の時と同様、瓶ビールとグラス、突き出しの小皿をトレイに載せ、男性客のところへ戻った。

男性客は上着を脱ぎ、雑誌を読んでいた。開いたページには、美しい立体模様のようなものの画像がいくつか掲載されている。夏美はビールやグラスを並べながら、綺麗ですね、と思わず漏らしていた。

「だろう？」男性客が満足そうな顔で、雑誌を示してきた。「何だと思う？」

「紙を複雑に折り曲げてあるように見えますけど……」

「正解、折り紙だ。一枚の大きな紙を、効率よく、できるだけコンパクトに折り畳めるよう工夫してある。大事なのは、折り畳むだけではなく、広げる手順もシンプルでなければならないという点だ。なぜそんなことが必要なのか。折り紙といったが、じつはこれらの素材は紙ではなく、太陽電池などの宇宙パネルなんだ。小さく折り畳んだ状態でロケットに載せて宇宙空間まで運び、そこで大きく広げて利用しようというわけだ。この技術は、実際、日本の折り紙がヒントでありルーツになっている。この分野の人間なら日本人でなくても、オリガミという言葉は通じる」すらすらと淀みなく話した後、男性客は感想を求めるように夏美の顔を見つめてきた。

トレイを胸に抱え、夏美は愛想笑いを浮かべた。「教授は今、大学でそんなことを研究されてるんですか？」

男性客は眉間に皺を寄せると、眼鏡の中心を指先で押し上げた。

「残念ながら、僕がやっていることはこれほど優雅じゃないし、花もない」ため息をつき、雑誌を閉じて傍らのバッグに押し込んだ。「よく訊かれるよ、あなたのやっている研究は一体何の役に立つんですか？　生活が便利になるんですか？　スマートフォンとどっちがすごいですか？」瓶ビールを摑み、自分でグラスに注いだ。「残念ながら、どの問いにもうまく答えられない。一口で科学といっても、いろいろある。殆どの人にとっては、一生関わらなくても全く問題がないという研究も多い。僕がやっていることも、どちらかというとそっちのほうだ」グラスを持ち上げてビールを飲み、もう一方の手で口についた泡を拭った。「それでも聞きたいというのなら、僕の現在の研究テーマを話してもいいが」

「いいえ、遠慮しておきます」

「そのほうがお互いのためにもいいだろうな。ところで僕から質問だが、これは誰でも見られるのだろうか」そういって彼は壁のポスターを指差した。

「パレードですか。もちろん見られます。ただ、人がいっぱい集まるから、後ろのほうだと見えにくくなっちゃいますけどね」

「観客席というものはないのかな」

「関係者席とか来賓席ならあります。コネのある人は、そういう席をゲットしてるみたいですけど」

「コネか。そんなものはないな」

「だったら、早起きして場所を確保することですね。その気があるならいってください。あたし、案内しますから」

「わかった。考えておこう」男性客は何度か頷いた。「いい情報をありがとう」

「いいえ。どうぞごゆっくり」そういって夏美はその場を離れた。

男性客は湯川といった。帝都大学の物理学教授だ。なぜ夏美が知っているのかというと、ほかの客が聞き出してくれたからだ。

彼が初めて店に来たのは、今年のゴールデンウィーク明けだ。店は最も混み合う七時頃で、当然空いているテーブルなどはなかった。相席でもいいかと尋ねたところ、構わないという。六人掛けを二人で使っている男性の常連客がいたので頼んでみたら、快諾してくれた。

『なみきや』の常連客の中には、居心地のよさから図々しい態度を取る者も多い。その時の二人組が、まさにそうだった。しばらくは自分たちだけで話をしていたが、やがては相席になった見慣れない一人客のことが気になり始めたようだ。何かのきっかけから、このあたりに住んでいるのかとか、仕事は何をしているのか、といったことを尋ね始めた。

　夏美は、はらはらした。初めて来てくれた男性客が気分を害し、もう二度と来てくれなくなるのではないかと不安になった。

　だが男性客は、見たところ不快そうではなかった。自分は帝都大学で物理を教えていて、研究施設がこの近くに出来たので週に何度かは来るのだ、という意味のことを穏やかな口調で語った。そして常連客の二人に、この店のお薦め料理を教えてもらえると助かるのだが、といった。

　そういうことなら、と常連の二人組は水を得た魚のように講釈を垂れ始めた。酒の肴にするなら卵焼きよりも出汁巻きがいい、焼鳥は塩とタレの両方を頼め、この店で野菜の炊き合わせを食べないのは愚の骨頂だ――唾を飛ばさんばかりのしゃべりっぷりだった。ところが男性客は嫌な顔ひとつせず、メモを取りながら相槌を打っては、彼等が薦める料理をいくつか注文したのだった。さらには食べてみて、満足そうに頷く。その様子を見て、常連客の二人組も嬉しそうにしていた。

　当然のように彼等は自己紹介を始めた。その会話が夏美の耳にも入ってきたのだった。

　その日以降、湯川はしばしば『なみきや』に現れるようになった。いつも一人なので相席になることが多く、またそのたびに常連客から話しかけられたりもしているのだが、湯川はそれも含めて楽しんでいるように夏美には見えた。

　そんなふうにして何か月かが経ち、今では湯川も常連の一人に数えられるようになった。顔馴染みになった者たちは彼のことを、教授、と呼んでいる。最近では夏美もそれに倣うようになった。

いつの頃からか、湯川は午後六時より少し前に来るようになった。六時を過ぎると途端に混み出すことに気づいたのだろう。どうせ相席になるにせよ、自分の好きな場所を確保しておこうと考えたらしい。

その思惑は今夜も当たったようだ。六時を少し過ぎると、申し合わせたように次々と客が訪れた。常連というほどではないが、何度か来たことのある客が殆どだ。

そして三十分ほど過ぎた頃——。

がらりと引き戸が開く音を耳で捉え、いらっしゃいませ、と反射的にいいながら入り口に視線を向けた。

一人の男が立っていた。その姿を見た瞬間、夏美は背筋がぞくりと寒くなった。男はただならぬ気配を発していた。黒いウインドブレーカーを羽織り、頭からフードを被っている。年齢は五十代だろうか、日焼けのせいで皺が深く見えた。窪んだ目は暗く、頬は削げている。

どこかで見たことがあると思ったのと、記憶が蘇ったのが、ほぼ同時だった。夏美は動けなかった。どう対応していいのか、わからなくなった。

この男は……この男は——。

あの写真の男だった。草薙という捜査責任者から見せられた写真だ。数年前、佐織に不埒(ふらち)な態度を取ったということで、父の祐太郎が出入り禁止にした男だった。佐織が行方不明になったのは、それからしばらくしてからだ。草薙が写真を見せたのは、佐織の死に関わっている可能性が高いからに違いなかった。実際、それから間もなく警察は殺人容疑で逮捕している。その時に初めて、蓮沼寛一という氏名を夏美たちは知ったのだった。

その男がなぜここに?

蓮沼は無表情の顔を夏美に向けていたが、ゆっくりと店内を見回すと、すぐそばのテーブルを指した。「ここ、いいかな?」

それは六人掛けのテーブルで、端の席に湯川が座っていた。

雑誌を片手に刺身を食べていた湯川が、どうぞ、と頷いた。彼は新たに入ってきた客に興味はないようだった。いつものように相席になっただけだと思っているのだろう。

蓮沼が椅子を引き、腰を下ろした。フードは被ったままだ。そして夏美に目を向けてきて、ビール、とぞんざいな口調でいった。

夏美は、はい、と答えていた。頭の中が真っ白で、何も考えられなかった。いつものように冷蔵庫を開け、瓶ビールを取り出した。

だが突き出しを用意しようとして厨房のほうを向いた時、ぎくりとした。祐太郎が険しい顔をしていたからだ。その向こうには真智子もいる。二人が店内の誰を睨んでいるのかは明らかだった。

お父さん、と夏美は小声で呼んだ。「どうしよう?」

祐太郎は無言で厨房から出てきた。前掛けを外し、蓮沼のところまで歩いていった。「何をしにきたんだ?」立ったままで、蓮沼を見下ろして訊いた。懸命に感情を押し殺しているのがわかる。

蓮沼の肩がぴくりと動いた。「ここは飯を食わせるところじゃないのか」そういってから首を傾け、夏美のほうに目を向けてきた。「ビールはまだか?」

「あんたに飲ませるビールはないよ」祐太郎がいった。「食わせる料理もない。出ていってくれ」

蓮沼が顎を上げ、祐太郎を睨み返した。

「おい、おまえっ」今まで黙っていた戸島が、離れた席から蓮沼を指差した。「なっちゃんの様子がおかしいと思ったら、おまえだったのか。よくも、こんなところに来られたもんだな」

「修作、黙っててくれ」祐太郎が振り返っていい、蓮沼に顔を戻した。「何が目的かは知らないが、ここはあんたの来るところじゃない」

ほう、と蓮沼は指先で鼻の横を掻いた。「理由を聞こうか」

「その必要はない。ほかのお客さんにも迷惑だから、さっさと出ていってくれ」祐太郎はくるりと踵(きびす)を返し、厨房に戻りかけた。

「何か、勘違いをしてるみたいだな、並木さんよ」

蓮沼の言葉に祐太郎が足を止めた。「勘違い?」

ああ、と蓮沼は口を半開きにして頷いた。

「あんたらがどう考えてるのかは知らないが、こっちは被害者なんだ。あんたらのせいで犯人扱いされて、仕事をなくすわ信用は失うわ、一体どうしてくれるんだ？」

「犯人扱い？　俺はあんたを犯人だと思ってるよ」

ふん、と蓮沼はせせら笑った。

「じゃあ、どうして俺はここにいる？　刑務所に入ってない？」

「今だけだ」祐太郎はいった。「警察だって諦めてない。そのうちに、また捕まえに行くはずだ」

「それはどうかな」蓮沼は口元を歪めた。「それより答えを聞いてないぜ。俺が被ったあれやこれやに、あんたはどう落とし前をつけてくれるんだ？」

「落とし前？　何をいってる」

「賠償金のことだ。俺を警察に売ったのは、あんただろう？　あることないこと並べ立てて、俺が捕まるように仕掛けた。違うか？」

「俺は本当のことをいっただけだ」

「とぼけんなよ。どんなふうに警察に告げ口したか、こっちはわかってるんだ。何しろ、散々取調室で聞かされたからな。そういうわけで、俺にはここへ来る理由があるんだ。賠償金のことで交渉しなきゃな」

祐太郎が一歩前に出た。蓮沼に殴りかかるのではないかと思い、夏美は息を止めた。

「そういうことなら、営業時間外に来てくれ」だが祐太郎は気持ちを抑え込んだ低い声でいった。

「いつ来ようと俺の自由だ。しかしまあ――」蓮沼は立ち上がった。「今日のところは帰ってやるよ。おたくにもいろいろと心の準備ってものが必要だろうからな。だけど忘れるなよ。俺は起訴されちゃいないんだ。処分保留だなんて曖昧なことを検察はいってるが、要するにお咎めなしってことだ。あんたにとやかくいわれる筋合いは何もない。この店から締め出される理由もない。俺は被害者なんだ。あんたらのせいで冤罪を被せられそうになった哀れな被害者だ」

ふてぶてしくいい放った後、蓮沼は店内をぐるりと見回した。すべての客が当惑と驚きと不快感の入り混じった表情を浮かべている。そのことに満足したように口元を曲げて笑うと、乱暴に引き戸を開閉し、外へ出ていった。

真智子っ、と祐太郎が叫んだ。「塩を持ってこいっ。袋ごとだ」

厨房から真智子が出てきた。手に塩の入ったビニール袋を持っている。貸せ、といって祐太郎はそれを奪い、玄関に向かった。引き戸を開けると、手づかみで塩を撒き始めた。

# 11

深川警察署に立てられている強盗殺人事件の捜査本部で、草薙はその報告を受けた。電話をかけてきたのは、並木佐織変死事件の継続捜査を担当している、菊野警察署の武藤という警部補だった。

「すでに別の事件の捜査本部に詰めておられるそうで、お忙しいであろうことは百も承知なのですが、一応、お耳に入れておいたほうがいいと思いましてね」武藤の声は沈んでいた。犯人を逮捕したにも拘わらず、処分保留で釈放された案件だ。張り切れというほうが無理だろう。

武藤によれば、昨日、蓮沼寛一が江戸川区のアパートを引き払ったらしい。理由は単純で、賃貸契約の期限が切れたからだった。

「期限が近づいていることを把握していたので、アパートの大家に、契約を更新する意思があるかどうかを確認してあったのです。大家は当然今回の事件を知っていて、釈放されたとはいえ、殺人罪で逮捕されたような人間を置いておくのは抵抗があるので、適当な理由をつけて更新は拒否したいとのことでした。そこでアパートを引き払った後の居場所を突き止めるため、複数の捜査員に蓮沼を尾行させせました」

蓮沼が向かった先は、何と菊野市だったそうだ。それだけではない。菊野駅を出た後、並木佐織の自宅である『なみきや』に入っていったという。

「蓮沼が『なみきや』に？　一体何をしに行ったんですか」

「すぐに蓮沼は店を出てきたそうですが、その後、捜査員の一人が『なみきや』で事情を聞いてきました。並木さんやその場にいた客によれば、犯人扱いされたことを根に持って、並木さんに対して落とし前をつけろといってきたそうです。賠償金という言葉を使っていたとか」

「賠償金……」

馬鹿げていると思った。そんな話は聞いたことがない。だがあの蓮沼なら、そんなことをいいだしても不思議ではなかった。本橋優奈殺害事件では、刑事補償金を勝ち取っている。今回は起訴されなかったので、逮捕に協力した人間たちから金を巻き上げようと考えたのかもしれない。

「それで、蓮沼の最終的な行き先はわかったんですか」

「判明しました。前に勤めていた廃品回収会社が所有している倉庫でした」

「倉庫？」

「正確にいえば倉庫の管理事務所です。倉庫は殆ど使われていなくて、四年ほど前からその事務所を居室にして生活している従業員がいました。蓮沼が最も親しくしていた人物で、捜査員も何度か話を聞きに行っています。蓮沼が会社を辞めた後も、時折その人物には連絡があったとか」

「そういえば、そんな人間がいましたね」

草薙は記憶を辿った。蓮沼が公衆電話から電話をかけ、自分が警察に目をつけられていないかどうかを確認していた相手だ。

増村という七十歳前後の男性だ、と武藤はいった。

「今日、捜査員を廃品回収会社に差し向け、増村氏本人に確認したところ、少し前に蓮沼から電話があったそうです。次の住処が決まるまで部屋に置いてもらえないか、と」

「増村氏は了承したんですか？」

「はい、特に断る理由もなかったから、と」

「そういうことでしたか。たしかに、かなり仲がいいようだ」

「念のために昨夜はずっと見張りを付けていたんですが、久しぶりの再会でも祝しているのか、遅くまで酒を飲んで盛り上がっていたそうです」

草薙は吐息を漏らした。蓮沼のような鬼畜と馬の合う人間がいるとは、世間というものは本当に広い。

「その増村という人物について少し調べてみたのですが、前科がありました」武藤が声を低くしていった。「四十年以上も前ですがね。傷害致死です」

ああ、と草薙は曖昧に相槌を打つ。類は友を呼ぶ、というやつか。

「それで今後は、どのような継続捜査を？」

草薙が質問すると、苦しげな唸り声が聞こえてきた。

「目撃情報の収集しかないでしょうね。やるべきことはやり尽くした感があります」

「蓮沼の監視は続けるのですか」

「定期的に居場所は確認しますが、監視の必要はないと判断しました。証拠隠滅や逃亡のおそれはなさそうですから」

「なるほど」

その判断は妥当だろうと草薙も思った。今さら蓮沼が並木佐織殺害に繋がるようなぼろを出すとは考えにくかった。こうしたケースでの常套手段は、別件逮捕して身柄を拘束し、供述を引き出すまで取り調べを行うというものだが、長期間の監禁を苦にせず、黙秘を続けられる蓮沼にかぎっては無効だった。

まずは御報告まで、といって武藤は電話を切った。草薙は苦いものを口に入れたような思いでスマートフォンを置いた。

無力感に包まれ、立ち上がる気になれなかった。

蓮沼が釈放された直後、草薙は担当の検察官に、どういう証拠を揃えれば起訴に持ち込めるのかを訊いた。

被害者は事故死でも自然死でもなく殺害されたという証拠、手を下したのが蓮沼以外にあり得ないという証拠、少なくともこの二つが揃わなければ起訴は難しいし、たとえ起訴したとしても、蓮沼が完全黙秘した場合、前例から考えて無罪になる可能性が極めて高い、というのが検察官の見解だった。

「苦しいのは、蓮沼が遺体を静岡まで運んだことを法廷で主張しにくい点ですね。根拠が目撃証言ではなく、Nシステムの記録というのではね」

検察官の指摘に、草薙は黙り込まざるをえない。Nシステムによる捜査記録は証拠として提出しない、というのが現時点での警察の約束事だ。提出すれば、Nシステムの仕組みや監視場所の詳細を法廷で明かさねばならなくなる。それは絶対に避けよ、というのはシステムが構想された時からの警察庁の変わらぬ方針だった。

検察からの要求は厳しいものだが、何としてでも条件を満たす証拠を摑んでみせると草薙は自らを奮い立たせた。遺族たちに対し、まだ諦めていませんといったのは虚言でないことを証明したかった。

だが考え得るあらゆる手を尽くしてみても、検察が求めるような証拠は見つけられなかった。何人もの法医学者に当たったが、発見された骨の状態から死因を特定することは不可能だといわれた。その壁を崩せないかぎり、そこから先へは一歩も進めない。

しかも東京では毎日のように凶悪事件が発生する。いつまでも過去の事件に拘ってはいられないという現実があった。実際、間もなく起きた深川での強盗殺人事件を、草薙たちの係が担当することになった。

幸い、そちらのほうの捜査は順調だ。被害者の知人だった男を任意で調べたところ、あっさりと犯行を自供した。凶器を捨てたという場所から被害者の血痕が付着した出刃包丁が見つかったりして、着々と送検の準備は整っている。この事件に関しては、おそらく検察も満足だろう。自信たっぷりで起訴してくれるに違いなく、草薙も一仕事をやり遂げた気になっていた。

だが頭の片隅には、常に蓮沼寛一のことがあった。最早自分たちが関われる機会はなくなったも同然だが、このままでは済ませたくないという気持ちは些(いささ)かも薄れていなかった。

## 12

その倉庫は住宅地からは離れた場所にあった。近くを細い川が流れている。

倉庫に隣接して、小屋が建っていた。事務所らしい。ドアが一枚付いている。

セダンの助手席に座った新倉直紀は、双眼鏡を目に当て、焦点を合わせた。小屋には窓があるが、向こう側に何か置いてあり、おまけに室内が暗いので中の様子はまるでわからなかった。

「何か見えましたか」運転席の戸島修作が訊いてきた。

「いや、全然」新倉は双眼鏡を下ろした。「本当にあそこに?」

「いるはずです」戸島は断言した。「昨日、私はこの目で見ました。あそこから、あの男が出てくるのを」

戸島が車を発進させた。倉庫の前を通り過ぎる時、新倉は小屋の窓を凝視したが、やはり人影を確認することはできなかった。

　すぐ近くにファミレスがあったので、そこに駐車し、二人で店に入った。一番奥の、周りに客がいないテーブルを選んだ。

「あれこれ手を回して、あの場所を見つけだしたんですよ。倉庫の隣にある管理事務所です。とはいえ事務所としては使われていなくて、七十歳ぐらいの男が一人で住んでいるだけです」そういってから戸島はコーヒーを啜った。

「あそこにあの男もいると？」

　はい、と戸島は低い声で答えた。「蓮沼が住み着き始めたようです」

　新倉は、ゆらゆらと頭を振った。「信じられない」

「どこかに行方をくらますのなら話はわかりますが、事件を起こした町に舞い戻ってくるとは……。図々しいというか、不貞不貞しいというか。何なんでしょうかね」新倉は右手の拳を固め、テーブルを叩いた。

「呆れた話でしょう？」

　今日の昼過ぎ、新倉のところへ戸島から電話があり、相談したいことがあるので至急会えないかといってきた。何に関する相談かと尋ねると、蓮沼寛一についてだという。その際、蓮沼が菊野に戻ってきていることを聞かされ、新倉は愕然とした。何かの間違いではないかと疑うと、だったら奴がいる場所まで案内する、と戸島はいったのだった。

　新倉は戸島とは、佐織を通じて知り合った。佐織がライブハウスでミニコンサートを開いた際、並木祐太郎から紹介されたのだ。以来、『なみきや』で会った時には挨拶を交わすようになっていた。

「電話でもいいましたが、先週、蓮沼が『なみきや』に現れました」

戸島の言葉に新倉は大きくため息をついた。

「驚いたという言葉では表現しきれません。その場にいなくてよかった。怒りに任せて、何をしていたかわからない。それにしても一体何のために……」

「嫌がらせですよ」戸島は憎々しげにいった。「『なみきや』をはじめ、この町に住む人々の証言を元に、あの男は逮捕された。そのことを恨みに思っているんです。だからあいつとしては、自分が釈放されたという事実を我々に見せつけることで、仕返しをしてる気になってるんだと思います」

「仕返しって……それこそ逆恨みってもんだ」

「警察がだめなんです。証拠不十分だか何だか知らないが、あんなやつを野放しにしておくなんてあり得ない。少々強引な手を使ってでも逮捕して、さっさと刑務所送りにしてくれればいいものを」

「私もそう思いますが、実際には、そんなわけにはいかないんでしょうね」

戸島は渋い表情で頷いた。

「どうやら警察に期待しても無駄のようです。打つ手がないらしい。でも、だからといってこのままでいいわけがない。祐太郎たちの……『なみきや』の気持ちを考えたらやりきれないですよ。そう思いませんか？」

「もちろん思います」新倉は声に力を込めた。「並木さんたちの無念さは言葉では表せないほどでしょうが、私だって強い憤りを覚えています。許されるものならこの手であの男を、とさえ思います」

「ええ、ええ、そうでしょうとも」期待通りの言葉を聞けたとばかりに、戸島は大きく首を縦に動かした。「何しろ新倉さんは、佐織ちゃんの才能を見いだし、手塩にかけて一人前の歌手に育てようとしておられたわけですからね。悔しい気持ちは半端ではないでしょう。そう思ったからこそ――」周囲をさっと見回してから、声をさらに低く落として続けた。「そう思ったからこそ、今回の計画について、新倉さんにも声をかけようと思った次第なんです」

「計画？」新倉は思わず身構えた。予想していなかった単語だ。「何の計画ですか」

戸島は再び周りを気にするように視線を走らせた後、テーブル越しに少し身を乗り出してきた。

「警察には期待できない。裁判所は奴を罰しない。だったら、我々がやるしかないじゃないか、と思ったわけです」

思いがけない話に、新倉はぎょっとした。「やるって……何をですか」

「だから罰を与えるんです。あの男に。蓮沼寛一に」戸島の目には真剣な光が宿っていた。冗談をいっているわけでないことは、それで明らかだった。

新倉は咄嗟（とっさ）に言葉が出なかった。水の入ったグラスを摑み、ごくりと飲んだ。

「罰……とは？　どんな罰ですか」

「あいつがしでかした罪にふさわしい罰です」戸島はいった。「じつをいうと、この計画を考えたのは私じゃありません。発案者が誰か、それはいうまでもないと思いますが」

「並木さん……ですか」

戸島は二度三度と首を上下させた。

「竹馬（ちくば）の友（とも）って言葉がありますが、私と祐太郎はまさにそれです。遊ぶのも一緒、悪いことをするのも一緒、見つかって怒られるのも一緒っていう間柄でした」軽口を叩きながら表情を緩めたが、すぐに険しい顔つきに戻った。「そんな昔からの悪友に、一世一代の頼みだといわれたら、耳を傾けないわけにはいかないじゃないですか。しかも、佐織ちゃんが殺された事件についてのこととなれば」

新倉は再び口に水を含んだ。コーヒーはカップに残っているが、渇いた口を潤すのにはふさわしくなかった。

「まさか、その、並木さんは……」慎重に言葉を選ぼうとしたが、適切な表現が思いつかなかった。「復讐というか、仕返しというか……娘を殺された恨みを晴らしたい、ということなんでしょうか」

「父親としては当然の心理だと思いますよ」小声だが、腹から響かせた言葉には力が込められていた。「私にも子供が二人いますが、同じ目に遭ったら、きっと同じことを考えるでしょう」

「それは、その……」どう対応すべきか迷った。常識で考えれば、否定的な意見を述べるべきだった。しかしそれは正直な思いではなかった。新倉は一歩だけ踏み出した。「その気持ちは大変よくわかります」

「そうでしょうね。ついさっきも、自身の手で恨みを晴らしたいという意味のことをおっしゃいましたし」

「いや、しかし」新倉は戸島を制するように手を出した。「許されるものなら、といったはずです。でも残念ながら、今の時代は許されてはいません。所謂、仇討ちなんてものは」

「だから諦めると？」戸島は新倉の内心を覗き込むような目をしていった。「あの人間のクズがのうのうと暮らしているのを黙って見ていると？」

　新倉は再び右手を握りしめ、テーブルをとんと叩いた。

「そりゃあ悔しいです。諦めたくはありません。だけど現実的じゃない。どんなやり方を考えておられるのかは知りませんが、蓮沼の身に何かあれば、必ず警察が動きます。殺されて当然の人間だからといって、捜査が行われないわけがない。そして真っ先に疑われるのが並木さんたちでしょう。それでも構わないとでも……」疑問を口にしかけたところで新倉は、それに対する答えを自分で見つけた。はっとして目を見開いた。「ああ、そうか。娘の恨みを晴らせるなら警察に逮捕されても構わない――それが並木さんの考えなのですね。仮に誰かの協力を得ていたとしても、そのことは決してしゃべらない、すべての罪を自分一人で背負う、そこまでの覚悟があるということなのですね」

戸島が顔をしかめ、人差し指を口に当てた。「声が大きい」

「あっと失礼」新倉は口元に手をやった。思わず声高になっていたようだ。

新倉さん、と戸島が背筋を伸ばし、静かな口調でいった。

「あなたの見立ては正しい。その通りです。並木祐太郎という男は、そこまで覚悟している。あいつはいいましたよ、いざとなったら刑務所に入ることなんて怖くないと」

「そうかもしれないけれど」

「最後まで聞いてください。さっきいったでしょ。私と祐太郎は竹馬の友だって。そんな大事な幼馴染みが刑務所に入れられるなんてことを、私が受け入れられると思いますか」

戸島の言葉に新倉は当惑した。これまでの話の流れから考えれば、全く逆のことをいいだしたように感じられた。

「……どういうことですか」

「祐太郎が警察に捕まるようなことはありません。祐太郎だけじゃなく、誰もそんなことにはならない。そのうえであの男――蓮沼に鉄槌(てっつい)を下すんです。私らが考えている計画とは、そういうものです。それに是非、新倉さんにも加わっていただけないか、と申しているわけです。もちろん、仮にすべてが発覚したとしても、新倉さんが罪に問われるようなことはありません」

「そんなうまい方法があるんですか」

「皆が力を合わせればね」戸島の目が企みに満ちた光を放った。

## 13

そのメッセージを読んだ瞬間、高垣智也は目眩を覚えた。何かの冗談ではないかとさえ思った。だが送り主を考えれば、そんなことはあり得なかった。

メッセージを送ってきたのは並木夏美だった。半年ほど前、久しぶりに『なみきや』に行った際、連絡先を交換したのだ。

『なみきや』に行ったのは、佐織の遺体が見つかったことを、内海という女性刑事から聞いたからだ。約一年ぶりに並木夫妻とも会い、挨拶をした。悔やみの言葉を述べる際には、不覚にも涙を流してしまった。夫妻も泣いていた。

その日以後、智也は再び『なみきや』に足を運ぶようになった。そのたびに警察の捜査がどこまで進んでいるかを尋ねてみたが、彼等も殆ど把握していない様子だった。刑事はしばしば訪ねてくるようだが、捜査の進捗状況については何ひとつ教えてくれないという。並木夫妻たちが尋ねても、「総力を挙げて犯人逮捕を目指しているところです」

といった形ばかりの回答が返ってくるらしかった。そのあたり、内海刑事の対応と変わるところはないようだった。

しかし蓮沼寛一を逮捕した直後には、すぐに捜査責任者から連絡があったらしい。そのことを知らせるメッセージを夏美から貰った時、智也は思わずスマートフォンを握る手に力を込め、もう一方の手で拳を振った。これでようやく真相が明らかになる、佐織の無念な思いを晴らすことができると思った。

その夜、早速『なみきや』に行った。すると店は常連客たちで賑わっていた。その中には佐織の指導者だった新倉たちの姿もあった。誰もが犯人逮捕を喜んでいた。並木夫妻も夏美も泣いていた。彼等と共に智也も改めて涙を流した。頰を濡らしながら、未だに自分が佐織のことを忘れられていなかったことを改めて思い知った。

だがそこから先の展開は、まるで予期しないものだった。

犯人が逮捕されたというのに、真相が明らかになったという話が全く聞こえてこないのだ。一体どうなっているのだろうと訝しんでいた最中、夏美から届いたメッセージに智也は啞然とした。あろうことか、蓮沼が釈放されたというではないか。

すぐに夏美に電話をかけた。彼女は、「あたしも何が何だかよくわからないんだけど」と前置きしてから、草薙という捜査責任者が『なみきや』へ説明しに来たことを話した。その説明によれば、検察が現状では証拠不十分と判断したのだという。

遺族としては到底納得できる話ではなく、並木は、犯人逮捕を諦めるのかと草薙に食ってかかったそうだ。それに対して草薙は、決して諦めたわけではない、検察と協力して必要十分な証拠を揃え、必ず起訴するつもりだといったらしい。

しかしそれから何か月も経つというのに、未だにこの約束は果たされていない。智也が法律に詳しい知り合いから聞いた話では、一回性の原則というものがあって、同一の事件で二度逮捕することは基本的に認められていないということだった。それができるのは、相当の新証拠が見つかった場合に限られるそうだ。

警察は一体何をやっているのか。今、蓮沼はどこで何をしているのか。さっぱりわからないままで、怒りの炎を十分に燃え上がらせることもできず、もやもやとした思いを胸に抱えた状態で、ただ時間が過ぎていった。

夏美からのメッセージも途絶えていた。そこで久しぶりに智也のほうから送ってみたのだった。特に何の期待もせず、その後どうですか、『なみきや』の皆さんは元気にしておられますか、という程度の内容だった。

するとしばらくして夏美から返事が届いた。それを読み、愕然とした。十日ほど前に、蓮沼が『なみきや』に現れたというのだった。あまりにショックで店は数日休業し、三日前にようやく再開できたとあった。

メッセージを読んだ瞬間から仕事が手につかなくなった。あの蓮沼が何のために『なみきや』に現れたのか。これから何をするつもりなのだろうか。

時計の針が定時を指すと、智也は身支度を手早く済ませて会社を出た。足早に駅に向かう途中、母の里枝に電話をかけ、今夜の食事はいらないことを伝えた。『なみきや』に行くのかと訊かれたので、そうだと答えた。

「何かあったの？」里枝は心配そうな声を出した。

「ちょっとね」

「佐織ちゃんのこと？」

「うん」

「何？　あの犯人、やっぱり捕まったの？」

「そうじゃない。現れたらしいんだ」

「えっ、どういうこと？」

「俺もよくわからない。詳しいことは帰ってから話すよ」電話を切り、歩みを速めた。

佐織の遺体が見つかって以来、事件について里枝と話すこともあった。蓮沼が逮捕された時には、よかったねえと里枝も喜んでいた。そして釈放されたらしいと知った時には、智也と同様に憤然とした様子を見せていた。

だが最近の里枝は少し変わってきている。智也に対し、いい加減に事件のことは忘れたらどうか、という言い方をするようになった。犯人が逮捕されようが死刑になろうが、佐織さんはもう生き返らないのだから、と。

たぶん、亡くなった恋人の影をいつまでも追いかけている息子が心配なのだろう。辛いことは早く忘れて、別の女性との出会いを求めてほしいと思っているに違いない。

智也自身、そのほうがいいのだろうとわかってはいる。しかし佐織がなぜ殺されねばならなかったのかを知らないまま、次の一歩を踏み出す気にはどうしてもならなかった。自分の佐織への思いはそんな軽いものではなかったという意地のようなものもあった。

『なみきや』の前に着いた時、まだ午後六時にはなっていなかった。だから店はすいているだろうと思ったのだが、引き戸を開けてみて驚いた。すべてのテーブルに人がいたからだ。

智也が立ち尽くしていると、「あっ、ごめんなさい」といって夏美が奥から駆け寄ってきた。「この人たちは、もうすぐ引き揚げるはずだから」

すみません、と中央の席に座っている女性がいった。ここで何度か会ったことがある。町一番の書店の跡継ぎ娘で、宮沢麻耶といったはずだ。女性にしては長身で、何かスポーツをしていたのか体つきもがっしりしていて、頼もしい姉貴分という雰囲気を身に纏っている。

宮沢麻耶の前にはノートが広げられていた。よく見ると、店内にいる十数人の男女が彼女のほうを向いて座っているのだった。なるほど、と智也は合点した。恒例のパレードに関する打ち合わせらしい。宮沢麻耶がパレードに出場する仮装チームのリーダーだという話を聞いたことがあった。

四人掛けのテーブルを占拠していた二人が、どうぞといって席を移動してくれた。智也は好意に甘え、腰を下ろした。

「じゃあ、整理するよ」宮沢麻耶がノートを手に立ち上がった。「A班は引き続き、衣装と小道具の仕上げをお願いします。B班は曲の編集と音響装置の確認。C班は最終リハーサルの手配とバルーンのチェック。そんなところかな。何か質問はありますか」

「チーム菊野の今年の演し物は何だってよく訊かれるんですけど」頭にバンダナを巻いた若者がいった。「やっぱり当日まで内緒なんですか」

当然、と宮沢麻耶はいった。

チーム菊野というのは、彼等のグループの名称だった。

「毎年いってるけど、サプライズがないとエンタテインメントじゃないから。みんなも、その意識を忘れないでね。ほかに何かある？」

発言する者はいなかった。オーケー、といって宮沢麻耶はノートを閉じた。

「今日のところはこれで解散。本番まであと何日もないよ。がんばりましょう」

はい、と皆が威勢良く返事し、ぞろぞろと席を立ち始めた。

夏美が智也のところへおしぼりを持ってきた。「ごめんなさい、お待たせしちゃって」

「それは構わないんだけど、あの話、本当？　蓮沼がここへ来たって」

途端に夏美は顔を曇らせ、小さく頷いた。

「全くふざけてるよね」帰り支度をしていた宮沢麻耶が横から口を挟んできた。「その話を聞いた時には、耳を疑った。処分保留だか何だか知らないけど、あいつが犯人だってことはみんなわかってる。それなのにこんなところへ現れるなんて、一体どういうつ言い方でした」

もりなんだろうね」

「ここへ来た時には、うちに賠償金を払えって。それを貰えるまでは、また来るような
　夏美の言葉に智也は当惑した。「賠償金？」

「自分が犯人扱いされたのは、あんたらのせいだって。だから落とし前をつけろって」

「何いってるんだ、あいつ」宮沢麻耶が吐き捨てるようにいった。「頭がおかしいのか。警察は何をやってるんだろうね。あんなやつを野放しにしていいのかっての」

「あの人が帰ってからしばらくして、刑事さんがやってきました。ずっと見張ってたみたい。蓮沼はここで何かしましたかって訊かれました」

「あいつ、まだこの町にいるみたいですよ」バンダナの若者がいった。

「マジで？」宮沢麻耶が目を剝いた。

「ＳＮＳに書き込んでる人がいるんです。俺の知り合いが見つけて教えてくれました。書き込んだのは、あいつが前に働いてた会社の人みたいです。あいつ、その会社にいる誰かの部屋に転がり込んだらしく、警察の人が事情を訊きに来たそうです」

　宮沢麻耶は舌打ちをした。

「いつまでこの町にいる気だろう？　本気で賠償金を取れるとでも思ってるのかね」

　さあ、とバンダナの若者は首を捻る。自分に訊かれても困るといいたげだ。

　あの、と智也は立ち上がり、バンダナの若者を見た。

「あいつが転がり込んだ部屋がどのへんにあるか、そのSNSに書いてありましたか」

若者は戸惑ったような顔で首を横に振った。「いや、そこまでは……」

夏美っ、と呼びつける声がした。いつの間にか厨房から並木祐太郎が出てきていた。

「何をしてるんだ？　智也さんから飲み物の注文を伺ったのか」

「あ、今、訊こうと思ってたところで……」

「ぼちぼち忙しくなる頃だ。ぼんやりしてるんじゃない。——智也さん、どうもすみませんね」並木は頭を下げてきた。

いいえ、といって智也は腰を下ろし、夏美を見上げた。「ビールをもらおうかな」

はい、といって夏美は下がった。

「親父さん」宮沢麻耶が並木のほうを向いた。「何か私らにできることがあれば、いつでもいってくださいね。蓮沼をこの店に近づかせないでくれってことなら、みんなで力を合わせて何とかするし」

並木は口元をほんの少し緩め、ありがとう、と呟いた。

「じゃあ、私らはこれで失礼します」宮沢麻耶は仲間たちと共に店を出ていった。

夏美がビール瓶とグラス、突き出しの小皿を運んできた。すると並木は、ちょっと失礼といって智也の向かい側に座ると、グラスにビールを注いでくれた。

「蓮沼がここへ来たってことは、夏美から聞いたんですか」

「はい、今日の昼間に……」

並木は舌打ちし、娘のほうを振り向いた。「人が仕事をしている時に、いちいちつまらないことを」

「だって……」夏美は唇を尖らせ、俯いた。

智也さん、と並木が顔を戻してきた。「未だに佐織のことを思ってもらえてるのは大変ありがたい。だけど、智也さんには智也さんの将来があるわけだし、そろそろ頭を切り換えたらどうだろうかね」

智也は口元に運びかけていたグラスをテーブルに戻した。

「それは、あの、事件や佐織さんのことを忘れろっていう意味ですか」

「完全に忘れるのは無理かもしれない。でも、いつまでも引きずってるのは、智也さんの人生にとってよくない。あの事件に縛られるのは、我々家族だけで十分だ。ほかの人には迷惑をかけたくないんだ」

「迷惑だなんて、そんなことはないです」智也はきっぱりといった。「さっき宮沢さんもいってたけど、何とか力になりたいと思っているんです。あの男が釈放されたことなんかも、全然納得できないし」

「ありがとう。俺としては、その気持ちだけで十分だ。でもこれだけはいっておく。この件については、もう無関係を決め込んでくれても一向に構わない。智也さんのことを薄情(はくじょう)だなんて思わないからね」

「無関係を決め込むって……それはええと、どういうことですか」

「どうもこうもない。そのままの意味だ」

並木は腰を上げると、どうぞごゆっくり、といって厨房に下がっていった。

その後ろ姿を智也は当惑した思いで見送った。なぜ並木がこんなことをいうのか、まるでわからなかった。

がらりと引き戸の開く音がして、新たな客が入ってきた。見上げると、何度かここで顔を合わせたことのある男性だった。湯川という名字らしいが、皆は教授と呼んでいる。最近になって、よく来ているようだ。

相手も智也の顔は覚えているらしく、黙って会釈してきた。智也も応じた。

夏美がおしぼりを彼のところへ持っていった。「いらっしゃいませ。いつものやつでいいですか」

「うん、いつものやつをもらおう。あと、ビールを」

はい、と答えて夏美は奥に下がった。

智也は一人で夕食を摂りながら、先程並木からいわれた言葉の真意を考えた。何か深い意味があるように思えてならなかった。

隣の席では湯川が夏美と話している。パレードを案内してくれるよう頼んでいるようだ。最低でも一時間前から場所取りが必要、という意味のことを夏美は答えている。

午後七時を少し過ぎた頃、智也は『なみきや』を出た。釈然としない思いが胸に残ったままで、足取りも重かった。

家に向かって歩き始めた直後だった。高垣君、と横から声をかけられた。聞き覚えのある声だった。立ち止まり、周囲に目を配った。

「ここだよ」再び声が聞こえた。

傍らに駐まっているセダンの運転席からだった。乗っているのは、よく知っている人物だった。『なみきや』の常連客である戸島だ。

近寄っていき、「どうしたんですか」と智也は訊いた。

「今、ちょっといいかな。大事な話があるんだ」

「……何に関することですか」

「それはもちろん――」戸島は唇を舐め、『なみきや』のほうに視線を走らせてから、改めて智也を見上げた。「蓮沼のことだ。もし高垣君に、まだ佐織ちゃんを思う気持ちが残っているのなら、だけどね」

智也は大きく呼吸した。「是非、聞かせてください」

「じゃあ、助手席に乗って」

「はい」

智也は車の反対側に回った。心臓の鼓動が速くなっていた。

帰宅した時には午後十時近くになっていた。里枝は居間でソファに座ってテレビを見ていたようだが、智也が帰るとすぐにリモコンを手にし、電源を切った。「遅かったわね」

「うん、まあ、いろいろと話をしてきたから」

「どんな話？」

「だから、いろいろだよ。常連もいたし」

「あの犯人、どうなるの？　どうして菊野にやってきたの？」

「わからない。みんな、怒ってた」

自分の部屋に向かおうとすると、智也、と里枝が呼びかけてきた。

「佐織さんは、もう戻ってこないんだからね」

「だから何なんだ？」

「『なみきや』に行くのは、もうやめたらどう？　辛いことを思い出すだけでしょ」

智也は答えず、居間を出た。自室に入ってスーツを脱ぎ、ネクタイを外すと、そのままベッドに倒れ込んだ。

戸島とのやりとりを反芻（はんすう）した。持ちかけられた内容は驚くべきものだった。里枝が知れば、目を剝いて反対するだろう。絶対にやめてくれと懇願するに違いない。

並木が店であんなことをいったことにも合点がいった。並木は戸島が智也に協力を要請するとわかっていて、無理に引き受けなくてもいい、断ってもいいと暗に仄めかしたのだ。仮にそうしても智也が薄情だとは思わないと。

だが智也は、戸島に即答した。是非協力したいといった。

このことから逃げたら、たぶん一生後悔すると思ったからだ。

## 14

菊野商店街にとって特別な日曜日、夏美が店内から通りを眺めると、早くも大勢の人々が行き来していた。まだ午前十時を過ぎたところで、パレードが始まるまで一時間近くある。なるべくいい場所を確保しようと、見物客たちが動き回っているのだろう。

「いい天気になってよかったねえ」後ろから真智子の声が聞こえてきた。

夏美は振り返り、うん、と頷いた。「雨なんか降ったら、準備した人たちがかわいそう」

ほんとうに、と真智子は頷き、厨房に入っていった。すでに料理の仕込みを始めている祐太郎を手伝うためだ。平日は夜だけの営業だが、土曜日と日曜日は昼も店を開けるのだ。

引き戸の外に人影が見えた。がらりと戸を開けたのは、予想通りの人物だった。

「鉄道会社が気が利かなさすぎる」ダークグリーンのジャケットを羽織った湯川が、不機嫌な口調でいった。「今日みたいな日は、電車の本数を増やすべきだ」

「かなり混んでました？」

湯川は、げんなりした顔で顎を引いた。

「すし詰めだ。座れないどころか、真っ直ぐに立っているのも大変だった。痴漢に間違われないよう、両手を上げている必要もある」

ははは、と夏美は笑った。「それは大変そう」

「僕が想像した以上に盛り上がっているみたいだな。沿道では撮影ポジションの取り合いが始まっている」

「そうかもしれない。あたしたちも早く行ったほうがいいかも」夏美は立ち上がり、そばの椅子に掛けてあったパーカーを羽織った。「お母さん、じゃあ行ってくるね」

厨房のカウンターから真智子が顔を覗かせた。「行ってらっしゃい。湯川先生、ゆっくりと楽しんできてください」

「ありがとうございます。夜、また来ます」湯川は厨房に向かい、笑顔でいった。

壁に木製の折り畳み式の椅子を二脚、立てかけてあった。夏美は、一脚を湯川のほうに差し出した。「はい、これ持って」

「なるほど」湯川は椅子を受け取り、納得したように頷いた。「グッドアイデアだ。座って見られるとはありがたい」

「残念ながら、そう甘くはないんだけどね」

湯川は不審げに眉をひそめた。「どういうことだ」

「後でわかる。さあ、行きましょう」夏美も、もう一方の椅子を提げた。

店を出るなり、カメラを持った男性とぶつかりそうになった。このあたりの歩道は幅が広いのだが、すでに沿道に人だかりができているので、歩ける範囲が狭くなっているのだ。

「やれやれ、まるで縁日だな」歩きながら湯川がこぼした。「この様子だと、見物によさそうな場所は、すでに埋まっているんじゃないか」

「道路のすぐ脇は、そうでしょうねえ。何しろこのパレードは、年々盛況になっていますから。まだイベントが全部終わっていないうちから、画像が次々とSNSにアップされるんです。だからベストショットを撮れる場所を確保するために、昨夜から泊まり込んでいる人もいるみたい」

「そうなのか。世の中には物好きがいるもんだな」

「それだけの値打ちがあるってこと。教授だって、見たらきっとわかると思う」

「まあ、楽しみにはしているがね」

人混みをかきわけるようにして前に進んだ。やがて大きな交差点に辿り着いた。横切る道路も、今日は通行止めになっている。

夏美は角にあるビルに近づくと、その壁際に椅子を広げて置いた。

「教授も隣に置いて」

「これでいいか」

湯川が椅子を置いたのを見て、オーケー、といって夏美は椅子に腰を下ろした。

「こんなところで見えるのか」湯川も椅子に座り、疑問を口にした。「前を人がいっぱい通るじゃないか。パレードが始まったら、さらに見物客が増えるだろう。全員がしゃがんでくれないかぎり、見えそうにない」

「最前列の人とかは、なるべく姿勢を低くしてくださいっていわれるけど、後ろのほうは無理ね。むしろ、みんな背伸びするぐらい」

「それじゃあ、だめじゃないか」

「いいからいいから、あたしに任せて」

時間が経つと共に、観客の数はどんどん増えてきた。コスプレをしてきている者も多い。公式サイトに、コスプレをしての来場も大歓迎、と書いてあるからだ。中には本格的な衣装に身を包み、即席の撮影会をしている者もいた。

「こんな時に何だが、その後、例の男は現れたのかな」湯川が問うてきた。

「例の男？」

「いつだったか、突然『なみきや』に闖入(ちんにゅう)してきた人物だ。君のお姉さんを殺した疑いが持たれている」

「ああ……」

「並木さんに追い返されていたが、いずれまた来るようなことをいっていた。来たのか？」

「いえ、あれ以来、姿は見せていません」

「そうか。それならよかった。嫌なことを思い出させてすまなかった」

いいえ、と首を振りつつ、夏美は頬が強張(こわば)っているのを自覚した。

蓮沼のことを考えると気持ちが重くなるのは事実だった。あの男がすぐ近くにいると知り、憎悪より、逮捕された腹いせに仕返しに現れるのではないかという恐怖のほうが勝った。同じ思いなのか真智子は夏美に、なるべく一人で出歩かないように、と釘を刺してくる。狙われるとしたら夏美だと思っているのだろう。

なぜあの男が釈放されたのか、なぜ刑務所に入れられないのか、詳しいことは夏美にはまるでわからなかった。憎む気持ちも腹立たしさも、少しも薄らいではいない。しかし理不尽さに苛立つ毎日に、疲れてきているのもたしかだった。あの男は罰せられないというのが動かせない現実ならば、それを受け入れ、過去ではなく未来に視線を向けて生きていくほうが合理的、というより楽なのではないかという気がしている。

罰せられないのなら、せめてどこか遠くに行ってほしい、蓮沼という男の存在を忘れさせてほしい、というのが偽らざる本音だった。

ドンッという号砲の音で我に返った。パレードが始まるらしい。気づくと周りは人がいっぱいで、行き来するのも大変そうだ。

やがて遠くから音楽が聞こえてきた。最初のチームが近づいてきたようだ。観客たちは背伸びし、懸命に首を伸ばし始めた。

「教授、立って」夏美は湯川の肩を叩いて立ち上がった。さらに土足のまま、椅子の上に立った。

「その手があったか」湯川もすぐ彼女に倣った。「椅子を踏み台代わりに使うわけか。おお、これならよく見える」

人々の頭越しに視線を遠くへ向けた。カラフルな衣装を身に纏った一団が、音楽に合わせてゆっくりと近づいてくる。夏美はジーンズのポケットから折り畳んだ紙を取り出した。パレードのプログラムで、出場順が記されている。

「兵庫県神戸市から来てるチームだ」夏美はいった。「去年、二位に入ったんだよね。その時の演し物は『アラビアン・ナイト』だった。今年は『美女と野獣』だって」

そのチームが間近までやってきた。まず、食器や家具に変身させられた従者たちが行進してくる。その衣装のクオリティは高く、安っぽさを感じさせない。彼等に続き、主役の二人が登場してきた。野獣の着ぐるみはなかなか立派だ。美女の衣装も豪華で、おまけにそれなりの美人が抜擢されていた。

ここまでは単に観客に向かって手を振りながら歩いてきただけだが、交差点の中央まで来ると、野獣と美女が踊り始めた。その周りで食器や家具の従者たちが楽器を演奏する。アニメーションで有名なシーンだ。観客から歓声が上がった。

素晴らしい、と夏美の隣で湯川がいった。「思った以上にエンタテインメント性が高い」

「でしょう?」

「ただ一つ、気になることがある」

「何？」

「著作権だ。僕が見たかぎり、この『美女と野獣』はディズニーのアニメと酷似している。許可は得たのだろうか」

「それ、いいます？」

湯川は不可解そうな顔を向けてきた。「どういうことだ」

「微妙な問題なんですよね、それ。このチームの去年の演し物、『アラビアン・ナイト』でしたけど、ぶっちゃけディズニーの『アラジン』そのまんまだったんですよね。音楽も使ってた。たぶん許可は取ってなかったと思います」

「いいのか、それで？」

さあ、と夏美は首を捻った。

「時々、議論になっています。厳密にいったらだめかもっていうのが定説です。でも商売にしているわけじゃないし、ハロウィンなんかじゃ許されてる場合も多いので、各チームの判断に任せようっていうのが、主催している菊野市の判断みたい」

「菊野市自体はどう対応しているんだ？　代表チームが出場するんだろ」

「チーム菊野の演し物は、著作権のないものに限定してるんです。昔話とか童話とか。あと、作者が死んで何十年も経って著作権が切れたものとか。去年は『かぐや姫』でした」

「今年は？」

夏美はプログラムに目を落とした。「『宝島』だそうです」

「ロバート・ルイス・スティーヴンソンか。それは楽しみだな。いつ出てくるんだ？」

「チーム菊野は一番最後と決まっています。プログラムによれば午後二時頃スタートの予定です」

「二時？　それまでこの体勢を続けるのか」

「疲れたら、座って休めばいいじゃないですか。それが椅子の本来の使い方なんだから」

「……なるほど」

その後、いくつかのチームが目の前を通り過ぎていった。有名なアニメ・キャラクターものが多い。湯川が指摘した著作権に抵触しそうだが、作者は笑って許してくれると信じたかった。それほど、どのチームの演し物も完成度が高く、熱心さが伝わってくる。

気づくとスマートフォンに着信があった。真智子からだ。時刻を見て、はっとした。正午を過ぎている。

「ごめん教授、あたし、一旦店に戻る」夏美は怒鳴るようにいった。仮装チームの音響車両が通りかかるところだったからだ。「二時前に、また来るから」

湯川が頷いたのを見て、夏美は椅子から下りた。

『なみきや』に戻ると、すでに三組の客がいた。接客をしていた真智子から睨まれ、夏美は舌を出して肩をすくめた。

入り口の外からは、賑やかな音楽が聞こえ続けていた。アニメのテーマソングに童謡、クラシックと様々だ。多くの人々が今日のために周到な準備をしてきてくれたのだと思うと、この町の住人として嬉しかった。

客は入れ替わり立ち替わり、ひっきりなしにやってきた。会話を聞いていると、どうやらお目当てのチームがあるらしく、それを見終わったので食事にしよう、ということらしい。昼間からビールを飲む人も少なくなかった。

午後一時半がランチのオーダーストップだ。それが過ぎたら湯川のところへ戻ろうと思っていたら、その直前にまた新たな客が入ってきた。やや小太りの中年女性で、連れはいない様子だ。

「すみません。まだ大丈夫ですか？」

「構いませんけど、もうラストオーダーの時間なんです」

「大丈夫、すぐに決めちゃいますから」

女性は席につくなり、カキフライなどいくつかの料理を注文した。メニューを見ないで、すらすらと出てくるところをみると、何度か来たことがあるのかもしれない。だが夏美は見覚えがなかった。

オーダーを厨房にいる真智子に伝えた後、「じゃああたし、教授のところに戻るから」といって夏美は店を出た。

パレードは佳境に入っていた。有名なロボットアニメのキャラクターたちが闊歩するのを横目で眺めながら、夏美は湯川のところを目指した。

湯川は椅子の上に立ち、スマートフォンで撮影していた。その顔が真剣そのものなのがおかしかった。

「楽しんでるみたいですね」隣の椅子に上がりながら夏美はいった。

「楽しむというより、勉強になる」湯川は眼鏡を指で押し上げた。「物語の名場面を再現するといっても、どこを名場面と捉えるかは人それぞれだ。さっき、同じアニメを題材にしたチームが二つ続いたが、全く別の場面を再現していた。じつに面白い」

夏美は呆れた思いで物理学者を見た。「そういうのを楽しんでるっていうんです」

その後もいくつかのチームが夏美たちの前を通過していった。初期の頃は参加チーム数が少ない上、どこのチームの仮装も安っぽかったが、年を追うごとに豪華で派手なチームが増えてきた。

「次はいよいよ最後。チーム菊野が出てきますよ」プログラムを確認し、夏美はいった。

遠くから音楽が聞こえてきた。拍手と歓声が一際大きくなったようだ。

やがて何か大きなものが近づいてくるのが見えた。夏美は目を凝らし、はっとした。

それは船だった。古い木造船を模した大きな山車だ。その上には海賊が何人か乗っている。

「すごーい。あんなものまで作っちゃったんだ」

パレードの衣装だけでなく大道具や小道具も、当日までごく一部の人間にしか見せない、というのがチーム菊野の方針だ。実行委員のリーダーである宮沢麻耶の、誇らしげな顔が目に浮かぶようだった。

船に続いて、宝の隠し場所を示す大きな地図がやってきた。さらには宝箱がいくつかやってくる。箱は開いていて、宝石や金貨が溢れんばかりに詰まっているのがわかる。海賊に扮した人々が、入れ替わり立ち替わり、踊りながら宝箱を押している。

交差点の中央で船が止まったかと思うと、海賊同士が戦いを始めた。名場面の再現ということだろう。何度も練習したらしく、呼吸はぴったりだ。やがて宝箱の奪い合いも始まった。かなり激しい動きで、宝箱同士がぶつかる音にも迫力があった。

ひとしきり戦い終えると、彼等はまた行進を始めた。息を切らしている者もいる。重い衣装を着てのアクションだから、運動量も半端ではないのだろう。

海賊たちが去った後、今度は巨大な青色のバルーンが音楽と共に現れた。曲はこのパレードのテーマソングで、作ったのはほかならぬ新倉直紀だ。

「何だ、あれは?」湯川が訊いた。「カエルの怪物か」

夏美は噴き出した。バルーンのことをいっているのだとわかった。

「カエルに見えるけど、じつは架空の生き物。目玉みたいなところが耳で、鼻の穴みたいなのが目です。このパレードのために作られた、所謂ゆるキャラってやつ。名前はキクノンで、四年ぐらい前からパレードの締めくくりに出てくるようになりました」

いった。

「ふうん、キクノンか。膨らませるだけで大変そうだな」湯川が、やけに冷静な口調で
バルーンの大きさは、長さが一〇メートルほどもあった。ヘリウムが入っているので浮かんでいるのだが、どこかへ飛んでいかないよう、何箇所かに取り付けられたロープを周りの人々が摑んで移動している。

「あー、今年も終わっちゃった」バルーンが遠ざかっていくのを見送り、夏美は椅子から下りた。スマートフォンで時刻を確認すると午後三時を少し過ぎていた。

「結果発表は、二時間ぐらい後だと思う。今年はどこが優勝かな。教授、全部見たんでしょ？　どれが一番よかった？」

湯川はスマートフォンを操作していた。撮影した動画を確認しているらしい。

「どれも素晴らしかったが、個人的には『アルプスの少女』がよかった」

「アルプスの少女？　そんなのがあったんですか」

「巨大なブランコが出てきた。あれに乗るのはなかなか勇気がいる。大したものだ」

夏美は眉をひそめ、首を傾げた。どういう演し物だったのか、イメージが全く湧かない。

もう少し詳しく聞こうと口を開きかけた時、夏美のスマートフォンに着信があった。表示されているのは『なみきや』の固定電話の番号だった。

はい、と電話に出た。

「夏美？　今、どこにいるの？」真智子が訊いてきた。

「どこって……四丁目の交差点で、教授と一緒にパレードを見てたところ。ついさっき、終わったけど」

「だったら、すぐに帰ってきてくれない？　ちょっと面倒なことになっちゃって」

「えっ何？　何かあったの？」嫌な予感が胸をかすめた。蓮沼の顔が浮かんだ。あの男がまた現れたのだろうか。

「お客さんの具合が悪くなったのよ」真智子の答えは、まるで予想外のものだった。

「お客さんって？」

「最後に入ってきた女の人。小太りの」

　ああ、と夏美は思い出した。「カキフライを注文した人だ」

「そう。あの人がね、食べ終わって少ししてからトイレに入って、そのまましばらく出てこないのよ。やっと出てきたと思ったら、お腹がすごく痛いっていいだして」

「えっ、牡蠣にでもあたったのかな」

「しっかりと火は通してあるから、そんなことは絶対にないと思うんだけど、とにかく病院に連れていこうってことで、お父さんが車で乗せていったの」

「そんなことがあったんだ。大変じゃない」

「だから夏美、早く帰ってきてくれない？　私も病院に行って、様子を見てこようと思うんだけど、夜のために火にかけたままにしておかなきゃいけない鍋があるの」

「わかった」

電話を切り、湯川に事情を話した。彼は縁なし眼鏡の向こうで瞬きした。

「それはまずいな。早く行ったほうがいい。椅子は二つとも、後で僕が持っていこう」

「本当？　ありがとう、助かります。じゃあ、後でね」夏美は足早にその場を離れた。

店に帰ると真智子が出かける支度を済ませていた。夏美が状況を訊くと、「わけがわからない。とにかく病院に行ってくる。鍋の火がついたままだけど、放っておいていいから。それから悪いけど、ついでに洗い物を済ませておいて」といって出て行った。

厨房には汚れた食器や調理具が山のようにあった。夏美はため息をつき、壁に掛けてあるエプロンを手にした。

祐太郎と真智子が帰ってきたのは、それから約二時間後だった。二人とも表情が浮かないので、何か悪いことでもあったのかと思って夏美は尋ねてみたが、「結局、どうということはなかったみたい」と真智子がいった。

「お父さんが病院に連れていった時点では、まだうんうん唸ってたそうなんだけど、そのうちにだんだんと平気になったそうなの。私が行ったら、ちょうど診察室から出てきたところで、けろっとしてた。単に体調が悪くなっただけみたいで、心配をかけてすみませんでしたって謝られたわ」

「そうなんだ。よかった。食中毒とかだったらどうしようと思ってた」

「全くよね。一体、何だったのかしら」真智子はしきりに首を捻っている。

「あたしは知らないんだけど、よく来る人？」

ううん、と真智子はかぶりを振った。

「たぶんうちに来たのは初めてだと思う。お父さんも知らないって」

「名前は？」

「ヤマダ、といってたな」祐太郎が呟いた。「まあ、大したことにならなくてよかった」

そういうと厨房に入っていった。やはり緊張していたのだろう、何となく気が抜けているように見えた。

夏美のスマートフォンにメールが届いた。湯川からだった。どうなったのかと尋ねる内容だった。彼も心配してくれているのだ。

問題なかったみたいです、と返しておいた。

午後五時半になると、再び店を開けた。夏美が準備中の札を営業中に替えていたら、「少し早すぎたかな」と背後から声が聞こえた。湯川が二脚の椅子を提げて立っていた。

「大丈夫です。椅子、ありがとうございます」

さあどうぞ、と引き戸を開け、湯川を招き入れた。

「お客さん、何事もなかったようでよかった」席についてから湯川がいった。

「本当です。保健所の人が駆けつけてくるんじゃないかって、ドキドキしました」

「食中毒は飲食店にとっては死活問題だからな」そういってから湯川は指を立てた。

「まずはビールをもらおうか。それから――」

「炊き合わせですね。承知しました」夏美は湯川の前におしぼりを置き、奥に下がった。

午後六時を過ぎると、戸島や新倉夫妻、高垣智也といった常連客が次々にやってきた。誰もがパレードの話で盛り上がっていた。優勝したのは、『アルプスの少女』のチームらしい。夏美は湯川と顔を見合わせた。彼は満足そうにビールを飲んでいた。

やがて宮沢麻耶も二人の若い男性と現れた。この後で打ち上げがあるが、その前に腹ごしらえをしに来たのだという。チーム菊野は四位だったそうで、少し残念がっていた。

「でも、すごくよかったですよ」彼等のテーブルに料理を運びながら夏美はいった。

「船はリアルだったし、海賊たちも雰囲気が出てたし」

「ああ、上出来だった。大したものだ」やりとりが聞こえたらしく、戸島も離れた席から声をかけてきた。ほかの者たちも頷いている。

「ありがとうございます。そういってもらえると救われた気になります。よし、とりあえず乾杯しよう」宮沢麻耶の掛け声で、三つのグラスがテーブル上で合わさった。

それからしばらくして、チーム菊野のメンバーである若者がもう一人現れた。なぜか顔つきが険しい。宮沢麻耶たちのテーブルについた。

「遅かったじゃない。今まで何をしてたの？」宮沢が若者にビールを注いでやりながら訊いている。

「いや、あの、用があって隣町まで行ってたんですけど、帰ってくる途中、パトカーが集まってるところがあって、ちょっと見物してたんです」若者はビールの入ったグラスを持ったまま答えた。「川縁の倉庫が並んでいる場所です。それがですね――」

声が極端に小さくなり、夏美の耳まで届かなくなった。

「何それっ、本当っ？」宮沢麻耶が大声を出した。

「間違いないと思います。警官が話しているのを偶然聞いちゃったんです」

宮沢麻耶が、なぜか夏美を見上げた。さらに少し迷った様子を見せてから口を開いた。

「蓮沼が死んだって」

## 15

耳を疑った。まさかと思ったが、間宮がこんな冗談をいうはずがなかった。

「たしかに蓮沼なんですね」草薙はスマートフォンを持つ手に力を込めた。

「菊野署が確認しているんだから間違いないだろう。ただし、殺しかどうかはまだわからんそうだ。だから捜査本部が立つと決まったわけではない」

「場所は？」

「蓮沼が以前働いていた会社の元同僚の部屋らしい」

ああ、と草薙は合点した。

「菊野署の武藤警部補から、そんな話を聞いています。江戸川区のアパートを追い出されたので、元の仲間のところへ転がり込んだ、とか」

「遺体を発見したのも、その元同僚だという話だ」

「わかりました。これから、すぐに向かいます」草薙は自室のダイニングチェアから立ち上がった。テーブル上の皿には、食べかけのパスタが半分以上残っている。「殺しだと判明した場合は、俺のところで担当させてください。それでいいですよね、管理官」

「そのつもりだから、おまえに連絡した。ただし——」息を吐く音が聞こえた。「慎重に事に当たってくれ」

「わかっています」

電話を切り、パスタの皿を持ち上げた。キッチンに入り、生ゴミの袋に中身を捨てた。部屋を出るとタクシーを捕まえ、菊野を目指した。車中で部下の岸谷や内海薫らに連絡した。自分も現地に向かっていいかと内海薫が訊くので、好きにしろと答えた。

菊野警察署の武藤に連絡を取ってみた。電話が繋がるなり、「蓮沼のことをお聞きになりましたか」と切り出してきた。

「聞きました。驚きました」

「自分もです。全く予想外のことでした」

「今、そちらに向かっているところなのですが、現場を見せていただけますか」

「鑑識が終われば問題ないはずです。私も現場のそばにいます。詳しい位置データを送りますから、直接来ていただけますか」

「わかりました」

電話を切ってから少しして、メールが送られてきた。地図を確認したところ、住宅地ではないようだ。以前武藤から、倉庫の管理事務所だと聞いたのを思い出した。

菊野市に入ると、草薙は運転手に行き先を細かく指示した。やがて前方にパトカーの赤色灯が見えた。複数台止まっているようだ。

「運転手さん、ここでいい」

タクシーを降り、周りを見回しながら現場に近づいていった。倉庫や小さな工場が並んでいて、住宅や店舗は見当たらない。菊野署員たちが総出で聞き込みに回っているのだろうが、有力な目撃情報などは得にくいのではないか、と草薙は想像した。

現場らしき倉庫の周囲にはテープが張られ、見張りの警官が何人か立っていた。草薙はそのうちの一人にバッジを提示した。

「草薙といいます。武藤警部補はいらっしゃいますか」

「少々お待ちください」

若い警官はトランシーバーでどこかに連絡を取った後、「ここでお待ちください、とのことです」と草薙にいった。

倉庫のそばに小さな建物があった。蓮沼の元同僚が住んでいるという管理事務所だろう。鑑識の制服を着た者がひっきりなしに出入りしている。

しばらくすると建物の中からスーツ姿の武藤が現れた。色黒なうえ顔の彫りが深いので南国系を思わせるが、本人によれば北国生まれらしい。

簡単に挨拶を交わした後、本題に入った。

「遺体は運び出されて、鑑識の作業も一通り終わっています。現場を御覧になりますか」

「是非見たいですね」

「では、御案内します。拍子抜けされるかもしれませんが」

「というと？」

「まあ、見ればわかります」

武藤に案内され、草薙は事務所に近づいていった。ドアは開放されていて、中から明かりが漏れている。

入り口から覗いてみると、床には簀の子が敷かれていた。ドアのすぐ内側に靴脱ぎのようなスペースが作られていたので、そこで靴を脱ぎ、手袋を着けながら武藤に続いて足を踏み入れた。

事務所の広さは六畳ほどだった。シングルベッドが隅に置かれ、小さな流し台の横に小型の冷蔵庫とカラーボックスが並んでいる。カラーボックスの中には食器が入っていた。

ほかには小さな机とテレビがあるだけで、箪笥などはない。壁に釘が何本も打ってあり、針金のハンガーをかけられるようになっていた。その下に段ボール箱が並んでいたので中を確かめると、衣類が雑に放り込んであった。

奥に引き戸があり、今は開いていた。それを見て、「隣に、もうひと部屋あるんですか」と草薙は訊いた。

「ええ、部屋といえるかどうかは微妙ですがね」武藤はいった。「蓮沼の死体が見つかったのは、あっちです」

武藤が奥に進んだので、草薙も後に続いた。

入り口に立ち、中を覗いた。広さは三畳弱といったところか。天井が低く、草薙が手を伸ばせば届いてしまうほどだ。窓はなく、収納スペースもない。床は板張りで、薄汚れていた。

「元々は事務所の物置だったそうです」武藤がいった。

なるほど、と草薙は納得した。

「何も残っていませんが、鑑識がすべて運び出したんですか」

「そうなんですが、元々、大したものはなかったんです」武藤がスマートフォンを操作し、草薙のほうに画面を向けた。「発見された時の状態です」

そこに映っているのは、倒れている蓮沼の姿だった。グレーのスウェット姿で、仰向けになっている。床にレジャーシート、さらにその上にマットレスと布団を敷いていたようだ。脱いだままの衣類やバッグが傍らに見える。

「死因は不明だそうですね」

「そうです。午後五時半頃に住人が外出先から戻ってみたら、すでにこの状態で呼吸をしていなかった、ということでした。それで救急車を呼んだのですが、死亡が確認できたため救急隊員が警察に通報したというわけです。目立った外傷はなく、首を絞められた痕なども認められません。もちろん人が争ったような形跡もありませんでした。死後三十分から二時間程度とみられています」武藤はスマートフォンを懐に戻した。

午後五時半の時点で死後三十分から二時間なら、死んだのは午後三時半から五時の間か。

「住人というのは蓮沼の元同僚ですね。ええと……」草薙は手帳を出そうとした。

「マスムラです。増えるのマスに村人のムラ」

「その増村氏の話を聞けますかね」

「現在、署で事情聴取をしているはずです。その後、今夜は駅前のビジネスホテルに泊まってもらうことになっています。草薙さんが直接話を聞きたいということでしたら、調整しますが」

「是非。よろしくお願いします」

「わかりました」

武藤は再びスマートフォンを取り出し、どこかへ電話をかけ始めた。

草薙は改めて、本来は物置だったという小部屋の中を見回した。こんな狭いところで横になりながら、蓮沼は一体何を考えていたのか。この町に戻ってくるなり『なみきや』を訪れたという話だが、なぜ遺族たちを刺激したかったのか。

部屋の入り口は引き戸で、レールは室内側だった。取っ手ではなく、金属製の引き手が付けられている。さらに南京錠を掛ける金具が取り付けられていた。元は物置だから、盗難防止のためだろう。

武藤が電話を終えた。

「増村氏の事情聴取は終わっているようです。ビジネスホテルに送っていく前に、こちらに連れてきてもらうことにしました」

「それは助かります。説明を聞きやすい」

「私も同席させてもらって構いませんか」

「それはもちろん」

草薙が答えた時、入り口のほうから物音が聞こえた。振り返ると内海薫が顔を覗かせた。

「お邪魔してもいいですか」

どうぞ、と答えてから武藤が草薙のほうを向いた。

「内海刑事まで駆けつけてくるということは、やはり本庁でも殺しの疑いが濃いとみているのですね」

「菊野署はどうなんですか」

「無論、その可能性を第一に考えています。蓮沼には殺されてもおかしくない事情がありますからね。すでに捜査員が話を聞きに行っているはずです」武藤は一拍置いてから続けた。「『なみきや』に」

　草薙は黙って頷いた。この状況では、並木佐織変死事件の捜査に関わった者ならば、誰もが同じことを考えるはずだった。

「私もこれから行っていいでしょうか」

　内海薫の問いかけに、やめておけ、と草薙は答えた。

「現時点では菊野署から本庁に応援の要請はない。でしゃばるな」

　女性刑事は一瞬不服そうに眉をひそめかけたが、はい、と素直に返事をした。

「遺体には目立った異変はなかったとのことですが、その他の状況はどうですか。鑑識は何かいってませんか」草薙は武藤に訊いた。

「特に気になるようなことはなかったみたいです。指紋が消されたような形跡もないとか」

「そうですか」

　草薙はため息をついた。現時点では、事件性があるとは断言できない。解剖の結果が出るのを待つしかなさそうだった。外傷はないということだから、他殺だとすれば毒物が使われた可能性が高い。

　先程、武藤から見せられた画像を見たかぎり、蓮沼のそばに飲み物の容器などはなかった。毒物を飲ませるのに使用したとしても、犯人が持ち去ったのだろう。

　草薙は並木祐太郎の顔を思い浮かべた。最も有力な容疑者といえた。動機は十分過ぎるほどある。

しかし――。

草薙は小部屋を見つめた。この狭い空間で並木と蓮沼が対峙している場面を想像しにくかった。並木が乗り込んでくれば、蓮沼は警戒しただろう。毒入りの飲み物を簡単に飲むとは考えにくい。

武藤がスマートフォンを手にした。着信があったらしく、耳につけた。

「中にいる。入ってもらってくれ」電話を切ってから草薙たちを見た。「ここの住人が着いたようです」

間もなく外から話し声が聞こえてきた。草薙は入り口に目を向けた。

制服警官に導かれ、ジャンパー姿の小柄な男が入ってきた。男は草薙たちのほうを見て、ひょいと頭を下げた。

## 16

菊野署の刑事たちが帰っていったのは、間もなく日付が変わろうとする頃だった。

『なみきや』の閉店間際に現れた彼等は、最後の客が出ていくのを待って、並木家の三人――祐太郎、真智子、夏美の事情聴取を別々に行ったのだった。

夏美は外に止められたパトカーの中で尋問を受けた。その内容は、主に今日一日の行動についてだった。何時から何時まで、どこにいて何をしていたか、誰と一緒だったか、電話がかかってきたなら何時頃に誰からか、かけたのなら誰にかけたのか、その用件とはどういうものだったかを詳しく訊かれた。

隠すようなことは何ひとつなかったので、ありのままを答えた。しかし愉快ではなかった。刑事が調べているのがアリバイであることは明白だったからだ。

刑事が去った後、店で祐太郎や真智子と話し合った。やはり二人もアリバイをしつこく確認されたようだ。

「おまえたち、蓮沼がどんなふうに死んでいたか、聞いたか？」祐太郎が夏美と真智子を交互に見た。

真智子は黙って首を横に振った。

「あたしも聞いてない」夏美は答えた。「質問されるばっかりで、こっちからは何かを訊ける感じじゃなかったし。お父さん、聞いたの？」

「尋ねたけど教えてもらえなかった。というより、刑事たちもわかってない様子だったな。アリバイを訊いてきたぐらいだから、殺された可能性が高いとみているんだろうが」祐太郎は腑に落ちない様子で首を捻った。

「殺されたんだとしたら、うちが疑われて当然よね」真智子がいった。

「でも、あたしたちが嘘をついてないってことはわかったと思うよ」

夏美の言葉を聞き、二人は顔を見合わせた。

「まあ、そうだな」そういって祐太郎が耳の後ろを掻いた。

どこからか着信音が聞こえてきた。祐太郎がカウンターに近づき、置いてあったスマートフォンを手にした。

修作だ、といってから電話に出た。

「ああ、俺だ。……うん、ついさっきまでいたよ。真智子や夏美も、それぞれ別々に刑事から質問されてた。……そりゃあ、口裏を合わせてないかどうか、確かめるためだろう。……ああ、そのことなんだけど」祐太郎は電話を続けながら厨房に入っていった。

「夏美、電気を消すから」真智子が壁のスイッチに触れた。

うん、と答えて夏美は靴を脱ぎ、階段を上がっていった。

部屋で一人になるとスマートフォンをチェックした。智也からメッセージが届いている。状況を知りたいようだ。

手っ取り早いので電話をかけることにした。まさか、まだ寝てはいないだろう。

すぐに繋がり、はい、と智也の声が聞こえた。「夏美ちゃん？」

「そう。今、大丈夫？」

「大丈夫だ。で、あれからどうなった？」

蓮沼が死んだと宮沢麻耶がいった後、『なみきや』は騒然となった。その場にいたのは常連客ばかりで、全員が蓮沼のことを知っていたからだ。なぜ死んだのかとか、殺されたんだろうかとか、皆が口々にしゃべりだした。

しかし次第にそういう言葉も少なくなり、次には全員が黙り込んだ。蓮沼が死んだらしいということ以外に情報がなく、どんな憶測を口にしたところで無意味だと気づいたからに違いなかった。

するとと祐太郎が厨房から出てきて、「そのうちに何かわかると思いますから、黙って成り行きを見守りましょう」といった。その言葉に反論できる者がいるはずもなく、皆は無言で頷いていた。

打ち上げに参加するという宮沢麻耶たちが出ていったのをきっかけに、ほかの客たちも勘定を済ませ、店を去っていった。智也は出ていく前に、「何かあったら連絡して」と夏美に耳打ちしたのだった。

刑事が来て、あれこれ訊かれたことを夏美は智也にいった。

「やっぱり君たちが真っ先に疑われるんだね」

「それは仕方ないと思う。実際、恨んでたし」夏美は本心をいった。「でも三人とも今日の行動は全部しっかりと話したから、もう疑われることはないんじゃないかな」

「アリバイ、あるんだ」智也が意外そうな声を発した。

「少なくとも、うちの両親にはあるよ。ずっと店にいて、昼間の営業が終わった後は病院に行ってたんだもの」

「病院？」

「うん。たまたま具合が悪くなったお客さんがいて――」

夏美は女性客のことを話した。

「へえ、そんなことがあったんだ……」

「今から思うとラッキーだった。ふつうだったら、昼間の営業が終わった後、夜まで両親だけになってたはずだから。強いていえば、留守番をしてたあたしにアリバイがない」

「夏美ちゃんが疑われることはないと思うよ」

「とりあえず、報告できることはそんなところかな。これからどうなるのか、あたしにもわかんない」

「そうだよね。大将もいってたけど、成り行きを見守るしかないかな」

「何かあったら、また知らせる。心配してくれてありがとう」

「俺も気になるから。それにしても……」智也が歯切れ悪く口籠もった。

「なに？」

「いや、だったら一体誰が殺したんだろうと思って」

智也の問いかけに夏美は即座に反応できなかった。何となく違和感を覚えたからだ。

「殺されたかどうかは、まだわからないみたいだよ」

あっ、と智也が声を漏らした。

「そうか……。でも、急に死ぬなんてことあるかな」

さあ、と答えるしかなかった。

「考えても仕方ないね。じゃあ、おやすみ」

「おやすみなさい」

電話を切り、スマートフォンを充電器に繋いだ。パジャマに着替えようとシャツのボタンに手をかけたところで、ふと思いついたことがあった。

だったら、と智也はいった。だったら一体誰が殺したんだろう、と。

彼は並木家の人間が蓮沼を殺したと思い込んでいた、ということか。

まあ、無理ないか——夏美は吐息を漏らした。

## 17

目覚めると、小用を済ませたついでに、すぐ横にある洗面台で歯を磨き始めた。鏡に映る自分の顔を眺め、やっぱり老けたな、と草薙は思った。肌に張りが感じられないのは、白っぽい照明のせいだけではないだろう。

頭をすっきりさせるためにシャワーを浴びた後、濡れた髪をタオルで拭きながらバスルームを出た。

菊野駅から徒歩数分のところにあるビジネスホテルのシングルルームは、消毒薬の匂いが少し残る狭い部屋だった。ベッドの上と小さな椅子以外には居場所がなく、クロゼットを開けるだけでも窮屈な姿勢を強いられた。アガサ・クリスティの小説で有名なオリエント急行の個室でさえ、もう少しましだったのではないかと思った。それでも聞くところによれば、土曜日は満室だったらしい。昨日のパレード目当ての観光客が利用したということだから、町おこしイベントの人気は本物のようだ。

菊野警察署長の判断次第では、すぐにも本庁に応援が要請されるかもしれない。それはなくても、朝にも何らかの重大な情報が菊野署にもたらされるかもしれない。そう思い、昨夜はここに泊まることにしたのだった。内海薫も希望したが、説得して帰らせた。捜査本部が立てば、帰れない日が増える。

このホテルには増村栄治（えいじ）も泊まっている。蓮沼に塒（ねぐら）を提供していた男だ。何が起きたのかはっきりするまで、しばらくはここで生活することになるだろう。警察の金で、狭いながらもビジネスホテルに泊まれるのだから、ついているとほくそ笑んでいるかもしれない。話してみた印象では、特に蓮沼の死を悲しんでいるようには感じられなかった。その程度の仲だったということか。

草薙は上着のポケットから手帳を取り出すと、ベッドに腰掛け、昨夜、増村から聞いた話を整理することにした。

増村が蓮沼と出会ったのは約四年前らしい。現在働いている廃品回収会社に雇ってもらったのがきっかけで、何となく親しくなったのだという。

「あっちから近づいてきたんです。俺に前科があることを誰かから聞いたらしく、何をやったのか、根掘り葉掘り尋ねてきましたよ」

増村が働き始めて一年ほどが過ぎた頃、突然蓮沼が姿を消した。だが間もなく連絡がくるようになった。いつも公衆電話を使っていて、会社に警察の人間が来なかったかどうかを尋ねてきたのだという。

「何かやったのかって訊いても、はぐらかすばっかりで、はっきりしたことはいいません。そのうちに連絡が来なくなりましてね」

この話は、草薙は初耳ではなかった。岸谷から報告を受けている。蓮沼の逮捕に踏み切る材料の一つだった。

久しぶりに蓮沼が増村に連絡してきたのは、今から二週間ほど前らしい。アパートを出なければならないので、次の住処が見つかるまで部屋に置いてくれないかと頼んできたそうだ。

「家賃を半分払ってもいいというんで、悪い話じゃないと思いました。狭くてもいいのかと訊いたら、寝るところがあればいいんだといいますしね。それならってことで承知しました。男二人でむさ苦しいけど、酒を飲むには連れがいるほうがいいですし」

蓮沼が居候を始めた夜のことを、以前草薙は武藤から聞いていた。様子を窺った捜査員によれば、遅くまで盛り上がっていたらしい。余程気が合うのだろう。

その後の蓮沼の暮らしぶりについて質問してみた。

さあねえ、と増村は首を捻った。

「夜は一緒に酒をくらってましたけど、昼間は何をしていたのか、さっぱりわかりません。部屋でゴロゴロしていたか、出かけてもパチンコとかじゃなかったんですか」

仕事を探す気はなかったのだろうか。それについても増村は、さあねえ、と興味がなさそうな声を出しただけだった。訪ねてきた人物はいたかという質問にも、自分は知らない、と答えた。

そして、いよいよ本題だ。増村の当日の行動を確認した。増村は、「警察署で何度も説明したんですけどねえ」と、げんなりした顔を作ってから話し始めた。

「午前中は部屋にいて、昼過ぎに飯を食おうと思って出かけました。ところが例のあれがあったでしょ？　パレードってやつですか。おかげでどこも人でいっぱいだから、歩いて隣町に移動しました。最近、そこのネットカフェってやつに入会したんです。九百円払ったら三時間マンガは読み放題だし、シャワーも入り放題ですからね。コンビニの弁当を持ち込んで、マンガ読んだり、テレビを見たりして、それで店を出たのが五時頃です」

自宅に戻ったのが五時半頃で、奥の引き戸が開いていたので覗いてみたら、蓮沼が仰向けで横たわっていた。よく寝ているなと思ったが、あまりにも動かないので口元に手を当ててみたら呼吸をしていなかった。それであわてて救急車を呼んだ——以上が増村の説明だった。

部屋を出る時、蓮沼は寝そべってテレビを見ていたらしい。増村が昼飯に誘ったが、今は腹が減ってないと断られたそうだ。

入り口に鍵はかけなかったと思う、というのが増村の弁だ。

草薙は手帳を閉じた。会ってみた印象では、増村が嘘をついているようには思えなかった。ネットカフェに行ったという話も、おそらく本当だろう。ああいう店には必ず防犯カメラがついている。嘘をつけば、すぐにばれる。

机の上に置いてあったスマートフォンを手にした。今日の予定を尋ねるメールを武藤に送ろうと思ったのだが、新着メールがあることに気づいた。しかも意外な人物――湯川からだった。

メールの内容を見て、さらに驚いた。『蓮沼が死んだ件について話が聞きたい。時間のある時に連絡をくれ。』とあった。送信時刻を見ると午前七時過ぎだった。今から一時間以上も前だ。

電話をかけてみると、すぐに繋がった。挨拶もなく、「メールを見たようだな」といきなり尋ねてきた。

「おまえ、どうして知ってる？」草薙も単刀直入に訊いた。「蓮沼が死んだことを」

「昨夜、『なみきや』にいたからだ。現場で警察官の話を耳にした人間が、驚いて知らせに来た」

「何でおまえが『なみきや』にいたんだ？」

「食事をするためだ。決まっているだろう。『なみきや』のことは、君から教わった」

「よく行くのか」

「よく、というのがどの程度の頻度を指すのかわからないが、週に二度ぐらいのペースだ」

それなら立派な常連客だ。

「どうして蓮沼の死亡について話が聞きたいんだ?」

「行きつけの店の主人や家族に殺人犯の容疑がかかるかもしれないんだ。無関心でいるほうが難しいと思わないか」

「ふうん、おまえがそんな人情味のあることをいうとはな。アメリカに行って、人間が丸くなったか」

「そんなことはどうでもいいから、君が摑んでいることを話してもらいたい」

「残念ながら提供できる情報は何もない」

「一般人には話せないという意味か」

「今さら、おまえを一般人だとは思っていない。そうじゃなくて、まだ何もわからないんだ。死因も不明だから、殺人かどうかも判断できない」

「そうか。今のところは、それで十分だ。朝早くに、わざわざすまなかったな」

湯川が電話を切りそうな気配を示したので、待て、と制した。「昨夜『なみきや』にいたということなら、俺からも訊きたいことがある。今日、会う時間はあるか」

「午前中なら空いているが、都心まで出ていく余裕はない」

「都心? おまえ、今どこにいるんだ?」

「菊野にある研究所の宿泊所だ」

「なんだ、それを早くいえ」草薙はベッドの上であぐらをかいた。「朝飯は食ったか」

「これからだ」

よし、と草薙はいった。「奢ってやるから付き合え」

約三十分後、駅ビルにあるコーヒーショップで湯川と向き合った。前にも久々の再会に使った店だ。

メニューを見るとモーニングセットがあったので、それを注文することにした。コーヒーにサンドウィッチとサラダが付いている。

「こういう形で、またこの店でおまえと会うとは思わなかったな」メニューを閉じながら草薙はいった。

「この店を指定したのは君だ」

「わかりやすいと思ったんだよ。そういうことをいいたいんじゃなくて、捜査のためにおまえに会うことになるとは思わなかったといってるんだ」

「これは捜査なのか？」湯川が両方の眉を上げた。

いや、と草薙はいい淀んだ。

「まだ捜査とはいえないな。事件が起きたのかどうかも不確定だ」

草薙は、蓮沼が元同僚の部屋に居候していたことや現場の状況を、かいつまんで話した。

「死因は不明だといってたな」

「外傷はなく、首を絞められた形跡もないそうだ」

「本人に持病は？　心臓病とか」

「そんな話は聞いたことがない。心臓に毛が生えているどころか、針金が生えているような奴だった」

「その場合の心臓というのは少し意味が違うと思うが、とにかく病死の可能性は低いわけだな。薬物が使用された疑いもないのか？」

「それはまだわからん。俺はその可能性が一番高いと――」

ウェイトレスがやってきたので、言葉を切って空咳をした。二人の前に食事が置かれるのを黙って見つめた。

「問題はどうやって飲ませるか、だな」ウェイトレスが立ち去った後、そういって湯川がコーヒーカップに手を伸ばした。「毒物を」

「そこなんだ。蓮沼だって馬鹿じゃない。怪しげな飲み物を、おいそれとは口にしないだろう」草薙はサンドウィッチを摑んだ。

「君がいう怪しげな飲み物というのは、自分に殺意を持っていそうな人物が用意した飲み物、と考えていいのかな」

草薙はサンドウィッチに齧りついてから頷き、咀嚼して呑み込んだ。

「本題に入ろう。俺が訊きたいこととというのは、今まさにおまえがいったことだ。昨夜、

『なみきや』にいたんだろ？　蓮沼に殺意を持っていた人たちの様子を知りたい。奴が死んだという知らせを聞いて、どんなふうだった」

湯川はちぎったサンドウィッチを口に入れ、斜め上に視線を向けた。昨夜の光景を思い浮かべているように見えた。

「一言でいえば、全員驚いていた」

「全員というと？」

「店にいた者、全員だ。昨夜は常連客ばかりで、皆が蓮沼のことを知っていた」

「俺の話を聞いてなかったのか？　蓮沼に殺意を持っていた人物といったはずだ。常連客は関係ない」

「それはおかしい」湯川は止めた手をテーブルに置き、草薙を見つめてきた。「誰が殺意を持っていて、誰が持っていないかなど、どうやって見分けられる？　そんなことは不可能だ。見分けられるとすれば、せいぜい、殺意を持っていた可能性があるかどうか、だ。そして誰に可能性があるかといえば、蓮沼のことを知っている者すべてということになるんじゃないか」

草薙は顔をしかめ、鼻の横を掻いた。たしかに湯川のいう通りではある。

「はっきりした訊き方をしなかった俺が悪かった。知りたいのは並木一家の様子だ。特に並木祐太郎氏。どんな感じだった」

ふむ、と湯川は腕を組んだ。

「蓮沼が死んだという知らせが入った途端、常連客たちは騒ぎだした。その時は並木さん夫妻は厨房にいたので、よくわからない。やがて客たちが静かになると並木さんが現れて、成り行きをみましょうという意味のことを皆にいった。その態度は落ち着いていて、不自然さは感じられなかった。奥さんはずっと厨房にいたので、どんな様子だったかはわからない。夏美さんは……そうだな、途方に暮れたような顔をしていた。彼等について話せるとしたら、この程度だ」

「そうか……で、おまえはどう思う？」

質問の意味がわからないのか、湯川はかすかに眉根を寄せた。

「あの三人が蓮沼の死に関わっていると思うか？」

「殺したと思うかという意味なら、思わないといっておこう。彼等には不可能だ。菊野署ではおそらくすでに確認済みだと思うが、アリバイがある」

湯川によれば、昨日の昼間は夏美とパレード見物をしていたらしい。ところが『なみきや』で女性客が体調不良を訴えたため、並木が病院に連れていき、真智子も様子を見に行くというので、夏美が店に戻ったとのことだった。

「並木夫妻のアリバイは、おそらく完璧だろう。夏美さんが一人になっていた時間はあるかもしれないが、いずれにせよ突発的な出来事に対応しての行動だ。犯行は不可能だ」

草薙は低く唸った。「そういうことなら、彼等はシロとみて間違いなさそうだな」

しかし、と湯川はサラダを食べるためのフォークを置いた。

「殺したと思うかではなく、元々の君の質問——あの三人が蓮沼の死に関わっていると思うか、という質問に対しては、わからないとだけ答えておこう。年に一度のパレードの最中、殺人容疑で処分保留中の人物が謎の死を遂げた。そして被害者の遺族たちには絵に描いたような鉄壁のアリバイがある。これを単なる偶然と片付けられるほど、僕は能天気な人間ではないからね」

「並木一家のアリバイには裏があると？」

さあ、と湯川は小さく首を傾げた。「現時点では何ともいえない。だからわからないといってるだろ」フォークを手に取り、サラダを食べ始めた。

物理学者の意味ありげな台詞の真意を考えながら草薙がサンドウィッチの残りを食べようとした時、上着の内側でスマートフォンが震えた。着信表示を確認すると武藤からだ。

立ち上がり、店の隅に移動しながら電話を繋いだ。「はい、草薙です」

「武藤です。今、よろしいですか」

「構いません。何でしょうか」

「解剖の結果が一部出てきました。死因はまだ特定できないようですが、溢血点（いっけつてん）が確認されたそうです」

「溢血点……つまり窒息死の可能性が高いと？」

「そうです。ただ、絞殺や扼殺(やくさつ)にしては少ないし、首に絞められた痕も残っていません。首の骨や関節にも異常はないとか」

「ふうむ、それは不思議ですね」

何らかの原因で呼吸が困難になると、横隔膜の動きに心臓が影響を受けて血液の循環が滞る。すると静脈中の血液が行き場を失い、ついには毛細血管を破って外に出る。それが溢血であり、斑点状に見える状態のものを溢血点と呼ぶ。

「それからもう一つ、血液中から睡眠薬の成分が検出されました」

草薙はスマートフォンを握りしめた。「本当ですか」

「間違いないようです。ただし蓮沼の所持品に、睡眠薬はありません」

ふうーっと息を吐き、気持ちを落ち着けた。「単なる睡眠薬ですか？　何らかの毒物の可能性は？」

「それはないだろう、とのことです」

「なるほど。で、菊野署ではどう判断を？」

「現在、署長や刑事課長たちが協議中ですが、おそらく本庁に協力を要請することになると思います」

「わかりました。御連絡、ありがとうございます。後ほど、署のほうに顔を出します」

電話を終えて席に戻ると、湯川はすでに食事を済ませ、コーヒーを飲んでいた。

草薙もサンドウィッチやサラダを手早く腹に収めていきながら、武藤から聞いたことを要約して話した。さすがの湯川も、溢血点という言葉は知らなかったようだ。

「整理するとこういうことか。睡眠薬を飲ませて眠らせ、何らかの方法で窒息死させた」湯川が確認するようにいった。

「そうなんだろうな。問題は、その方法だ。いくら睡眠薬を飲んでいても、呼吸が苦しくなったら目を覚ます。鼻や口を押さえられていたら暴れるはずだ」

「手足を拘束されていたとしたら？　紐などで縛るのではなく、ガムテープを服の上から巻き付けたりしたら、痕は残らないんじゃないか」

「必死でもがけば皮膚と服がこすれて必ず痕が残る。監察医の目はごまかせない」

草薙の反論に、「いわれてみればそうかもしれない」と湯川は珍しく素直に引き下がった。「そうなると、たしかに方法が問題だな。どうやって窒息死させたのか、わかったら、是非教えてもらいたい」

草薙はフォークの先を湯川に向けた。「そういうのは、おまえのほうが得意じゃないか。不可能犯罪の謎解き。今こそガリレオ先生の出番だ」

てっきり嫌な顔をして断ると思ったが、意外にも湯川は神妙な表情で頷いた。

「そうだな。時間のある時、考えてみよう」

草薙が驚いて顔を見返すと、どうかしたか、と訊いてきた。

「いや、一つよろしく頼むよ」

「そのためには現場を見ておく必要がある。案内してもらえるだろうか」

「いいだろう。菊野署から正式に協力の要請があって、俺の係が担当を命じられたら、すぐに案内してやる」

「では、その連絡を待っている」湯川は腕時計を見た。「そろそろ行かなきゃいけない。僕は先に失礼する」テーブルの伝票を手に取った。

「待て、俺が奢るといっただろ」

「君に提供した情報より、君から得た情報のほうがはるかに多い。それに前回も奢ってもらっている。貸し借りが残るのは性に合わないのでね」

では、と伝票を持った手を上げ、湯川はキャッシャーに向かって歩いていった。その背中を眺めながら草薙は、先程友人が発した台詞を思い出していた。

「年に一度のパレードの最中、殺人容疑で処分保留中の人物が謎の死を遂げた。そして被害者の遺族たちには絵に描いたような鉄壁のアリバイがある。これを単なる偶然と片付けられるほど、僕は能天気な人間ではない」

だが草薙にいわせれば、もう一つ偶然がある。そんな出来事に湯川が絡んでいることだ。

## 18

ふと気づくと手を止め、焦点のさだまらぬ目を、ただぼんやりとモニターに向けているだけになっていた。明日までに仕上げねばならない仕事が、ちっともはかどらない。時計を見れば、午後四時になろうとしている。

智也は席を立った。自販機のコーヒーを買ってこようと思ったからだ。だが二、三歩移動したところで、デスクに置いたスマートフォンが着信音を鳴らした。

戻って手に取ったが、表示された番号は見覚えのないものだった。とりあえず、出てみることにした。「はい」

「高垣智也さんの電話で間違いありませんか」女性の声がいった。聞いたことがあるような気がする。

「そうですけど」

「お忙しいところ、申し訳ございません。私、以前お目に掛かったことのある者で、内海と申します。警視庁捜査一課の内海です」

あっと声を発したが、次にどう応じていいのかわからない。すると相手が続けていった。

「お尋ねしたいことがあるので、お時間を頂戴できませんか」

「それはいいですけど、ええと、いつですか」

「早ければ早いほどありがたいです。できましたら、これからでも。じつは私、今、御社が入っているビルのすぐ下におります」

「えっ……」智也はスマートフォンを耳に当てたまま、そばの窓から道路を見下ろした。

この職場は五階にある。内海刑事の姿は確認できなかった。

「いかがでしょうか」

「ああ、はい、わかりました。じゃあ、あの、お待ちしています」

「すみません。よろしくお願いいたします」

「はあ、では後ほど……」

電話を切った後、狼狽を抑えつつ考えを巡らせた。あの女性刑事と前に会ったのは半年ほど前だ。その時に名刺を渡したから、電話番号を知っていたのだろう。しかしあれ以来、訪ねてはこなかった。ところがなぜ今になってやってきたのか。

考えるまでもなかった。蓮沼が死亡したからに違いない。智也が関係しているのではないかと疑っているのだ。

心してかからねば、と深呼吸を一つした。

受付の前で待っていると、内海がエレベータホールから現れた。前回と同様に、長い髪を後ろで縛っている。パンツスーツの色は濃紺だった。大股で近づいてくる姿は颯爽としていて、いかにも有能そうな雰囲気がある。

智也の前まで来ると頭を下げた。「突然、申し訳ございません」

「いえ……あの、前と同じ部屋でいいですか」

「もちろん、結構です」

狭い打ち合わせ部屋で向き合うと、女性刑事は両手を膝に置き、背筋をぴんと伸ばした。

「その節は捜査に御協力いただき、誠にありがとうございました」

「あんなのでお役に立てたんでしょうか」

「大変参考になりました。おかげさまで犯人を逮捕できました」そういってから内海は、ただし、と智也を見つめてきた。「高垣さんも御存じだと思いますが、起訴には至っておりませんでした。処分保留との検察の判断により、被疑者は釈放されました」その強い視線は、智也の反応を決して見逃すまいと構えているように感じられた。

彼が黙っていると、「御存じですよね？」と念を押してきた。

「ええ、聞きました」

「どなたから？」

「佐織の……並木佐織さんの御家族からです。厳密にいえば妹の夏美さんから聞きました」なぜ今頃こんなことを訊くのだろうと訝りながら、智也は答えた。

「それを聞いて、どう思われましたか」

「どうって、そりゃあ変だと思いました。だって、証拠はたくさんあったわけでしょ？それなのに釈放されるなんておかしいじゃないですか」

「お気持ちはよくわかります。それで、どうしようと思われましたか」

「えっ？」内海の質問に、智也は戸惑った。「どうしようと……というのは？」

「失礼ですが、処分保留とはどういうことか、御存じですか」

「あ、いや、正直いうとよくわからないんです。罰せられないってことですよね」

「それはまだ確定していません。保留状態です。だから不起訴になる可能性も十分にありました。そうなれば罰せられません。それでもよかったのでしょうか」

「いやあ、それは」智也は激しく首を振った。「いいわけないじゃないですか。許せないですよ。だから何とか警察や検察にがんばってもらいたかったです。きちんと真相を明らかにしてほしかったです」

熱い口調で語ったつもりだったが、内海の反応はなぜか鈍い。むしろ向けてくる視線は明らかに冷めている。

もし、と彼女はいった。「被疑者が罰せられないと決まったら――不起訴になっていたら、どうしましたか」

「不起訴になったら……ですか」智也は目が泳ぐのを自覚した。「そんなことは考えないようにしていました。そうならないことを祈っていました」

心の底から、と付け足したが、女性刑事は頷きもしなかった。回答に不満を抱いているように見えたので、なぜだろうと智也は不安になった。

「率直にお尋ねします。不起訴になった場合、検察審査会に申し立てをすることは考えておられましたか」

「検察……えっ？」

「検察審査会です。刑事告訴された人物が不起訴になった場合、その判断が正しかったのかどうかを審査する会です。ただし、申し立てできるのは告訴人か告発人、被害者の遺族にかぎられます。でも高垣さんの場合、並木佐織さんの御家族と親しくしておられたわけですから、そういう提案をしたり、そのことについて一緒に相談することもあり得ると思ったので、お訊きした次第です。その御様子だと、そういったことはなさそうですね」

流れるような口調で内海がしゃべった内容に、智也は混乱した。

「はい、考えたことはないです。すみません、法律には疎くて……」

「さっき、不起訴にならないことを祈っていたとおっしゃいました。つまり、不起訴になったらもう打つ手はない、法律ではどうしようもないと思っていたということでしょうか」

「まあ、そうですね……はい、そう思っていました。漠然と、ですけど」

内海は小さく頷き、手帳に何事かを書き込み始めた。何を書いているのか気になるが、見せてくれといっても断られるだけだろう。

「あの、その検察しん……」

内海が顔を上げた。「検察審査会？」

「はい、その検察審査会に申し立て……ですか。それをしたらどうなるんですか」

「今もいいましたように、不起訴という判断が妥当だったかどうかについて審議が行われます。その結果、不当という結論が出ると、検察官は改めて事件を見直します。それでまた起訴しないという結論に至っても、状況によっては再び検察審査会が実施される可能性はあります。案外、ゴールは遠いのです」

「でも、それで逆転することってあるんですか。やっぱり起訴するっていう結論が出ることなんて」

「とても少ないのは事実です。でも、全くないわけではありません。殺人事件で被疑者が不起訴になった場合、検察審査会への申し立ては御遺族の方々にとっての最後の抵抗ということになります」

「そうだったんですか」

並木家の人々は、そのことを知っていたのだろうか、と智也は考えた。夏美からそんな話を聞いたことは一度もなかった。

「質問を変えます」内海が乾いた声でいった。「並木佐織さんを殺した容疑で逮捕された被疑者ですが、近況について何か御存じのことがあれば、すべて話していただけますか。できるだけ詳しく」

「蓮沼について、ですか?」

「ええ、そうです」女性刑事はかすかに口元を緩めて頷いた。

智也が思い返してみたかぎり、これまで彼女は蓮沼という名を口にしていない。自分からはいわないようにしていたのだろう。

「僕が知っていることといえば、夏美さんから聞いたこととか、『なみきや』で耳にしたことぐらいですけど」

「それで結構です。お願いいたします」内海は再び手帳とペンを構えた。

智也は自分が把握している内容として、蓮沼が『なみきや』に現れたこと、菊野にある倉庫事務所に泊まっていたらしいこと、そして昨日死んだらしいことを、その情報源と共に挙げた。

メモを取る手を止め、内海がじっと見つめてきた。

「菊野に来る前、蓮沼容疑者がどこに住んでいたか御存じですか」

「いえ、知りません」

「調べようと思ったことは？」

「ありません。どうして僕がそんなことを調べるんですか」

「罰せられて当然の人間が釈放されたと知り、どんな生活をしているのか見てやろうと思ったりしたことはなかったのですか」

智也は瞬きし、顔を左右に動かした。「考えたこともありません」

内海は小さく顎を引いた。口元は柔らかいが、視線は鋭いままだった。

「蓮沼が死んだと聞き、どう思いましたか」

「そりゃ、驚きました」智也は目を見開いた。「何が起きたんだろうと思いました」

「事故死と思いましたか。それとも病死と？」

慎重に答えねば、と智也は自分にいい聞かせた。ゆっくりと呼吸をした。

「病気だとは聞いてなかったので、病死は頭に浮かびませんでした。だからといって事故だという発想もなかったです。ぼんやりと……何というかトラブルみたいなもの、そう、何かトラブルに巻き込まれたんじゃないかという気がしていました。ああいう人間だから、そんなこともあるんじゃないかと」

「ああいう人間とは？」

「だからその、人を殺しても平気でいられる人間です」

「殺したとは認定されていませんが」

「僕はあいつが佐織を殺した犯人だと信じています」

少しむっとして睨んだが、内海は痛くも痒くもないという顔つきだ。

「トラブルとは？　誰かに殺害されたという意味でしょうか」

「そこまで具体的に考えたわけじゃないです。喧嘩の末とか、何かの弾みとか……」

「殺された可能性はあると思いますか」女性刑事の目が、きらりと光ったように見えた。

それは、といったところで唇を舐めた。失言は禁物だ。

「正直なところ、よくわかりません。でも殺されたって不思議ではないと思います。恨んでいた人間はたくさんいたでしょうから。たとえば――」懸命に頭をフル回転させた後、言葉を継いだ。「並木さん一家の誰かが殺したんだと聞けば、驚きはするでしょうけど、やっぱりな、と思ったかもしれません」

内海は何度か首を縦に揺らした後、「あなただったらどうでしょうね」といってボールペンの頭を智也に向けてきた。「あなたが殺したと知ったら、周りの人々はどう感じると思われますか？」

「僕が、ですか」意表を突いた質問に、智也は狼狽えた。顔に血が上るのがわかった。

「並木佐織さんとあなたが交際しておられたことは、今や周知だと思います。並木さんが犯人だとしても誰も意外に思わないのと同様、あなたが犯人だと聞いても驚く人は少ないのではないか、と申し上げているのです」

この質問の意図は何だろうか。どう応じるのが適切だろうか。

「それは、ええと、僕には何ともいえません。たしかに、もしかしたら驚かない人もいるかもしれません。でも、僕のことをよく知っている人間なら、それはないと思います。僕は臆病な人間です。復讐だなんて、そんな大それたことは……」

「考えたこともない、と？」

こめかみを汗が流れるのを智也は感じた。ポケットからハンカチを出し、拭った。

「空想したことはあります」正直に答えた。「でも空想です。そんなことをしたらどうなるか、わからないわけではないです」

内海は納得顔で、ありがとうございます、といった。

「最後の質問です。昨日一日の行動をできるかぎり細かく教えていただけますか。いいたくないことは伏せていただいて結構ですが、居場所だけは明らかにしていただけると大変助かります」

アリバイ確認だ。きっと訊かれるだろうと予想していた。

智也は記憶を辿りながら話し始めた。朝から自宅で母の里枝と過ごし、昼前にパレードを見物するために外出した。待ち合わせたのは、職場の後輩二人。うち一人は今年入った女子社員だ。二人ともキクノ・ストーリー・パレードを見たことがないというので、だったら案内してあげよう、ということになったのだ。

「どのあたりで見物を?」内海が訊いてきた。

「ゴール付近です。パフォーマンスの一番大きな仕掛けを最後に持ってくるチームが多いので」

「パレードは一番最後まで御覧になったのですか」

「見ました。終わったのは午後三時過ぎだったと思います。その後、一旦解散しました」

「解散?」

「後輩たちが、それぞれに覗きたい店があるみたいだったので、じゃあ少し別行動にしようかってことになったんです。四時に駅前のビアレストランに集合と決めて、解散しました」

この話はあまりしたくなかったが、後輩たちに確認されたらどうせばれることだ。だったら正直に話したほうがいいと思った。

「高垣さんは、どこに行かれたんですか」女性刑事の表情も口調も変わらないが、獲物を見つけたような気になっているのは間違いなかった。

「ゴール地点に行って、パレードを終えたばかりのチーム菊野の人たちに挨拶していました。宮沢さんとか」

「ミヤザワさん、というのは？」

「チームリーダーです。商店街にある『宮沢書店』の女社長です。連絡先はちょっと……」

「結構です。ほかにはどんな方と話を？」

「『なみきや』なんかでよく顔を合わせる人たちです。といっても、名前は知らないんですけど」

「その後は？」

「約束の時間が近づいたので、駅前のビアレストランに行きました。後輩たちと合流して、ビールを何杯か飲みました。解散したのは午後六時前後だったと思います」

その後は一人で『なみきや』に行き、後から入ってきた客から蓮沼の死亡を知った、と正直に話した。

話を一通り聞いた後、内海は、一緒にパレード見物をした後輩たちの名前と連絡先を尋ねてきた。断る理由がなく、教えた。

「ありがとうございました。大変参考になりました。また何かあるかもしれませんが、その際にはよろしくお願いいたします」内海は手帳を閉じた後、丁寧に頭を下げた。

「やっぱり今日も、何も教えてもらえないんでしょうか」

智也の言葉に、「はっ？」と彼女は首を傾げた。

「事件についてです。前と同じで訊くばっかりだ。蓮沼が殺されたのかどうかさえ教えてくださらない」

「それについては、前回理由を御説明したはずです」

「それはわかっていますけど」

御理解ください、といって内海は腰を上げた。しかしすぐには出口に向かわず、ただし、と智也のほうを見た。「さほどお話しできることがない、というのも事実なんです」

「というと？」

「蓮沼容疑者の死が他殺かどうか、まだ結論は出ていません。何しろ、死因すら特定できていませんから」

智也は瞬きした。「そうなんですか」

内海はかすかに顎を引いた後、「御協力ありがとうございました」といって出口のドアを開けた。

## 19

「検察審査会ですか。ええ、もちろん」新倉は、ゆらゆらと首を縦に振った。「もちろん、そのことは考えていました」

「御存じでしたか。ふつうの人には一生縁のない言葉だと思うのですが」刑事にしては温厚な顔つきの岸谷警部補が、ガラス製のティーカップを手にし、目を見張った。

「私だって、最近までは知りませんでした。あの男が釈放されたと聞くまでは。処分保留って一体何だろうと思って、それでいろいろと調べてみたんです」

「理解できましたか」

「一応は。自分なりにですけど」新倉は肩をすくめた。「はっきりいって、中途半端なルールだと思いました。いや、ルールですらない。だって、法的に正式なものではないわけでしょう？」

「おっしゃる通りです。送検された者に対して検察は、一定期間内に起訴か不起訴かを決めねばなりません。その結論を先延ばしにする、というのですからね」

「それに対して何か抗議のようなことはできないのかと調べてみて、検察審査会のことを知ったんです。ところが現時点では申し立てができないこともわかりました。それができるのは、被疑者が不起訴になった場合なんですよね。処分保留だから、まだその段階じゃない。しかも申し立てができるのは、告発人か告訴人、被害者の遺族にかぎられるとか」

岸谷は薄い笑みを浮かべたまま、うまそうにハーブティーを啜った後、ティーカップをテーブルに置いた。「たしかに、よく勉強しておられる」

「だから、とにかく待つしかないと思いました。——なあ？」新倉は、トレイを抱えたままでダイニング・チェアに腰掛けている留美に同意を求めた。

彼女は黙って頷いた。

「あなた方の予想としてはどうだったのでしょうか。いずれは起訴されると信じておられたわけですか」岸谷の唇にはかすかに笑みが残っていたが、その目は真剣だった。

「それは、ええと……」新倉は口ごもらざるを得なかった。

信じていたといえば嘘になった。このまま何事も起きず、あの男はこれからも罰せられることなく生きていくのではないかと想像し、身悶えするような日々を送っていた。

「不起訴になっていたら、検察審査会に申し立てを？」

「そうですね。たぶん並木さんたちに、そうするように進言していたと思います。あの方々だって、納得できないでしょうから」

「まだそんな話はしていなかった、ということでしょうか」

「はい。このところ、並木さんたちと会っても、佐織のことはめったに話さなかったんです。お互いにとって辛い話題ですから」

「蓮沼容疑者が菊野に戻ってきてからも、ですか」岸谷は三白眼を新倉に向け、やや粘着質な口調で訊いてきた。

「そのことですが」慎重に答えねば、と新倉は改めて気を引き締めた。「私は、その話自体を知らなかったんです」

「その話、とは？」

「蓮沼が菊野に戻ってきていることとです。戻ってきて、『なみきや』にやってきたことも。昨夜、蓮沼が死んだとわかった後、ほかのお客さんたちから聞いて初めて知ったんです。ここしばらく、『なみきや』には行ってなかったものですから」

こう答えたのには理由があった。実際新倉は、戸島から教えられるまで、蓮沼が菊野に戻ってきていることを知らなかったのだ。そしてそれ以後も誰からも聞いていない。だから昨夜、蓮沼の死で『なみきや』が騒然となる以前に知っていたら、矛盾が生じるのだ。

「ははあ、そうでしたか」

岸谷は意外そうに口を半開きにした後、手帳に何かを書き込み始めた。人の良さそうな顔をしているが、見ようによっては狡猾そうにも思えてくる。新倉の言葉を信じたのかどうか、まるでわからなかった。

ペンを動かす手を止め、岸谷が顔を上げた。

「今のお気持ちを正直に聞かせていただけますか。蓮沼容疑者が死んだと知って、どう思っておられますか」

「今の気持ち……ですか」新倉は俯き、思考を巡らせた。この場では、どう答えるのが妥当だろうか。考えた末、それは、といって顔を上げた。「どのように死んだのかによって違います」

「といいますと？」

「殺されたということなら、ざまあみろと思います。犯人に感謝したいです。我々の恨みを晴らしてくれたわけですから。でも事故や病気といった、ふつうの人と同じような死に方なら少し……いえ、かなり悔しいです。その場合は、天罰が下ったのだと思うしかありません」

岸谷は、ふんふんと納得したように首を上下に振った後、「奥さんはいかがですか」と留美のほうを向いた。

「私も……はい、そうですね。何だか、まだよくわかりません。狐につままれたような気分で……」語尾が弱々しく消えた。

刑事さん、と新倉は岸谷を見つめた。

「実際のところ、どうなのですか。蓮沼は殺されたんでしょうか。殺されたから、こんなふうに警視庁の刑事さんが捜査している、そうじゃないんですか」

岸谷は新倉の質問を真顔で受けとめた後、にっと白い歯を見せた。

「まだいろいろと調べている最中なんですよ。ところで話は変わりますが」メモを取る構えをした。「昨日はどちらに？」

来たな、と新倉は内心身構えた。アリバイ確認だ。

「二人でパレードを見に行きました。何しろ、年に一度のイベントですから」

「できましたら、もう少し詳しく教えていただけますか。何時から何時まで、どこで誰と何をしていたか、具体的に話していただけると大変助かります」

「時間は大体でいいですね」

「覚えておられるかぎり細かくお願いします」岸谷は謙(へりくだ)った笑みを浮かべた。「どうもすみませんね、お役所仕事で」

「午前中は家にいました。家を出たのは——」新倉は留美のほうを見た。「十二時を回ってたかな？」

「よく覚えてないけど、私たちが見物して間もなく、『アルプスの少女』のチームが出てきたと思うんだけど」

「ああ、そうだったな」

「どのあたりで見物されてたんですか」

「スタート地点から少し行ったところです。郵便局があって、その前が歩道より一段高くなっているので、比較的見やすいんです」

「ずっとそこで見ておられたんですか」

「いや、ずっとではないです。時々、移動しました。でもなかなかいい場所がなくて、結局、同じところに戻ったりしていたんです」

「どなたか、お知り合いには会いませんでしたか」

「会いましたよ。何人も」

「どういった方々ですか。差し支えなければ、教えていただきたいのですが」岸谷はボールペンを手帳に近づけた。

「細かい時刻とか場所は覚えていないのですが」

「結構です。こちらで確認いたしますので」

だから嘘をいってもすぐにわかるのだ、といっているように聞こえた。

新倉は、数人の名前を挙げた。いずれも実際に会った人々だ。狭い町だし、新倉は顔が広い。向こうから声を掛けてくることも多かった。

最後に宮沢麻耶の名を出した。

「チーム菊野のリーダーです。彼女等の演し物には私も少々関わっているので、出番前に打ち合わせを兼ねて激励の挨拶に行きました」

「ははあ、関わっているというのは？」

「チーム菊野が行進する時の曲は、私が監修しているんです。著作権の面で問題にならないようにね。彼等の後にマスコットキャラクターが登場しましたが、その曲は私が作りました」

「なるほど。いや、さすがに大したものですねえ」岸谷は感心したようにいったが、口調にはわざとらしさが滲んでいた。「パレードの後はどちらに？」

「のど自慢大会が行われる菊野公園に移動しました。昨年から夫婦で審査員を任されていますので。それが終わったのが六時頃で、その後、『なみきや』に行きました。蓮沼が死んだと聞いて驚きつつ食事を済ませ、八時頃に店を出て帰宅しました」

以上です、と新倉は締めくくった。

岸谷は、自分のメモを読み返しているのか、開いた手帳を見ながらぶつぶつと何やら呟いている。その後、ぱたんと手帳を閉じた。

「よくわかりました。お忙しいところ、ありがとうございました」立ち上がり、筆記具などを鞄に入れ始めた。

刑事を玄関先まで見送った後、新倉がリビングに戻ると、留美は先程と同じ姿勢でいた。青白い顔で、じっとテーブルを見つめている。

「何か問題あったかな」

えっ、と彼女が新倉を見上げてきた。

「刑事の質問に対する答えだよ。あれでよかっただろうか。何か失敗してなかったかな」

留美は不安そうに顔を傾けた。「大丈夫だったと思うけど……」

「そうだよな」

新倉はソファに向かいかけたが、留美の手元を見て足を止めた。小刻みに震えていることに気づいたからだ。

近づいていき、妻の肩に手を置いた。

「大丈夫。怖がらなくていい」

留美が顔を上げた。その目は充血している。

「蓮沼は佐織を殺した男だ」新倉はいった。「罰せられて当然の人間なんだ。もし僕たちのやったことが世間に知られたとしても、誰も僕たちを責めたりしないよ」

## 20

たまには付き合いなよ、と大学の女友達からいわれた。飲み会があるらしいのだ。気分転換にはいいかなと思ったが、ごめんやっぱり無理、と手を合わせて断った。夏美がいない時には真智子が『なみきや』の接客に回るのだが、それが大変なことはよくわかっている。また、蓮沼が死んだことも気になっていた。あれから何か進展があったのだろうか。

帰宅すると午後五時を回っていた。すでに祐太郎と真智子は厨房の中だ。階段を駆け上がり、服を着替えた。大学に着ていくようなお洒落な服では、てきぱきと料理を運べない。

着替えて店内の掃除を済ませ、五時半になるのを待って、入り口に暖簾を掛けた。店内の椅子に座ってスマートフォンをいじっていたら、格子戸が開いた。本日最初の客は、昨日も会った人物だった。夏美は立ち上がった。

こんばんは、といって湯川が入ってきた。

「こんばんは。昨日はお疲れ様でした」

奥に下がり、トレイにおしぼりを載せて戻った。「お飲み物は？」

「ビールを。それから、いつものやつ」

「はあい」

厨房に注文内容を伝えてから、冷蔵庫からビールを出し、グラスや突き出しと一緒に運んだ。今日の突き出しは、生節（なまりぶし）の煮付けだ。

「ありがとう」湯川はグラスにビールを注いだ。「昼間、刑事が来たよ。昨日の行動について尋ねられた」

「教授のところへ？　どうしてだろ」

「何時から何時まで君と一緒で、何時から何時まで別々だったかを訊かれた。刑事は質問の目的をいわなかったが、知りたかったのは僕の行動ではなく、君の供述が本当かどうかだったのだと思う」

「あっ……そうか」

昨日の昼間、夏美は湯川と一緒にいることが多かった。刑事からアリバイを尋ねられた時も、そう答えた。だからそれを聞いた刑事が、湯川に確認しに行ったのだろう。所謂、裏を取る、というやつだ。

「隠すことは何もないと思ったから、ありのままを話した。時間的なことを細かく訊かれたが、アバウトにしか覚えていないと断ったうえで答えておいた。中には記憶違いがあり、君の供述と多少矛盾するところも出てくるかもしれないが、それは御容赦願いたい」

「教授にまで御迷惑をかけてたんですね。ごめんなさい」

「君が謝る必要はないだろ。君たちこそ大変なんじゃないか。客観的に考えて、警察からいろいろと邪推される材料は揃っている」

「そうですけど、たぶんもう大丈夫です。父や母には完璧なアリバイがありますから」

「体調を壊したお客さんを病院に連れていったんだったね」

「そうです」

「そのお客さんの身元はわかってるのかな。僕と同様に、その人からも話を聞こうとすると思うが」

「さあ、どうなのかな」

そんなことは考えもしなかった。

夏美、と厨房から祐太郎の声がした。湯川が注文した炊き合わせがあがったようだ。料理を取りに行くついでに、夏美は体調を壊した女性客の身元を祐太郎に尋ねてみた。

「いや、わからんな。ヤマダという名字を聞いただけだ」調理する手を動かしながら祐太郎は答えた。

炊き合わせの入った器を湯川の席に運び、そのことを話した。

「昨日は日曜日だったから、救急患者はそんなに多くなかっただろう。ヤマダという名字がわかっているなら、警察ならば病院に問い合わせることで身元を突き止められるかもしれない。ただ、そこまではやらないかもしれないな。並木さんや奥さんが病院にいたことは、看護師たちが証言してくれるだろうから」

「そうですよね」冷静な口調で語る湯川の言葉に、夏美は安堵した。

その後、しばらく客は来なかった。毎日のように現れる常連客さえ顔を見せない。やはり蓮沼の死が影響しているのかもしれない。この町の多くの人々が、並木家の人間が関係していると決めつけているはずだった。昨夜の高垣智也とのやりとりが蘇る。彼だってそうだったのだ。

そんなことを考えていたら、その智也がやってきた。

いらっしゃいませ、と夏美は挨拶した。

智也は店内を見回した。どこに座るか迷っているようだ。

「たまにはどうかな」湯川が自分の向かいの席を勧めた。「相席が嫌でなければ、だけど」

「いいんですか？」

「もちろん。だから誘っている」

「じゃあ、せっかくなので」智也は勧められた席に腰を落ち着けた。

夏美には新鮮な光景だった。どちらも常連なので言葉を交わすのを見たことはあるが、こんなふうに差し向かいになっているのはおそらく初めてだ。

「刑事が来たんじゃないか」智也のグラスにビールを注ぎながら湯川がいった。

「どうしてそれを？」

「それぐらいは察しがつく。並木さんたちと同様、警察の目から見たら、君も微妙な立場だ」湯川はビール瓶を置き、自分のグラスを手にした。「容疑者の一人といっていい」

「佐織の遺体が見つかった直後に来た女性刑事が、昼間、職場にやってきました」智也がいった。「アリバイを訊かれました」

「ほう、女性の刑事がね。で、君のアリバイは証明されそうかな」

「そのはずです。パレードの最中も、その後も、後輩たちと一緒にいましたから」

「それなら安心だ」湯川は頷いている。「ほかにはどんなことを？」

「検察審査会というものを知っているかどうか訊かれました」

「検察……なるほどね」何か思案を始めたらしく、湯川の眼鏡の奥の目が揺れた。

「何ですか、検察審査会って」夏美は二人に訊いた。

湯川が見上げてきた。

「送検された被疑者が不起訴になった後、その決定を不服として申し立てが行われた場合、検察の判断が正しかったのかどうかを審査するものだ。検察審査員は二十歳以上の国民からクジで選ばれる」

「教授、よく御存じですね」智也がいった。

「知り合いに、クジに当たった者がいる」湯川は何でもないことのようにいった。

「僕は知りませんでした。はっきりいって、処分保留と不起訴の違いも、今日ようやく理解したという感じで……。でも、どうしてそんなことを訊くのかな」

「検察審査会のことを知っている者なら、今の段階で蓮沼を殺害しようとは思わないはずだ、と警察は見ているんじゃないかな。不起訴になったとしても、物言いをつけるチャンスは残っている。復讐という最終手段にはまだ踏み切らないのでは、というわけだ」

「そういうことか。じゃあ知らなかった僕は、まだ疑われてるかもしれないなあ」智也はため息をつき、グラスを手に取った。「あともう一つ、変なことを訊かれました。菊野に来る前、蓮沼がどこに住んでいるのかを調べようとしたことはあるかって。ないと答えました。実際、そんなことは考えたこともないので」

「もし君が今回の犯人なら、蓮沼が釈放された直後から復讐を考え、居場所を突き止めようとしていたのではないか、と疑われたんだろうな」

「ああ、そういうことか。でも仮に僕が犯人だったとしたら、正直に答えるわけないじゃないですか」智也は口を尖らせている。「一体何のための質問だろう」

「君が嘘をついたら見破れる自信があったんだろうね。相手の女性刑事には」湯川は、その刑事のことを知っているような口ぶりだ。

「そうかもしれない。わりと美人なんですけど、目つきはやたらと鋭いんですよね」智也は顔をしかめた後、ビールを飲んだ。

その後ちらほらと客が訪れたが、いずれも馴染み客ではなかった。

食事を済ませた智也が湯川よりも先に店を出ていった。ビール代は教授の奢りらしい。湯川は珍しく長居をしている。

それから間もなく新倉と戸島が現れた。どちらも一人で来るつもりだったが、途中でばったり会ったのだという。智也と入れ替わるように湯川と相席になった。

三人の会話に蓮沼という名前は出ないが、あいつ、だとか、天罰という言葉が夏美の耳に入ってきた。警察、というのも聞こえてきた。

新倉の口から検察審査会という言葉が出た。湯川が相槌を打ち、高垣智也君からも同じような話を聞いた、といっている。戸島のところへは刑事は来なかったらしく、もっぱら聞き役に徹していた。

夏美は厨房の中を覗いた。三人の会話は祐太郎や真智子の耳には届いていないはずだった。黙々と調理を続けている二人は、敢えて彼等の話を聞かないでいるようにも見えた。

## 21

何か物音がして、目を開けた。蛍光灯に照らされた白い壁が視界に入り、一瞬ここがどこかわからなくなった。瞬きして周りを見回し、菊野警察署内にある会議室の中だと気づいた。

「ごめんなさい、起こしちゃったみたいですね」斜め後ろから声がした。振り返ると、内海薫がドアのそばに立っていた。

草薙は、自分の身体に掛けられている毛布を摑んだ。「おまえが？」

はい、と内海薫は答えた。「指揮官に風邪をひかれちゃ困りますから」

草薙は苦笑し、毛布を隣の椅子に移した。「ちょっと、うとうとしちまったようだな」

腕時計を見ると、十一時を少し回ったところだった。

「おまえ、こんな時間まで何をやってたんだ？」

「高垣智也さんのアリバイ確認を。一緒にパレードを見ていたという、二人の後輩から話を聞いてきました」

「どうだった？」

内海薫は草薙のそばまで戻ってきた。

「概ね、高垣さんの供述通りでした。殆どの時間を一緒に過ごしたようです」

「最初の報告では、別行動を取っていた時間があるってことだったが」

「はい、移動時間を差し引くと四十分ほどです」

「四十分か……」草薙は腕組みをしつつ、内海薫が白いコンビニ袋を提げていることに気がついた。「それは何だ？」

「缶ビールとおつまみです」内海薫が答えた。「係長が息抜きをされるかと思って」

「そういうものがあるなら、さっさと出せ」草薙は机の上を指差した。

内海薫がコンビニ袋から缶ビールやスナック菓子を出すのを横目で見ながら、草薙は書きかけの報告書に目を落とした。いろいろと書き連ねてはいるが、間宮たちに勇んで報告できるほどの内容ではない。

今日の昼過ぎ、菊野警察署から正式に捜査協力の要請が本庁に為された。そこで当初の予定通り、草薙の係が菊野署に送り込まれることになった。だが捜査本部の開設は当面見合わせる、というのが捜査一課長たちの判断だった。

「殺しだと決まったわけではないからな。少なくとも死因が特定されるまでは様子を見ようというのが上層部の判断だ。しかし殺しだと判明してから情報を集めていたのでは後手に回るおそれがある。捜査本部が立つと想定して動いてくれ」間宮から、そのようにいわれていた。

早速部下たちを呼び集め、菊野署との捜査会議を行った。殺人事件と決まったわけではないが、そうなることを前提とする捜査方針が立てられるのは当然だ。

草薙がまず把握しておきたかったのは、並木家の人々、特に並木祐太郎のアリバイだった。それに関しては菊野署の捜査員が、昨夜のうちに確認していた。

その結果は、今朝、湯川から聞かされた通りだった。『なみきや』の昼間の営業終了間際に女性客が体調不良を訴えたので、並木祐太郎が車で病院に連れていった。その後、妻の真智子も駆けつけ、二人で女性客の診察が終わるのを待った。幸い特に異常はなく、女性客も快復した様子だったので、並木夫妻は午後四時半頃に病院を出て店に戻った。

夜の営業開始時刻が迫っていたので、大急ぎで厨房で準備にとりかかり、午後五時半には予定通り店を開けた。間もなく、湯川という馴染み客がやってきた——。

今日の午前中、菊野署の捜査員が病院へ裏を取りに行ったところ、並木たちの供述に間違いのないことが確認できたらしい。救急患者の受付を担当している職員が、待合室で心配そうに待っていた並木夫妻の姿を覚えていた。

プシュッと音をたててプルタブを引き上げ、どうぞ、といって内海薫が缶ビールを草薙の前に置いた。

「おう、サンキュー」顔の前に掲げてから、一口飲んだ。ほろ苦い液体が舌を流れる感触に、一日の疲れがほどよい快感に変わる気がした。ふうーっと太いため息をつく。

「私の印象ですけど、高垣智也さんはシロだと思います」内海薫が柿の種の袋を開けながらいった。

「人は見かけによらない」草薙は袋に手を伸ばし、柿の種をピーナッツと一緒に口に放り込んだ。「おまえも刑事なんだから、何度も思い知らされたはずだ」

「ええ、それはもちろん」内海薫は缶ビールを手にした。「でも狼狽(うろた)えすぎなんですよね」

「狼狽えすぎ?」

「こんなふうに訊いてみたんです。もしあなたが蓮沼を殺した犯人だと聞いても、驚く人は少ないのではないか、それについてどう思うか、と」

「何と答えた？」

「そうかもしれないけれど、本当に自分のことをよく知っている人なら、そんなことはないと思う、自分は臆病な人間だから、と」

「ふつうの答えだな。それがどうした」

「答える前に、ずいぶんと動揺しているように感じたんです。まさか自分がそんなふうに周囲から見られるとは思ってもみなかったかのように。もしあの人が犯人なら、あそこまで露骨に狼狽しないと思ったんです」

「ふうん……」草薙はビールを口に含んだ。

女性刑事のいっていることには一理あった。犯人ならば、刑事の質問をあれこれ想定し、どこを突かれても狼狽を見せないように心の準備をしているのがふつうだ。

「高垣智也が後輩たちと別行動を取っていたのは四十分ほどといったな。何をしていたといってるんだ？」

内海薫はバッグから取り出した手帳を開いた。

「ゴール地点に行って、チーム菊野のメンバーたちに挨拶していたそうです」

「裏は取ったか」

「チームリーダーの宮沢という女性からは話を聞けました。『宮沢書店』という本屋の経営者です。たしかにパレードが終わった直後に高垣さんが挨拶に来たといっています」

ただ、と女性刑事は勿体をつけるように言葉を切った。

「挨拶といっても、ほんの少し言葉を交わした程度のようです。お疲れ様でした、とてもよかったです、という感じの。おそらく三十秒も要しないでしょう」

「正確な時刻は？」

「そんなものは覚えてない、というのが宮沢さんの回答です。パレードが終わった直後だし、チームリーダーにはいろいろと仕事があったでしょうから、無理ないと思われます」

「要するにこういうことか。パレードが終わった直後の三時過ぎに高垣智也がゴール付近にいたのは事実。ただし、その後、レストランで後輩たちと合流するまでの約四十分間はアリバイがない」

「そういうことです」

「ゴール地点から蓮沼が居候していた事務所まで、どれぐらいの距離がある？」

「二キロちょっとです」すでに調べているらしく、内海薫は即答した。

往復で約五キロ。草薙は頭の中で計算する。車を使い、平均時速三〇キロで移動したとして、十分程度はかかる。乗り降りにも時間がかかるから、それ以外に使える時間は三十分弱というところか。それだけの時間で、一体何ができるだろうか。しかも実際には車で平均時速三〇キロは難しい。

「睡眠薬で眠らせて窒息死させる、なんてことは無理か……」草薙はため息混じりにいった。「高垣智也に犯行は不可能だな」

「私もそう思います。それに昼間に報告しましたが、蓮沼の前の住処を調べようとは思わなかったのかという質問に対し、考えたこともないと答えています。あの顔は嘘をついているようには見えませんでした」

「並木一家はシロ、高垣智也もシロ……か」草薙は書きかけの報告書に目を向ける。

「新倉夫妻のところへは、主任が話を訊きに行かれたんですよね」内海薫がいった。主任とは岸谷のことだ。「感触はどうだったんでしょう？」

「臭う、とはいってたな」

「どんなふうに？」

「新倉直紀は、蓮沼が菊野に戻ってきたこと自体を知らなかったといったらしい。昨夜『なみきや』で、ほかの常連客から聞いて初めて知ったとか。このところ『なみきや』から足が遠のいていたそうだが、それにしても誰も教えなかったなんてことがあり得るんだろうか、というのが岸谷の言い分だ」

「たしかに。なかなか鋭いですね」

しかし、と草薙は続けた。

「いくら愛弟子を殺害されたからといって、殺害という方法で復讐を果たすタイプにはとても見えない、とも岸谷はいうんだよな。まああいつだって、人は見かけによらないってことをわかった上でいってるんだろうが」

「検察審査会について、新倉夫妻は何と？」

「知っていたようだ。仮に蓮沼が不起訴になった場合には、並木家と相談して法的な対抗策を模索していただろう、と回答したらしい」

「理性的ですね」

「それを聞くかぎりはな」

蓮沼寛一の死が他殺だと仮定した場合、まず考えられるのは復讐だった。動機のある者は、並木家の人間をはじめ複数いる。

しかし誰が犯人にせよ、まずは司法の手に委ねようとするのではないか。蓮沼は釈放されているが、被疑者であることに変わりはない。これから起訴される可能性だってゼロではなかった。復讐を果たすにしても、不起訴になってからでも遅くはない。しかも検察審査会というものがある。

草薙は内海薫や岸谷たちに、関係者から話を聞く際、相手が検察審査会を知っているかどうかを確認するように命じていた。もし知っているならば、今のタイミングで復讐に踏み切る理由がないからだ。

「新倉夫妻のアリバイは？」

「曖昧だ」草薙は報告書に目を落としながら答えた。「パレードを見ていたといってるし、知り合いにも何人か会ったようだが、誰かとずっと一緒だったわけじゃない。パレード後には公園でのど自慢大会の審査委員をしたそうだが、その間には少し空白の時間がある」

内海薫は缶ビールを置き、頬杖をついた。

「蓮沼の殺害にどれだけの時間を要するのかが不明なので、何ともいえないですね。他殺だと仮定しての話ですけど」

「そこなんだよな」草薙は顔をしかめ、頭を掻いた。「溢血点がぱらぱらと出ているから、窒息死の可能性が高い。だけど絞殺や扼殺された形跡はないし、その場合は溢血点がもっと強く出ているはずだということだ」

「首を絞めずに窒息死させるとすれば……鼻と口を塞いだってことでしょうか」

「なぜ被害者は抵抗しなかった？　睡眠薬は検出されているが、さほどの量じゃない」

「そうですよね」

考え込む部下の顔を見て、草薙は思わず笑みを漏らした。どうしたんですか、と怪訝そうに内海薫が訊いてきた。

「今朝、湯川に会ったんだ。あいつも関係者の一人だと判明したからな」

草薙は湯川学とのやりとりを内海薫に話した。

「湯川先生が『なみきや』に？　へえ、そうなんですか」

「今回の事件が他殺だった場合、犯人はどうやって蓮沼を殺害したか――それをお得意の推理で解決してくれとダメ元でいったら、意外にも興味を示してきた。現場を見たいというので、近々見せてやるつもりだ。あいつなら何か思いついてくれるかもしれない」

「それは期待できそうですね。でも――」内海薫は首を傾げた。「意外です」

「何が？」

「私は客として行ったことがないのですが、『なみきや』というのは常連客に支えられている人情味溢れる店なんでしょう？　そんなところに湯川先生が通っているというのが、ちょっと想像しづらいんです。だって、しがらみとか大嫌いな方ですから」

「たしかにな」彼女のいいたいことは草薙にもよくわかった。「アメリカに行って、あいつも変わったようだ。一度会ってみるといい。おまえもわかるはずだ」

「ええ、そのうちに」女性刑事は微笑み、缶ビールを口にした。

## 22

増村栄治が居室（きょしつ）にしている事務所の前には、若い制服警官の退屈そうな姿があった。欠伸（あくび）をかみ殺したような顔には、見張りなんか立てなくてもこんなところに侵入する者などいるわけがない、と書いてあった。

草薙たちが近づいていくと、その顔に変化が起きた。表情が引き締まり、目に力が籠もったようだ。怪訝（けげん）そうにしないのは、来訪者のことを聞いているからだろう。

草薙はバッジを示した。「本庁の草薙です」

若い警官は敬礼した。「伺っております。お待ちしておりました」くるりと背中を向け、きびきびとした動作で事務所のドアを解錠した。「どうぞ」

草薙はポケットから手袋を二組だし、一組を後ろにいる湯川のほうに差し出した。湯川は無言で受け取った。

菊野警察署の捜査に加わって三日目になる。依然として蓮沼の死因は特定できていない。そこで草薙は間宮や菊野署の許可を貰い、湯川に現場を見せることにしたのだった。湯川に連絡したところ、すぐにでも見たいとのことだったので、午前中にも拘わらずやってきたのだった。

草薙は手袋を嵌めた手でドアノブを捻り、ドアを開いた。鑑識が何度か出入りしているはずだが、中の様子は先日と変わっていない。

靴を脱ぎ、簀の子を敷き詰めた床に足を踏み入れた。「簡素な住まいだな」といいながら湯川も後からついてくる。

草薙は足を止めず、そのまま奥まで進んだ。元来は物置の小部屋の前で立ち止まった。引き戸は開いたままだった。

「この部屋か」湯川が隣に並んだ。「たしかに狭い。閉所恐怖症の人間だったら耐えられないだろうな」

「ものは考えようだ」草薙はいった。「世の中にはカプセルホテルでも快適に過ごせる人間がいる。蓮沼はここにレジャーシートを敷き、マットレスと布団を重ねて、気持ちよく寝ていたらしい」

「君によれば、蓮沼は心臓に針金が生えているような人物だったらしいからな」

「そういうことだ」

「中に入ってもいいか？」

「どうぞ」

湯川は室内に入り、中央付近に立つと、ゆっくりと見回した。やがてその視線が一点で止まった。彼が見ているのは引き戸だった。

「どうかしたか？」

湯川は戸を引き出し、錠前を取り付けるための金具を触った。

「外側から鍵をかけられるようになっているんだな」

「本来は物置だからな。盗難防止のためには鍵が必要なんだろう」

「その錠前は？　鑑識が持っていったのだろうか」

「確認してみるが、そんなものがあったという話は聞いていないな」

次に湯川は、戸を開閉する際に指を引っ掛ける、引き手金具を凝視し始めた。戸の裏と表を交互に見ている。

「外にいる警官に、買い物を頼んでもいいかな」湯川がいった。

「買い物？」

「コンビニに行って、ドライバーセットを買ってきてもらいたい」

「ドライバー？　何のために？」

「ちょっとした確認をしたい。だめだというのなら、自分で買ってくるが」湯川の視線は引き手金具に向けられたままだ。その横顔は科学者のものだった。

「わかった。いってみよう」

外に出て、先程の警官に頼んでみた。警官は不思議そうな顔をしつつ、快諾してくれた。

室内に戻ると湯川はベッドに腰掛け、目を閉じていた。何事かを黙考しているらしい。

「すぐに買ってきてくれるそうだ」

「それはありがたい」湯川は目を閉じたままいった。「抵抗の跡はないという話だったな」

「えっ？」

「蓮沼だ。暴れたり、抵抗した形跡はなかったんだろう？」

「そうだ。布団の上で横たわっていた。着衣の乱れもない」

湯川は目を開けて立ち上がると、引き戸を閉めた。戸枠に沿って、視線をぐるりと移動させている。

「何を見ている？」

「気密性だ。閉めきった状態で、どの程度空気の出入りがあるのかを調べている」湯川は戸を開けた。「閉めきっても、戸と枠の間は隙間だらけだ。気密性が高いとは、とてもいえないな。ガムテープとかで目張りでもすれば話は別かもしれないが」

「もし気密性が高かったら、どうなんだ」

「完全に密閉されるのだとしたら、蓮沼が眠っている間に戸を閉め、鍵をかければいい。酸素が供給されないから、二酸化炭素が充満し、いずれは窒息する」

「なるほど。いや、しかし――」草薙は首を捻った。「息苦しくなって、目が覚めるんじゃないか」

「間違いなく、目を覚ますだろうな」湯川は、すました顔でいった。「狭い部屋ではあるけれど、急速に酸欠になるわけじゃない。まだ身体は動くから、戸を開けようとするだろう。鍵が掛かっているとなれば、体当たりする」

「だったら、だめじゃないか。状況と合わない」

湯川は立てた人差し指を顔の前で左右に振った。

「相変わらず、君はせっかちだな。物事には順序というものがある。まずは最も簡単な方法を提示してみただけだ。そこから少しずつアイデアを付け足し、発想を広げていく。単に閉めきっただけでは急速には酸欠にならない。ではどうすればそうなるかを考えるんだ」

「どうすればいい？」

湯川は眉根を寄せた。「少しは自分で考えようとは思わないのか」

「なぜ俺が考えなきゃいけないんだ。何のためにおまえを連れてきたと思っている」

やれやれとばかりに湯川は頭を振った。「睡眠薬を飲ませる方法については？　何かアイデアは出たのか」

「それもお手上げだ」草薙は両手を小さく横に広げた。「いつ、どこで、どうやって飲まされたのか、全くわかっていない」

湯川が部屋の隅を指した。そこには小型冷蔵庫がある。「あの中のものは調べたか」

「もちろんだ。鑑識が全部持ち帰って調べた。不審な点は見当たらなかったそうだ」

冷蔵庫に入っていた飲食物は、開栓済みのウーロン茶と水のペットボトルだけだった。どちらからも睡眠薬は検出されていない。

「ただ、気になることがある」草薙はいった。「監察医の話では、蓮沼はビールを飲んでいた可能性が高い。実際、血中アルコール濃度も若干高めだった。蓮沼はかなりの酒好きだったらしいから、ビールを勧められたら、特に喉が渇いていなくても飲むかもしれない。それにしても、相手によりけりだ」

「この部屋の住人はどうだ？　その人物なら、蓮沼に睡眠薬を飲ませることは難しくないんじゃないか」

「たしかにそうだが動機がない」草薙は即座に答えた。その可能性については、すでに考えたのだ。「増村と並木佐織さんの間には何の繋がりもない。そもそも増村と蓮沼が出会ったのは、佐織さんが殺されるより一年近くも前だ。過去に遡って経歴を調べたが、どこにも繋がりがない」

「犯人が増村を買収した……というのはリスキーだな」

「リスキーだ。増村が、いつ口を割るかわからない。割らないにしても、さらに金を要求してくる可能性がある」

たしかにな、と湯川は呟き、再び小部屋に目を向けた。

それから間もなくして、失礼します、といって若い警官が入ってきた。「買ってきましたが、こんなので大丈夫でしょうか」

何種類かのドライバーがプラスチックの透明ケースに入っている品物だった。十分です、ありがとう、といって湯川は受け取った。

引き戸のそばで腰を下ろし、湯川はドライバーを使い、引き手金具を留めているネジを緩め始めた。科学者だけあって、その手つきは慣れたものだ。

「何をする気だ」

「見ていればわかる」

ものの二、三分で湯川は戸の表と裏の引き手金具を外した。四角い穴が露出している。

「うん、やっぱりな」引き手金具が付いていた穴を覗き込み、湯川は満足そうに口元を緩めた。

「おい、何なんだ。そろそろ教えろ」

「教えなくても一目瞭然(いちもくりょうぜん)だ」

湯川が脇に移動したので、草薙は腰を屈(かが)め、四角い穴を覗いた。小部屋の壁が見えた。

「おっ、向こう側が見える」

「そうだ。戸に引き手金具を付ける場合、穴を貫通させないことも多いんだが、この戸はさほど厚くないから、貫通させたようだ」

「それはわかったが、一体何をいいたいんだ」

「『ユダの窓』という推理小説を知っているか」

「いや、知らん」

そうだろうな、という顔で湯川は頷いた。

「この戸には秘密の小窓がある、ということだ」湯川は引き戸を閉めた。「こうやって戸を閉めたままにしても、この窓を使えば、室内にいる人間に何らかの影響を与えることができる」

「こんな小さな穴を、どう使う？」

「さっき僕がいっただろ。急速に酸欠を起こさせるにはどうすればいいか。この穴を使えば、いくつかアイデアが出てくる」

「たとえば？」

「酸素を、この穴から吸引する」

「はあ？」

「酸素だけを吸うのは難しいから、空気を、ということになる。掃除機のような吸引装置を使い、空気を吸い出す。完全に真空にすることは不可能だろうけど、かなり空気が薄い状態は作り出せるかもしれない」

「湯川、おまえ……」縁なし眼鏡の奥にある目を覗き込んだ。「真剣にいっているのか」

「こんなところでふざけるほど暇ではない」

「そんな方法でうまくいくと思うか」

「無理だろうな。その程度の空気の薄さで窒息死するなら、少し高い山に挑もうとする登山家たちは全員死ぬ」

　がくっと膝から力が抜けそうになるのを草薙は耐えた。こんなことで苛立っていたら、この男とは付き合えない。「次のアイデアは？」

「中の酸素を少なくすればいいのだから、部屋をもっと狭くする。物理学的にいえば、室内の容積を小さくする」

「この穴を使ってか？　どうやって」

「戸の隙間を密閉した後、この穴から何らかの物体を投入する。物体の体積分だけ室内の容積は小さくなり、空気が外に押し出される。それを繰り返せば、いずれは酸欠を引き起こしやすいほどに容積は減るだろう」

　草薙は、真面目な口調でいう湯川の顔を眺めた後、四角い穴を指した。「この穴から投入できる物体って何だ？　せいぜいビー玉ぐらいだぞ。いくら狭い部屋でも、何万個……いや何十万個も必要だぞ」

「変形しないものだとそうだろうな。しかしたとえば風船を使ったらどうだろう」

「風船？　どう使うんだ」

「萎んだ状態の風船を、口を手前にしてこの穴から突っ込む。風船の本体が向こう側の穴から出たら、こちらから空気を入れて膨らませる。十分に膨らんだところで口を閉じ、室内に落とす。さっきもいったように、風船の体積分だけ室内の容積は減る。大きく膨らむ風船を使えば、かなり効率はいいはずだ」

室内に次々と風船が増えていく様子を草薙は想像した。三畳ほどの部屋が一杯になるには、どれぐらいの数が必要だろうか。

「奇抜なアイデアだと思うが……リアリティがない」

「お気に召さないか。カラフルな風船に埋もれて死ぬなんて、シュールでユーモアがあって、なかなか楽しいトリックだと思うが」

「シュールなことは認めよう。だけど急速に窒息するわけじゃないだろ？　酸欠で息苦しくなったら目を覚ますことに変わりはない。大量の風船と一緒に閉じ込められているせいだと気づけば、風船を割るだけだ」

「そうかもしれないな。では、その風船の中身が空気じゃなかったらどうだろうか」

「えっ、どういうことだ？」

湯川は、ふふっと意味ありげに笑った。

「というより、空気でないならば風船自体が不要なんだがね」

# 23

内海薫は吊り上がり気味の目を大きく見開いた。「ヘリウムですか」

「そう。引き戸を閉め、鍵をかけた上で、その小さな四角い穴からボンベでヘリウムを室内に送り込む。ヘリウムは空気より軽いから、室内の上部に溜まっていく。それに従い、空気は引き戸の隙間などから室外に押し出されていく。蓮沼が横になっていたとしても、いずれは全体の酸素濃度は低下する。途中で気づいて起き上がったりしても、上部は一層酸素が薄い。それで懸命に呼吸しようとしたら、空気ではなくヘリウムばかりを吸うことになり、一気に意識を失う。その状態が続けば間違いなく酸素欠乏症に陥るのではないか、というのが湯川の推理だ」草薙はコーヒーが入っていた空の紙コップを弄(もてあそ)び、改めて部下たちを見上げた。

菊野警察署内の会議室にいる。草薙は内海薫と岸谷、そして武藤を相手に、湯川から聞いた仮説をレクチャーしているのだった。

「さすがはガリレオ先生ですね」岸谷が嘆息するようにいった。「考えもしませんでした」

「鑑識に話してみたところ、大いに可能性はあるとのことだった。急激に意識を失ったのだとしたら、室内に争った跡や、被害者が暴れた形跡がないことに説明がつく。解剖に当たった監察医の先生にも相談してみた。ヘリウムによる酸素欠乏症だと考えて何ら矛盾はない、むしろ、絞殺などによる窒息死に比べて溢血点が少ないことなど、納得のいく点が多いという回答を得られた」

「そういうことなら、ヘリウムの入手先が問題ですね」武藤がいった。

「それに関して、その湯川という学者から、もう一つ興味深い情報提供がありました。武藤警部補は、よく御存じかもしれませんが」草薙は自分のスマートフォンを操作し、三人のほうに差し出した。

「何ですか、これは？」液晶画面を見て、内海薫が眉をひそめた。

「カエル……ですかね」岸谷が首を捻る。

武藤は噴き出した。「皆さん、そうおっしゃる。私も初めて見た時は、そう思いました」

「パレードのマスコットキャラクターで、キクノンというんだってさ」草薙は内海薫と岸谷に説明した。「パレードの一番最後に登場するのが恒例らしいが、御覧の通り、巨大なバルーンだ。一〇メートルぐらいあるから、当然、膨らませるには大量のヘリウムが必要になる。ボンベのサイズにもよるが、高圧ボンベ一本や二本では足りないのではないか、というのが湯川の予想だ」

「そのうちの一本が犯行に使われたかもしれないと？」岸谷が問うた。

「調べてみる価値はあるだろう」

「わかりました。早速、誰かに確認に行かせましょう」岸谷は踵を返し、ドアを開けて部屋を出ていった。

「警部、そういうことなら、ほかにも当たるべきところがあるのではないでしょうか」武藤がいった。

「といいますと？」

「パレードに出てくる巨大バルーンはキクノンだけですが、小さなバルーンを小道具に使うチームは例年いくつかあるんです。私は見られませんでしたが、今年もそうだったんじゃないでしょうか。また、会場のいくつかの場所で、無料で風船を子供に配ったりしています。そういうところには必ずヘリウムボンベが持ち込まれたはずです」

「なるほど……」

パレードといえば、一種の祭りだ。祭りに風船は付き物ではある。

ただ、と武藤は遠慮がちに続けた。「仮に犯行にヘリウムが使用されたとしても、ボンベが盗まれた可能性は低いように思うのですが」

「どうしてですか」

「ヘリウムというのは案外簡単に買えるからです。うちの子供が小さい頃、よく誕生日会なんぞをやったわけですが、その時に妻が、バルーンや風船に入れるヘリウムを、ネットでよく買っていました」

「私もそういうのを友達の家で見たことがあります」内海薫が同調した。「部屋の中にバルーンがたくさん浮かんでいたから事情を聞くと、お子さんの誕生日会の名残だと。その友達も、ヘリウムのボンベを買って膨らませたといってました」

ほう、と草薙は女性部下の顔を見返す。年齢からして、大半の友人が母親になっているのだろうなと改めて思ったが、事件に無関係なので黙っていた。何より、セクハラになる。

「そういうボンベは使い捨てで、返却する必要はありません。五千円程度で手に入ります」武藤がいった。

「五千円……それは安いな」

「だから計画的犯行だとすれば、犯人は事前に買っておくんじゃないでしょうか」

「たしかにそうかもしれない。だとすれば、入手先を見つけるのはかなり大変だな」草薙は考え込んだが、すぐに別の発想が浮かんだ。「待てよ。ボンベを返却する必要がないのなら、犯行後、犯人はどう処分しただろう？」

「わりと大きいし、重いです。一刻も早く逃走したい犯人にとっては邪魔だったでしょうね」草薙の意図を察したらしく、武藤が立ち上がった。「手の空いている者たちを使い、現場周辺を捜索してみます」そういって勢いよく部屋を飛び出していった。

内海薫も草薙に一礼して歩きだしたが、ドアの手前で立ち止まり、振り返った。その表情は何かいいたげだ。

どうした、と草薙は訊いた。

「なぜそんな複雑な方法を使ったんでしょうか」釈然としない顔で内海薫はいった。「睡眠薬を飲ませて眠らせ、密閉した部屋にヘリウムを流し込んで窒息死させる——あまりにも大がかりだと思いませんか」

「へええ」草薙は女性部下を見返す目に、意外な思いを込めた。「珍しいな。おまえでも湯川の推理に疑問を持つことがあるのか」

「そうじゃありません。ただ、犯人の目的がわからないんです」

「死因を特定させないためじゃないか。死体検案書には、原因不明の心不全である可能性も否定できない、とある。実際のところ、俺たちは他殺だという証拠をまだ摑めておらず、捜査本部も立っていない状況だ」

「死んだのがふつうの人間だったら、その考えに私も同意したかもしれません。でも蓮沼です。死体となって見つかったのは、あの蓮沼寛一なんです」

「何がいいたいんだ」

「犯人がよほどの楽天家でもないかぎり、蓮沼が死んだら、仮に死因を特定できなくても、警察が他殺を前提とした捜査を行うことは覚悟していたはずです。だとすれば、もっと簡単な方法で殺害しても同じではないでしょうか」

草薙は返答に詰まった。彼女の指摘は妥当で、論理的だった。

「凝った殺害方法を使ったのには何か別の意味がある、ということか」

「そうではないか、と」

わかった、と草薙はいった。「その疑問を忘れないようにしておこう」

内海薫は黙って頭を下げ、部屋を出ていった。

それから約二時間後、浮かない表情で会議室に戻ってきた岸谷が報告した内容は、草薙を失望させるものだった。

巨大バルーンに使用したボンベが紛失した事実はないというのだった。

「あのキクノンというバルーンを膨らませるには七〇〇〇リットル入りのボンベが四本必要で、使用後はすべてのボンベが、ほぼ空っぽらしいです。今回のパレードでも同様で、ボンベは翌日には業者に返却されているとか」

「一時的に誰かが無断で持ち出して、また元の場所に戻した可能性は？」

岸谷は首を横に振った。「バルーンの担当者が、ずっとそばにいたようです」

「そうか……」草薙は舌打ちをした。

武藤の説が当たっているのかもしれないな、と思った。盗むより自分で買ったほうが確実だし、何より安全だ。

「ヘリウムの業者を当たってみてくれ。最近の購入者の中に偽名を使った者がいないかどうかを確かめるんだ」

わかりました、といって岸谷が部屋を出ていこうとしたが、先にドアが開いて武藤が勢いよく入ってきた。その顔は少し紅潮している。

「警部、見つかりましたっ」

「何がですか?」

「ボンベです。ヘリウムのボンベが見つかったんです」

## 24

カウンターの向こうで黙々とグラスを磨く白髪頭のマスターの背後には、様々なボトルが並んでいた。ウイスキーやブランデーだけでなく、ウォッカやテキーラもある。もし今夜、菊野署に戻らなくていいのなら、それらの強い酒を存分に楽しみたいところだった。

時刻は間もなく十一時になろうとしている。ついさっきまでカウンター席で並んでいたカップルが出ていったので、今はほかに客はいない。

壁に貼られた古い映画のポスターなどを眺めながらギネスビールをグラス半分ほど飲んだ頃、入り口のドアが軋(きし)み音をたててゆっくりと開き、スーツ姿の湯川が入ってきた。

草薙は軽く手を上げた。

湯川は興味深そうに店内を見回しながら、草薙がいる小さなテーブル席にやってきた。

「この町に、こんな洒落た店があるとは知らなかったな」湯川は草薙の向かい側に腰を下ろした。

「遅くまでやっていて、落ち着いて飲める店はないかと菊野署の人間に訊いたら、ここを教えてくれたんだ。酒の種類も豊富らしい」

　行きつけになってマスターに酒の好みを理解してもらえれば、オリジナルカクテルを馳走になれるかもしれないというのは、この店を教えてくれた武藤の弁だ。

　湯川は棚に並んでいるボトルの列に視線を走らせた後、「アードベッグをソーダ割りでください」とオーダーした。

　白髪頭のマスターは目を細め、承知しました、と答えた。

「こんな時間まで研究か。なかなか忙しいんだな」草薙はいった。

「忙しいわけじゃない。助手たちに命じていた実験がトラブル続きで、今日中に確認しなきゃいけないデータがちっとも出てこなかったんだ。仕方がないので、部屋でコンピュータ相手にチェスを指していた。敵は初期型のプログラムなのに三戦やって全敗。素人がＡＩに勝つのは至難の業だ」湯川は肩をすくめてため息をついた。

「それは御苦労なことだ」

「草薙こそ、この時間までこの町にいるとはどういうことだ。もしかして、ずっと泊まり込んでいるのか」

「ああ、しばらくそういうことになりそうだ」

　湯川は解せない様子で瞬きした。

「さっき君がくれたメールには、捜査のことで礼をいいたいので、今夜菊野にいるのなら連絡をくれ、とあった。もしかして僕のアドバイスが参考になったのかな」

「大いに役立った」草薙は湯川の胸元を指差した。「さすがはガリレオ先生だ。慧眼は少しも衰えちゃいなかった。半分は、おまえの推理通りだった」

「半分？」湯川が怪訝そうに眉をひそめた。「何か違っていたのか」

「ヘリウムが使われたのは間違いなかった。ボンベが見つかったんだ。ただし、巨大バルーンを膨らませるために使われるような大きな高圧ボンベじゃなかった」草薙はスマートフォンを懐から出し、一つの画像を表示させてからテーブルに置いた。「事件現場の建物の裏には川が流れている。川沿いに二〇メートルほど離れたところの草むらに捨てられていたのを菊野署の捜査員が発見した」

画面に映っているのは、高さが約四〇センチ、直径が約三〇センチのボンベだった。大きさがよくわかるよう、隣に缶ビールが置かれている。

「使用済みで、ヘリウムガスは残っていなかった。指紋がいくつか付いていたので、鑑定の作業を進めてもらっている」

「これが？」湯川は画面を見て首を傾げた。「いくつ？」

「いくつって？」

「数を訊いている。このボンベが何個見つかったんだ」

「一個だよ。そんなにいくつもあるわけないだろ」

「一個？　それはあり得ない」

湯川が強い口調で断言した時、マスターが静かに寄ってきて、テーブルの上にコースターを敷き、タンブラーを置いた。タンブラーの中の液体からは、細かい泡が出ている。

一口飲んでから、「うまい」と湯川は表情を和ませ、マスターを見上げた。「最高の調合です」

マスターは満足そうな笑みを浮かべ、カウンターの向こうに戻っていった。

湯川がタンブラーを置き、テーブルのスマートフォンを指差した。「念のために訊くが、このボンベの容量は？」

草薙はポケットから手帳を取り出した。「重量は約三キロ。新品時にはヘリウムが四〇〇リットル充塡されているらしい」

ふん、と湯川は鼻を鳴らした。「馬鹿げている。あり得ない」

「どうして？」

「現場の小部屋の容積を計算してみればいい。幅二・五メートル、奥行き二メートル、高さ二メートルとすれば、一万リットルだ。四〇〇リットル程度のヘリウムを送り込んだところで、酸欠死などするものか。それを実現するには工業用の高圧ボンベが必要だ。しかしそんなものを匿名で入手するのは困難だから、巨大バルーン用のものを拝借したんじゃないかといったんだ」少し苛立っているのか、湯川は早口になっていた。

「たしかにそうだったな。だけど肝心な話はこれからだ」草薙はテーブルのスマートフォンを手に取り、懐に戻した。「ボンベが見つかったといったが、剝き出しだったわけじゃない。四五リットル用のゴミ袋に入れられていたんだ」

「ゴミ袋？」それがどうした、という顔だ。

「そのゴミ袋の中をよく調べてみたところ、ほかに見つかったものがある」マスターが聞き耳をたてているとは思わなかったが、草薙は声をひそめて続けた。「髪の毛だ。たった二本だが、鑑定には十分だ」

「髪の毛？」

「蓮沼のものとみて、ほぼ間違いないという結果が出た」

湯川は険しい顔つきで口の中で何やら呟いた後、ゆっくりと首を縦に動かした。「なるほど、そういうことか」

「合点がいったようだな」

「眠っている蓮沼の頭からゴミ袋を被せ、首のあたりで口を絞る。その隙間からヘリウムガスを注入する――」

「正解」草薙は、ぽんとテーブルを叩いた。「十秒ほどで意識を失い、間もなく死に至るだろうという話だ。監察医からもお墨付きを貰った」

湯川はタンブラーを手にし、ウイスキーのソーダ割りを口に含んだ。その目は宙を見据えている。

何だ、と草薙は訊いた。「何か文句がありそうな顔だな。科学的に納得できないことでもあるのか」

いや、と湯川は顔を小さく横に振った。「科学的には問題ない。ただ犯人の狙いがわからない。なぜそんな方法を使ったのか……」

「それをいいだしたら、おまえが推理した方法だってそうじゃないか。内海がいってたぜ。なぜそんな大がかりな方法を使うのか、目的がわからないって」

「僕がいった方法には重要な意味がある。蓮沼に恨みを持つ者による復讐だと仮定しての話だが」

「どんな意味だ」

「死刑を執行する、という意味だ。犯人は国に代わって蓮沼を処刑しようとしたのではないだろうか。ただし、その方法にはいろいろとある。日本の場合は絞首刑(こうしゅけい)だ。アメリカには電気椅子を使っていた歴史があるが、今は薬物注射による薬殺刑が主だ。ほかに、つい最近までガス室を使っていた州がある。小さな部屋に閉じ込め、青酸ガスで死亡させるという方法だ」

「部屋に閉じ込めて……」草薙の頭に、小部屋で死んでいた蓮沼の姿が蘇った。「犯人はガス室による死刑執行をやりたかったと？」

「あくまでも想像だがね。それから、この方法には犯人にとってメリットがある」

「どんな？」

「蓮沼の身体に指一本触れる必要がない、という点だ。戸には鍵をかけられるから、仮に蓮沼が途中で目を覚ましたとしても、室内に閉じ込めた状態で犯行を続けることが可能だ。その点、頭からゴミ袋を被せてヘリウムを吸わせるなんていう方法だと、目を覚ました蓮沼に抵抗されるおそれがある。そんな心配がないほどに深く眠り込んでいるのなら、それこそヘリウムなんかを使う必要はない。手足の自由を奪ったうえで首を絞めるなり、刃物で刺すなりすればいい。そうは思わないか？」

草薙は唸った。流暢な口調で語られた内容は、相変わらず論理的で、説得力があった。

「正直いって、犯人の狙いはわからん」仕方なくそういった。「そんな特殊な犯行方法を使わなきゃいけない、何か事情があったのかもな。だけど今、俺たちがそれを考える必要はない。犯人を捕まえて、本人に語らせれば済む話だ。そうじゃないか？」

湯川は、あっさりと頷いた。「たしかに、それが一番確実で合理的ではある」

「大事なのは、蓮沼の死が他殺とみて間違いないと判明したことだ。さっき、これからしばらくは泊まり込みになりそうだといったが、じつは正式に菊野署に捜査本部が開設されることになった。明日からは一層忙しくなる。ゆっくりと話せる機会は少なくなるだろうと思って、こうして今夜誘ったわけだ」

なるほど、と湯川が表情を和ませてタンブラーを手に取った。「何しろ、今や捜査一課の警部殿だからな」

草薙は顔をしかめた。「そんな言い方はやめろ」

「無事に解決することを祈る」湯川がタンブラーを差し出してきた。

乾杯に応じようと草薙はグラスを手に取ったが、ギネスビールは飲み干した後だった。マスターに声をかけ、おかわりを頼んだ。

# 25

川沿いの草むらから発見されたヘリウムボンベに付いていた指紋の主が一名判明したのは、湯川と乾杯した翌朝だ。警察のデータベースの中から一致するものが見つかった。北菊野町で自動車修理工場を経営している森元という人物で、過去にスピード違反で検挙されたことがあった。

草薙は捜査員を使い、森元の周辺を調べさせた。だが蓮沼との繋がりは見当たらないし、並木佐織や並木家の人間たちとの接点も確認できなかった。

そのかわりに興味深いことがわかった。森元は北菊野町の町内会の役員で、パレードの当日は、のど自慢大会の運営に携わっていた。しかものど自慢大会の会場では、子供たちに無料で風船が配られていたらしい。

ここに至り、草薙は森元を菊野署に呼び、詳しい話を聞くことにした。もっとも、おそらく森元本人は事件とは無関係だろうと踏んでいた。ヘリウムガスを使うような凝った殺害方法を選んだ人間が、ボンベを素手で扱うような軽率なことはしないだろうと思った。

とはいえ「凶器」に指紋が付着していた以上、単なる参考人扱いはできない。森元のもとへは複数の刑事を送り込んだ。森元が犯人で、任意同行を求められた瞬間に逃走を図る、ということが絶対にないとはいいきれないからだ。

しかしやはりそれは杞憂だったらしく、森元は当惑しつつもおとなしく連れてこられたようだ。

事情聴取には岸谷を当たらせた。その間、草薙は捜査本部が置かれている大会議室で、武藤や内海薫たちと一回目の捜査会議の準備を行うことにした。

「やはり、現場周辺の防犯カメラには期待できそうにありません」武藤が眉尻を下げていった。「近くにコインパーキングがあるんですが、そのカメラにも怪しい車などは映っていませんでした」

草薙は低く唸った後、横にいる内海薫を見た。「仇討ち組の動きはどうだ？　防犯カメラで確認できたか」

「一部できました」内海薫は自分の前に置いていたノートパソコンのキーを操作した後、画面を草薙のほうに向けた。

表示されているのは、大勢の人々が行き交う姿を映した画像だった。路上に設置された防犯カメラで撮影されたものらしい。

「カメラが設置されているのは、パレードのゴール地点に近いところです。ここにいる紺色のジャケットを着た男性は、高垣智也さんだと思われます」内海薫が画面の一部を指差した。

草薙は高垣智也の顔を写真でしか見たことがなかったし、パソコンに表示されている画像の解像度は決して高くなかったが、たしかに当人に間違いないであろうと思われた。その視線が前方ではなく車道のほうに向けられているのは、歩きながらパレードを見ているからだろう。

隅に表示された数字によれば、撮影されたのは午後二時過ぎのようだ。

「並んで歩いている二人の若い男女が、高垣さんの会社の後輩のようです。動画を見れば、話している様子がわかります。御覧になられますか」

「必要ない。これより遅い時刻のものはないのか」

「菊野署の方々に探してもらっていますが、今のところ見つかっていません」

そうか、と答えて草薙は改めて目を凝らす。

高垣智也はバッグなどの荷物を何ひとつ持っていなかった。連れの二人も、女性のほうが小さなショルダーバッグを肩に掛けているだけで、大きな荷物はない。

先日の内海薫の報告によれば、午後三時過ぎから四時までの間、高垣智也にはアリバイがない。しかしそれだけの時間で一体何ができるだろうか。

「ほかの仇討ち組は?」草薙は訊いた。

仇討ち組というのは、並木佐織を蓮沼に殺害されたと確信し、復讐を果たした可能性がある人物たちに対する総称で、草薙が命名した。具体的には、並木家の人々、並木佐織の恋人だった高垣智也、佐織を世界的な歌手にするべく手塩に掛けて育てていた新倉直紀らが、それに相当する。

内海薫がパソコンを操作した。別の画像がモニターに映し出された。先程とは別の場所で、右側には郵便局らしき建物の入り口が見える。

「新倉夫妻です」

内海薫が指で示したところには、茶色のブルゾンを羽織った初老の男性と薄紫色のカーディガン姿の女性が並んで映っていた。どちらも車道のほうを向いている。二人とも手ぶらだ。草薙は足元を確認したが、荷物は見当たらない。時刻は午後二時二十五分——。

「時間的に考えて、チーム菊野がパレードをしている最中だと思われます」内海薫がいった。「そのためか、この後、新倉夫妻は移動を始めます。どうやらチーム菊野の動きに合わせているようです。チーム菊野は一番最後なので、同じように一緒に動きだす見物客も多いです」

「この通り沿いには、ほかにも防犯カメラがいくつか設置されているはずです」武藤が横からいった。「詳しく調べれば、新倉夫妻のこの後の姿も見つかるかもしれません。高垣智也と同様、手の空いている者たちに探させましょう」

「よろしくお願いします」草薙は口元を緩めて頷いたが、画面に目を戻した瞬間、表情を引き締めた。

気になるのは、高垣智也にしても新倉夫妻にしても、大きな荷物を提げていないことだった。蓮沼殺害にはヘリウムボンベが必須だ。高さ約四〇センチ、直径約三〇センチのボンベを運ぶには、かなり大きなバッグや袋が要る。

もちろん、ほかの場所に隠しておいて、犯行直前に取りに行った可能性はある。ではどこに隠してあったのか。

武藤警部補、と草薙は呼びかけた。

「防犯カメラの映像を解析するにあたり、大きな荷物を運んでいる人物がいないかどうか、確認してもらってください。大きさの目安は、例のヘリウムボンベが入るサイズです」

草薙の意図を理解したらしく、わかりました、と武藤は目を見開いて答え、大股で立ち去っていった。

その後、草薙が内海薫と二人で捜査会議用の資料をまとめていると、森元の事情聴取を終えた岸谷が戻ってきた。

「裏取りは必要でしょうけど、森元さんはシロでしょう。それから鑑識によれば、ボンベに付いていたほかの指紋も、森元さんのものとみてよさそうだとのことです。それより、重要なことがわかりました」岸谷の目には成果を手にした満足感が浮かんでいる。

「やはりあのボンベは盗まれたもののようです」

「どういうことだ」

「あの日、森元さんは、のど自慢大会が行われた公園で、子供たちに風船を配っていたそうです。それを始めたのが午後三時三十分。用意した風船は約百個で、ヘリウムボンべは三本。一本のボンベで約四十個の風船を膨らませられるそうで、多少余裕をみてボンベを用意していたわけです。例の草むらから発見されたボンベの写真を見せたところ、同じものに間違いないとのことでした」

　岸谷はメモを見ながら報告を続けた。

　町内会の役員でもある森元は雑用が多く、持ち場を離れることも多かった。風船係はほかにおらず、新品の風船は森元が所持していたが、ボンベはその場に放置していた。最初に持ち場を離れたのは午後四時半頃だった。約十五分後に戻り、風船配りを再開しようとした時、変だなと思った。少し前にボンベを取り替えたはずなのにガスが出ないのだ。よく見ると一本目の使用済みボンベだった。おかしいと思いつつ、新しいボンベを使い、風船配りを続けた。最終的に約六十個の風船を配り終えたが、ヘリウムガスは足りて、特に支障はなかった。

「持ち場を離れている間に二本目のボンベを盗まれたらしい、と森元さんは気づいていたようです。しかし、ヘリウムガスが足りなくなったわけではないし、自分の落ち度をほかの役員たちに教える必要もないと考え、今まで誰にも話さなかった、ということです」岸谷はメモから顔を上げた。「話を聞くかぎり、十分に説得力があります。嘘はついていないでしょう」

　草薙は頭の中で、たった今聞いた内容を整理してみた。

「ボンベが盗まれたのは午後四時半から四時四十五分の間ということか。のど自慢大会が行われた公園から殺害現場までの距離はどんなものだ？」

「約三キロです」草薙の質問を予想していたらしく、岸谷はすぐに答えた。「午後五時半には蓮沼の遺体が見つかっています。車を使わないと移動は無理でしょう」

「そうか……」

これで高垣智也のセンは完全になくなったなと草薙は思った。午後四時の時点で、高垣智也は後輩たちとビアレストランにいる。

そして――。

新倉夫妻もシロということになった。夫妻は午後五時から始まったのど自慢大会の審査員をしている。いくら車を使っても、犯行は不可能だ。

「まずは目撃者捜しだな。ボンベを盗むところが目撃されていたら一番ありがたいが、それは無理でも、不審な荷物を運んでいた人間を見たという証言なら得られるかもしれない。のど自慢大会の会場で、大きな荷物を提げていたら目立つだろうからな。それから、公園や周辺にある防犯カメラの映像をチェックするんだ。コインパーキングなどの駐車場には必ずカメラが設置されているはずだから、優先的に調べろ。怪しい人物が見つかったら、片っ端から身元を割り出すんだ」

「わかりました」岸谷が手帳を取り出した。

内海、と隣にいる女性の部下に声をかけた。「ほかに何かアイデアはあるか？」

「あの日はパレードで、主要道路は交通規制が行われていました」内海薫は冷静な口調でいった。「人通りも多いし、公園から事件現場まで車で移動するには、ルートが限られるのではないでしょうか。どこかのＮシステムに引っ掛かっている可能性はあります」

「それだ。菊野署と連携して、当日の午後四時半から三十分間、現場周辺のＮシステムに引っ掛かっている車をすべてピックアップするんだ」草薙は声に気合いを込めた。

はい、と返事しつつ、内海薫の表情は何となく冴えない。ほかのことを考えているように見えた。

「どうした？　何か気になることでもあるのか」

「はい、あの、やっぱり引っ掛かるんです。なぜ犯人は、こんな回りくどい方法を使ったんだろうって」

「またそれか」草薙はしかめっ面を作った。「そんなことは考えたって仕方がない。犯人に白状させたら済む話だ。あの湯川でさえ、納得してくれたぞ」

「湯川先生が？」

「昨夜、会ったんだ」

草薙は洒落たバーでのやりとりを話した。

「物証が見つかった以上、後はがむしゃらに動くだけだ。人海戦術で行く。ヘリウムボンベを公園から殺害現場まで運んだ人間を何としてでも見つけだすんだ」

部下たちに発破(はっぱ)を掛けた後、草薙は時計を見た。正式に捜査本部が立ったことで、間もなく間宮が来るはずだった。少しは実のある話ができなければ顔向けできない、と思った。

# 26

灰色の建物を見上げ、薫は深呼吸を一つした。なぜこんなに緊張するのか、自分でもよくわからなかった。強面の容疑者を取り調べる時ですら、こんなに臆することはない。建物の入り口に近づき、壁に貼られたプレートを見た。帝都大学金属材料研究所――ゴシック体の素っ気なさが、訪問者を選んでいるような気さえする。

中に入ると右側に守衛室の窓口があった。白髪頭の守衛が座っている。いわれるままに手続きをし、受け取った入館証を首から吊した。行き先の場所を守衛に尋ねると、「三階の奥」というぶっきらぼうな答えが返ってきた。

エレベータで三階まで上がり、長い廊下を進んだ。途中、作業着姿の人々とすれ違った。白衣でないのが、何となく新鮮だった。

並んでいるドアには『磁気物理学研究部門』という表示が出ていて、その下に『第一研究室』とか『第二研究室』と添えられていた。薫は足を止めてメールを確認した。行くべき部屋は、『磁気物理学研究部門　主幹室』だ。

守衛から聞いた通り、その部屋は一番奥にあった。薫はここでも深呼吸をしてからドアをノックした。

どうぞ、という声が薫の耳の奥で懐かしく響いた。

失礼します、といってドアを開けた。すぐ前に応接用と思われるソファがあった。その向こうで机に向かっていた人物が、くるりと椅子を回転させた。「ようこそ」

薫は一呼吸置いてから、「御無沙汰しています」といって頭を下げた。

湯川学がゆっくりと立ち上がった。

「君から連絡が来るとは思わなかった。捜査本部が立って、忙しいはずだからな」

「おっしゃる通りです。ですからメールでも書きましたが、今日お邪魔したのは、単なる御挨拶のためだけではありません」

「御挨拶なんかは不要だ。すぐに用件に入ってくれていい」湯川はソファに腰を下ろし、向かい側の席を手のひらで示した。

どうも、といって薫もソファに座った。

「蓮沼寛一の殺害方法については、係長からお聞きになっていますね？」

「係長という言葉を君から聞くと誰のことかわからなくなる」湯川は眼鏡の向こうの目を細めた。「聞いているよ。ヘリウムガスとビニール袋を使った方法だろ」

「どう思われましたか」

「どう、とは？　科学的かどうかという意味なら、十分に科学的だといえる」

「でも湯川先生の推理とは微妙に違っていました」

「珍しいことじゃない。科学の世界では無数の仮説が生まれ、その殆どが否定される」

「疑問はありませんか」

「疑問？　どういうことだ」

「犯人は本当にあんな方法を使ったんだろうかって」

湯川の顎がぴくりと動いた。学者の目になり、観察するように薫の顔を見つめてきた。

「何でしょうか」

「草薙から聞いたよ。君は、僕が推理した方法についても物言いをつけていたそうだな。なぜそんな大がかりな方法を使うのか、目的がわからないと」

「いいました。でも係長から話を聞いて納得しました。先生が推理した方法なら犯人にメリットがあります。現場の小部屋をガス室に見立てたのではないか、という推理もさすがだと思いました」

「お褒めにあずかり光栄だが、どんな名推理も外れていたのでは意味がない」

「外れている……本当にそうでしょうか。私は先生のほうが正解のような気がするんです」

湯川は胸が上下するほど深々と呼吸をし、薫を見据えてきた。「根拠を聞こうか」

「まず睡眠薬の質と量です。血液中から検出された成分から推定すると、蓮沼が服用した睡眠薬はさほど強いものではないし、量も大したことはないとのことです。眠っていたとしても、昏睡とはほど遠い状態で、身体に触れられたりしたら目を覚ます可能性は大いにあったとか。犯行の途中で目を覚ますことを考慮していたという点で、先生が考えた方法のほうが確実です。いえ、それどころか犯人は、引き戸に鍵をかけた後、大きな音をたてるなどして、わざと蓮沼を目覚めさせたのではないか、とさえ思うのです」

「わざと目覚めさせる？」湯川が眉をひそめた。「その目的は？」

「蓮沼に恐怖を与えるためです」

「恐怖っ」湯川は瞠目し、背筋を伸ばした。「斬新だな」

「これは、蓮沼殺しの動機が復讐だと仮定しての話です。自分の家族が殺されたとして、どのように復讐したいかを考えてみました。私なら、頭からビニール袋を被せてヘリウムで酸欠死させるようなことは絶対にしません。でもその理由は、回りくどいとか、面倒だからではないんです。何だと思いますか」

「わからない」湯川は頭を振った。

「じつをいうと最近になって、このヘリウムを使った自殺方法がインターネットなどで知られるようになったんです。なぜだかわかりますか」

湯川は少し考え込んでから、「楽に死ねるから……か」と呟いた。

「その通りです」薫は大きく頷いた。「早ければ最初の一呼吸で意識を失い、そのまま絶命します。殆ど苦しまなくて済む点が注目されているんです。憎い相手を殺すのに、そんな方法をわざわざ選ぶでしょうか。私だったら、もっと恐怖や苦痛を与えられる方法を選びます」

「一理ある――」そういってから湯川は長い脚を組んだ。「どころの話ではないな。極めて合理的で説得力がある」

「だから先生の説のほうが正解ではないか、と思うわけです。わざと蓮沼を目覚めさせた上で、ヘリウムを室内に注入していきます。少しずつ酸素濃度が低くなり、やがて蓮沼は頭痛を感じたり、吐き気を覚えたりするでしょう。監禁されていることもあり、強い恐怖を感じるのではないでしょうか」

「残酷な殺人犯に相応しい死刑執行法、というわけか。その発想はユニークだが、一つだけ難点がある。大量のヘリウムガスが必要だということだ」

「そこなんですよね、やっぱり」薫は唇を噛んだ。「巨大バルーンで使われたボンベに問題はなかったし、犯人自らが高圧ボンベなんかを購入したら痕跡が残るはずだし……」

するとなぜか湯川が楽しそうに表情を緩めた。

「どうかしましたか」

「いや、久しぶりで懐かしいと思ってね。目の前で若き美人刑事が頭を悩ませている」

「もうそんなに若くありません」

「美人、というほうは否定しないんだな」

薫は旧知の物理学者を睨んだ。「からかうのなら、もう失礼します」

「発見されたボンベのことは何かわかったのか」薫の言葉を無視して湯川は訊いてきた。

「パレード当日、菊野公園で使われていたもので、何時頃に盗まれたのかは判明しています。使用していた人物にはアリバイがありました」

「それは大収穫といえそうだが、君はそうは思っていないようだな」

薫は吐息を漏らした。

「ボンベが盗まれるところを目撃した者はいないか、ボンベが入っていそうな荷物を不審な人物が運んでいたという情報はないか、付近の防犯カメラにそれらしき映像はないか、昨日からずっと探し回っています。今日も朝から……。でも成果はなしです」

「それは大変だろうな。何しろあの日は、午前中から見物客が詰めかけてきていて、沿道に人が溢れていた。まさに藁の中から一本の針を見つけ出そうとするようなものだ」

「もしあのボンベが犯行に使われたのなら、時間的に考えて、犯人は車を利用したに違いないんです。そして公園から現場に向かうには、必ず横切らなければならない幹線道路があります。交差点にはNシステムのモニターが設置されていて、該当する時間帯に通過した車のすべてについて持ち主が割り出されているところですが……」

「事件に関係していそうな人間は見当たらない？」

「そういうことです。先生は今、大収穫とおっしゃいましたが、私は逆の印象です。あのボンベが見つかったことで、かえって捜査が迷走しているように思えます」

湯川は腕組みをし、ソファにもたれた。「重大発言だな」

「どうか、ここだけの話ということで」薫は声のトーンを落とした。「ヘリウムボンベが発見された場所、お聞きになりましたか」

「草薙は、どこかの草むらとかいってたんじゃなかったかな」

「現場から約二〇メートル離れた草むらの中です。何かを探すとなれば、警察はその程度の範囲は捜索します。見つけてくれといっているようなものではないでしょうか。しかも蓮沼の毛髪が残っている。ボンベには指紋が付いていたから、盗まれた場所や時間も割り出しやすい。何もかも、都合がよすぎるように思うんです。そしてその証拠に基づいて犯人の行動を推測すると、次々にアリバイの成立する人物が出てくる――『なみきや』の常連客とか」

「たしかに、ここだけの話にしておいたほうがよさそうだ。『なみきや』には今後も顔を出すつもりだからね」

「すみません。係長によれば、湯川先生も今では常連さんだとか」

「炊き合わせが絶品なんだ」柔らかい顔つきでいった後、湯川は表情を引き締めた。「発見されたヘリウムボンベは、犯人が捜査を攪乱させるために用意したフェイクだといいたいんだな?」

「そうではないか、と。実際には違うヘリウムボンベが使用されており、そっちはもちろん別の場所で処分されているのではないかと思います」ただ、と薫は首を捻った。「それでもやっぱり殺害方法については疑問が残りますけど。どうして犯人は、そんなにヘリウムに拘ったのか……。そんなものに拘る必要がどこにあるのかと……」

「なぜヘリウムに拘るか、か」そういった直後、湯川が息を呑む気配があった。真剣な眼差しで虚空を見つめた後、ためていた息をふうーっと長く吐いた。

何か、と薫は訊いた。

「現場の状況はこうだったな。床にはレジャーシートが敷かれていて、その上にマットレスと布団を敷き、蓮沼はそこで倒れていた」

「ええ、そうだったと思います。それが何か？」

しかし湯川は即答せず、何やら深く考え込んでいる。それは科学者の顔だった。

先生、と薫は声をかけた。ちょっと待ってくれ、と物理学者は手のひらを出した。

その状態が一分ほど続いた後、湯川が顔を上げた。

「君に調べてほしいことがある。鑑識に確認すればわかるんじゃないだろうか」

「どんなことでしょうか」薫はあわてて手帳を取り出した。

「いくつかあるから、後で整理して話す。それより訊きたいことがある。今回の事件については、草薙は並木佐織さんの変死と関係していると決めつけているふしがあるが、ほかの可能性は検討していないのだろうか」

「ほか、とは？」

「蓮沼を恨んでいた人間は、ほかにもいるはずじゃないかといってるんだ。現に草薙自身が、蓮沼には特別な感情を持っているわけだし」

湯川のいわんとしていることが薫にもわかった。

「二十三年前の事件……ええと」手帳を開き、被害者の名前を確認した。「本橋優奈ちゃん事件の遺族たちのことをおっしゃっているわけですね」

「可能性はあるだろう？」

「それはそうですけど、考えにくいと思います」

「なぜだ？」

「単純です。時間が経ちすぎているからです。たしかにあれも残虐な事件でした。理不尽な判決が下され、遺族たちはさぞかし悔しい思いをしたことだろうと想像できます。それだけに、もし復讐を果たすのならば、もっと早くに実行していたと思うんです。なぜ今になって復讐する気になったのでしょうか」

「それは本人たちに訊いてみないとわからない。何か事情があったんじゃないかな。いずれにせよ、その可能性を排除することには賛成できない。――今日、ここへ来たことを草薙には報告を？」

もちろん、と薫は答えた。「隠す理由がありません」

「それなら伝えておいてくれ。仮に乗り気でなかったとしても、二十三年前の事件の遺族や関係者の現況を調べてみるべきだ、と。その中に、今回の事件に繋がる鍵が見つかるかもしれない。いや、必ず見つかるはずだ」

あまりに自信に満ちた口調に、薫は違和感を覚えた。

「湯川先生には何か確信があるんですか。そこまで強く断言できる理由を教えていただけますか」

「その理由は――」湯川は人差し指を立てた。「もし僕が新たに立てた仮説が当たっているのなら、今のままではパズルを成立させるピースが一つ足りないからだ。そのピースは過去にしか存在しない」

## 27

大きな笑い声が頭上から聞こえてきたので、夏美はいじっていたスマートフォンからテレビに視線を移した。液晶画面に映っているのは、汚い川を泳いでいるお笑い芸人の姿だった。いろいろな企画にタレントが挑戦するこの番組は、視聴率が高いらしい。今夜初めてチャンネルを合わせたのだが、正直退屈で、すぐにSNSを始めてしまったのだった。

時計を見ると、間もなく午後八時になろうとしていた。客がいなくてもテレビをつけっぱなしにしておくのは、『なみきや』における昔からの習慣だ。客が入ってきた時、閑散とした雰囲気になっていないように、との配慮からだった。とはいえこの時間は、いつもならNHKに合わせている。そうしていないのは、ニュース番組を見たくなかったからだ。たとえ自分たちとは関係がなくても、事故や事件の話など、今はあまり聞きたくなかった。

蓮沼が死んで以来、客足がめっきり遠のいた。七時前後に少し入る程度で、それ以外はさっぱりだ。世間から見れば、殺人事件の容疑者が経営する店、ということになって敬遠したくなるのだろうか。だからといって店の前に、「当店の者にはアリバイがあります」と書いた看板を掲げるわけにもいかない。

引き戸の向こうに人影が立つのが見えた。戸が開く前に夏美は椅子から立ち上がった。入ってきたのは湯川だった。いらっしゃいませ、と夏美は努めて明るく挨拶した。

湯川は店内をさっと見渡した後、四人掛けのテーブルを選んだ。

「ビールと炊き合わせを。それから鯖(さば)の味噌煮定食」夏美が置いたおしぼりで手を拭きながら湯川はいった。

「承知しました」

厨房へ行って注文を祐太郎に伝えた後、突き出しとビール、グラスをトレイで湯川の席まで運んだ。今夜の突き出しは、ピリ辛こんにゃくだ。

「珍しいですね、こんな時間に」

「数年ぶりに会った客と話し込んでしまったものだからね」

「そうなんだ。教授のところへ来るお客さんって、やっぱり物理学者？」

「いや、むしろ我々とは真逆の人種といえるだろうな」湯川は眼鏡を外し、懐から取り出した布でレンズを拭き始めた。「刑事だよ」

「えっ……教授のところにまた刑事が来たの？」

パレード当日の夏美のアリバイを確認するために刑事が湯川のところに来た、という話は先日聞いた。

「数年ぶりに会った、といっただろ。別の刑事だ。以前からの知り合いでね」

「へえ……」

物理学者と刑事——どこに繋がりがあるのだろうと夏美は考えた。

「ところで今夜、戸島社長はもう来たのかな」眼鏡をかけ直し、湯川が訊いてきた。

「戸島さん？　いえ、今夜はまだです。もう少ししたら、お見えになるかもしれません。戸島さんに何か御用でも？」

「いや、単に話し相手がいればいいなと思っただけだ。こんな時間に来る常連客といえば、あの人ぐらいだから」

「そうですね」

蓮沼が死んだ後も、戸島は変わらずに毎日のように来てくれて、何か変わったことはなかったかと夏美に尋ねてくる。具体的なことは口にしないが、彼なりに心配してくれているのだろう。ありがたいことだ、と夏美は思っている。

その噂の主が、こんばんはといって現れたのは、湯川が定食を食べ終えようとしている時だった。「おっ、教授。御一緒してもいいですか」そういいながら、すでに向かい側の椅子を引いている。

どうぞ、と湯川は笑顔で頷いた。

戸島はいつも通り、ビールを注文した。

「教授、戸島さんのことを待っていたみたい。話し相手がほしいからって」

夏美がいうと、戸島は表情を崩した。

「そいつは光栄だ。こんな親父でよければ、いつでもお相手しますよ。ただし、大した話のネタは持っちゃいませんがね。ギャンブルはしないし、これといった趣味もないし」

「仕事が趣味とか？」

「かっこよくいえば、そうです」戸島は五分刈りの頭を後ろに撫でつけた。

夏美がビールを運んでいくと、戸島はグラスに注ぎ、湯川と乾杯した。

「では仕事の話をしましょう」湯川がいった。「社長の会社では、加工食品を扱っておられるんでしたね。看板商品は何ですか」

「そういう話ですか」戸島はうまそうにビールを飲んだ。「今の稼ぎ頭は、何といってもレトルト食品ですね。常温でも保存できるでしょ。だからネット通販真っ盛りの今の時代には、もってこいなんです。味も捨てたもんじゃありませんよ。『なみきや』の料理と比べられたら困るけど、そこそこの店ならいい勝負ができるんじゃないですかね」

「なるほど。冷凍食品は？」

「もちろん扱っています」戸島は頷いた。「レトルトと並ぶ主力商品です。チャーハンや餃子あたりが売れ筋ですね」

「どういうタイプの冷凍機を使っているんですか」

「えっ、冷凍機ですか。どんなタイプっていうと……」

「スクリュー圧縮方式やレシプロ圧縮方式とか、いろいろとありますよね。戸島さんの工場ではどういったものを採用しておられますか」

戸島は、ははあ、といって背中を後ろに反らせた。

「やっぱり学者さんってのは興味を持つところが一般人とは違うんですねえ。そんなことが気になりますか」

「すみません。よく変人といわれます」

「面白いですな。ええと、質問は何でしたっけ」

「冷凍機のタイプです」

「おお、そうでした。うちがメインで使っている冷凍機はスクリュー圧縮方式です」

「メインでということは、ほかのタイプの冷凍機もあるということですか」

「ええ、それはまあ用途に応じて……」

「食品の細胞膜は、急速に冷凍したほうが破壊されにくいんですよね。そういうデリケートな食品には特殊な冷凍機を使ったりするのではありませんか」

「はあ、よく御存じですね」戸島の声のトーンが少し落ちたように聞こえた。

がらりと引き戸の開く音がした。夏美が入り口を見ると、中年女性が入ってくるところだった。たまに顔を見せる客だが、常連というほどではない。指を四本立て、「四人だけど大丈夫?」と訊いてきた。

「大丈夫ですよ。どうぞ」夏美は六人掛けのテーブルを勧めた。

女性客に続いて、同じような年齢と思われる三人の女性が入ってきた。彼女らが席につくのを待って、夏美はおしぼりを出し、注文を聞いた。言葉遣いから、仲の良い友人同士らしいとわかった。どうやら皆で芝居を観てきたようだ。興奮しているのか、全員声が大きく、おまけにおしゃべりだった。

厨房と彼女たちの席を往復することが増え、湯川と戸島のその後のやりとりがどんなものなのか、よくわからなくなった。見たところ、あまり会話が弾んでいるようには見えない。戸島の顔つきが幾分険しくなっているようにも感じられた。

やがて湯川が手を上げ、夏美を呼び止めてきた。会計をしてくれという。

支払いを済ませると、物理学者は戸島に、「貴重なお話をありがとうございました」といって店から出ていった。

戸島も、「なっちゃん、お愛想して」と声をかけてきたので、夏美は精算をし、代金を記したメモを席まで持っていった。

「教授、何時頃に店に来た?」財布から千円札を何枚か出しながら、戸島が低い声で尋ねてきた。

「八時ぐらいだったと思うけど」

「あの人、いつもはもっと早い時間に来てるんじゃなかったか」

「そうだけど、今日は昔からの知り合いと話し込んでて遅くなったとかいってた」夏美もつられて声をひそめていた。「その知り合いって、刑事なんだって」

「刑事？」戸島の眉がぴくりと動いた。「学者と刑事がどんな話をするんだ」

「そこまでは聞いてないけど……」

戸島は考え込む顔つきになり、黙り込んだ。

夏美が釣り銭を用意して戻ると、戸島は金額を確認もせずに財布に入れ、無言で奥に進んだ。カウンター越しに厨房にいる祐太郎に何やら話しかけている。

その後カウンターから離れた戸島は、「ごちそうさん、おやすみ」と夏美に声をかけ、出ていった。

夏美は厨房を覗いた。祐太郎が揚げ物をしているところだった。

「お父さん、戸島のおじさんと何の話をしてたの？」

「何でもない。ただの世間話だ」祐太郎は手を止めずに答えた。

奥にいる真智子と目が合った。母は小さく首を傾げている。彼女も夫と戸島とのやりとりは聞いていないのだろう。

「おい、何をぼんやりしてるんだ」祐太郎が真智子にいった。「さっさとしないと冷めちまうだろうが」

「あっ、はい……」彼女はだし巻きを皿に盛り付けているところなのだった。

「ほら、揚がった。夏美、運んでくれ」祐太郎は不機嫌な声でいい、あじフライを盛った皿をカウンターに置いた。

# 28

部屋でスウェットに着替えてダイニングルームに戻ったら、テーブルの上に料理が並んでいた。大きな皿には豚肉の生姜焼きが、小さな皿にはホウレンソウのお浸しが載っている。そして豆腐の味噌汁。家庭料理の見本のような組み合わせだ。

智也は椅子に座り、スマートフォンをテーブルに置いてから、いただきます、と手を合わせた。

お疲れ様、といって里枝が息子の前に米飯を盛った茶碗を置いた。「珍しいわね、こんなに遅くなるなんて」

「終業間際になって、課長の気が変わったんだ。すまん高垣、やっぱり明日の朝までにデザインを仕上げといてくれってね。クライアントにいい顔をしたいんだろうけど、こっちの身にもなってほしいよ」

ため息をつき、生姜焼きに箸を伸ばす。壁の時計は間もなく十時を指そうとしている。残業が二時間を超えることはめったにない。

「それは大変だったわねえ」

先に食事を済ませている里枝は、流し台に向かって食器を洗い始めた。母親のこういう後ろ姿を眺めるのは久しぶりのような気がした。先月五十歳を超えた彼女だが、さすがに髪に白いものが増えた。それとも忙しくて美容院に行く暇がないのだろうか。

　里枝は料理が得意だ。今夜の生姜焼きは少し味が濃いが、たっぷりと盛り付けられた千切りキャベツと合わせて食べるとバランスがちょうどいい。御飯が進んだ。

　一杯目の最後の米粒を口に入れた時、テーブルの上でスマートフォンが唸った。着信表示を見て、はっとした。戸島からだった。

　立ち上がり、スマートフォンを手に廊下に出た。

　高垣です、と小声でいった。

「戸島だ。今、ちょっといいかな」低い声が、ただならぬ気配を感じさせた。

「はい、何でしょうか」

「その後、君のほうで何か変わったことはないか。刑事が来たとか」

「いえ、あれからは特に何も……」

「そうか。それならよかった」

「あの、どうかしたんでしょうか」

うん、と妙な間を置いてから、「教授のことだ」と戸島はいった。

「教授って？」

「湯川教授だ。『なみきや』で、しょっちゅう会ってるだろ」

「ああ……」思いがけない名前が出てきたので智也は当惑した。湯川のことならよく知っている。少々変人だが、博学で、話すことに含蓄がある。「あの人が何か？」

「用心したほうがいい」

「えっ、用心って……」

「どういうわけか、今度の事件についてあれこれと探っているようだ。聞いたところでは、刑事に知り合いがいるらしい。もしかすると、スパイみたいなことを頼まれているのかもしれん」

「あの人が？」

　智也は湯川の顔を思い浮かべた。そんなことをしそうな人物とは思えなかった。

「近々、『なみきや』に行く予定はあるかい？」

「『なみきや』ですか。いえ、特に考えてはいなかったですけど」

「だったら、当分は行かないほうがいい。あの人……教授と顔を合わせたら、あれこれと探りを入れてくるかもしれない。こっちは事件と全く関係ない話をしているつもりが、突然急所を突くようなことを尋ねてきたりする。パレードの日の行動なんか、さりげなく訊いてきたりしてな」

「戸島さん、訊かれたんですか」

「まあな。不意打ちだったんで、ちょっと狼狽えた。それ以上に驚いたのは、例のブッの話を持ち出してきたことだ。うちの冷凍システムのことなんかを尋ねてきた」

「どうしてあの人がそんなことを……」

「わからん。とにかくそういうことだから、あの人には近寄らないほうがいい。もし連絡が来て、会いたいとかいってきても、適当な理由をつけて断るんだ」

「わかりました。用心します」

「うん、じゃあまたな」

戸島が電話を終えようとしたので、「あっ、あの、戸島さん」と智也はあわてて呼びかけた。「僕、やっぱり気になるんですけど」

「何が？」

「だから、その、一体何が起きたのか。誰が何をしたのか」

大きくため息をつく音が聞こえた。

「そのことは何度も説明したじゃないか。君は何も知らないほうがいい。それが君のためでもあるんだ」

「でも――」

「いいか、高垣君」智也の声に重ねて戸島がいった。「最初にいったように、いざとなれば君は本当のことを話せばいい。嘘はつかなくていいし、隠し事もしなくていい。だから余計なことは知らないほうがいいんだ。わかったな。もう、電話を切るぞ」

智也は素直に、はい、とはいえなかった。だが反論の言葉も思いつかなかった。戸島が智也のためを思っていってくれていることはよくわかっていた。

黙ったままでいると電話は切れた。若造の泣き言に辟易（へきえき）している戸島の顔が目に浮かぶようだった。

悄然（しょうぜん）とした気分で部屋に戻り、ぎくりとした。ダイニングテーブルの向こう側に座った里枝が、真っ直ぐに智也を見つめてきたからだ。

「洗い物、終わったの？」そういいながら智也は席につき、箸を持った。

「誰から電話？」里枝が訊いてきた。

「会社の先輩。俺と同じで、課長から無理難題をいわれたみたいで」

「どうして嘘つくの？」里枝は睨むように上目遣いをしていった。

「嘘じゃないよ」智也は目をそらせる。

「『なみきや』っていってるのが聞こえたわよ」

全身が、かっと熱くなった。

「聞き違いだろ。そんな話、してるわけないじゃん」

「じゃあ、何と聞き違えたのよ。いってよ」

「うるさいな」里枝の顔は見ないままでいった。「母さんには関係のないことだ。放っといてくれよ」

「息子がおかしなことに関わってるかもしれないのよ。放っとけるわけないでしょ」

「何だよ、おかしなことって」智也は顔を上げ、里枝を見た。そしてどきりとし、たじろいだ。母親の目が赤く充血していたからだ。

「それを訊いてるんでしょ。一体、何をしてるの？　何に関わっているの？」里枝は声を震わせた。「用心する、とかいってたわよね。何に用心するの？」

智也は再び母親の顔から目をそらした。「母さんは心配しなくていい」

「だったら話して。本当のことをいってちょうだい」

智也は箸を置いた。ごちそうさま、といって立ち上がった。食欲はすっかり失せていた。

「お願い、これにだけは答えて」里枝が懇願するような口調でいった。「この前に起きた事件、佐織さんを殺した男が死んだって事件、あなたは関わってないわよね」

「……当たり前だろ」

もう一度、ごちそうさまといってから智也は里枝に背を向け、廊下に出た。自分の部屋に向かいながら、複雑な思いが胸中に広がるのを感じた。

だったら話して。本当のことをいって——里枝の言葉が頭の中で反響している。それは智也自身の思いでもあった。

## 29

リビングのソファに座り、新倉がスマートフォンで話している。相手は戸島だ。

話の内容があまりよくないものだということは、夫の顔つきからも窺えたが、電話がかかってきて、戸島さんだ、と彼が呟いた瞬間から、留美は嫌な予感がしていた。

「教授って、あの教授ですか？　湯川っていう人。どうしてあの人がそんなことを……」新倉が眉をひそめる。

何の話をしているのか、さっぱりわからなかった。湯川というのは、『なみきや』で時々見かける学者のことではないのか。あの人物がどうかしたのだろうか。しかし相変わらず夫の表情は暗いままだ。単なる世間話をしているようには思えない。

陰鬱なオーラを発し続けている彼の姿を見ていたくなくて、留美はキッチンに立った。電話を終えたら、きっと新倉は深刻な報告をするのだろうと思った。その時、少しでも気持ちを落ち着かせられるように、ジャスミンティーを淹れる準備をすることにした。

電気ポットの再沸騰のボタンを押し、ガラス製のティーポットとティーカップを置いた。棚には様々な茶の缶が並んでいる。お気に入りのジャスミンティーの缶を取り、蓋を開けようとして手を滑らせた。缶が落ち、床に茶葉が散らばった。

それを眺めるうち、暗澹たる気持ちになってきた。すぐに掃除をする気になれず、ぼんやりと立ち尽くしていた。

一体、なぜこんなことになってしまったのだろう。

あんなに充実していたのに。素晴らしい日々が続いていたのに——。

留美の家は決して裕福ではなかった。父は個人タクシーの運転手だったが、要領が悪いのか、母によれば、「お客さんのいないところばかりを流している」らしい。だから留美が小学校の高学年になると、自分も働かなきゃならないといって、母は近所のスーパーでパートの仕事をするようになった。

一人きりの時間を、留美は音楽を聴いて過ごすことが多かった。アパートの隣に住んでいる高校生のおねえさんが、聴き飽きたCDを譲ってくれるからだ。いずれもその時に流行している曲ではなかったが、留美は嬉しかった。何度も何度も聴き、歌詞やメロディを覚えた。母に懇願して買って貰った、ポータブルのCDプレーヤーは宝物だった。ちょっと外出する時でも、バッグに入れていった。

中学生の時、ずっとピアノを続けているという女子の同級生と友達になった。名前はクミコといった。ある時、好きな曲について話していると、クミコがカラオケボックスに行こうといいだした。留美は少し驚いた。両親に連れられて何度か行ったことはあるが、子供たちだけで行ける場所だとは思わなかったからだ。

「平気だよ。昼間なら安いし」クミコは行き慣れている様子だった。

土曜日の昼間、駅前にあるカラオケボックスに二人で入った。先に歌えとクミコがいうので、留美は少し躊躇いつつ、お気に入りの曲を歌った。親以外の人の前で歌うのは初めてだった。

クミコは目を輝かせて手を叩き、すごくうまくてびっくりした、といってくれた。お世辞だと思ったので照れたが、クミコは真剣な目で、「ほかにはどんな曲が得意？　もっと歌って」と要求してきたのだった。

褒められて悪い気がする人間はいない。元より歌うのは大好きだ。どんな曲を歌おうかと迷っているとクミコが、「あれは歌える？」と曲を指定してきた。少し前に流行った、ハイトーンボイスを要する難度の高い曲だった。

歌ったことはないけど歌えるかもしれない、といってマイクを握った。実際に音楽に合わせて声を発すると気持ちがよかった。自分の身体がメロディに同調し、溶け込んでいく感覚があった。

留美が歌い終えるとクミコは拍手をした。上手いなんてもんじゃない、プロ並みだよ、絶対にプロになれるよ、とまでいうのだった。さらに次の台詞は、留美のその後の人生を変えるものになった。

「一緒にバンドをやろうよ。あたし、留美みたいな子を探してたんだ」

驚いた。歌は好きだったが、音楽活動など考えたこともなかった。だがクミコの熱い思いを言葉で聞き、二人で語り合っているうちに、留美にとっても具体的な、そして魅力的な夢へと変わっていった。

クミコはバンドといったが、ボーカルとピアノだけの組み合わせで活動を始めた。ユニット名は『ミルク』にした。二人の名前を合成したのだ。始めの頃は既存曲でアマチュアのコンクールなどに参加していたが、それでは評価されないと痛感し、オリジナルの曲を作るようになった。作曲は主にクミコの仕事だ。出来てきた曲に、留美が詞をつけた。文学性があるかどうかなどまるでわからない。自分が歌いやすいように言葉を並べているだけだったが、クミコはそれで構わないといってくれた。

二人は別の高校に進んだが、『ミルク』の活動は続いた。だが高校三年になり、クミコが休止を提案した。受験勉強のためだった。留美は当惑した。将来はプロになりたいね、と二人で語り合ってきたから、大学進学など考えたこともなかった。

「プロになれたらいいけど、なれなかった時のことも考えておかなきゃ」

その場合には教師になりたい、だから教育学部への進学を目指すのだとクミコはいった。

彼女は昔から冷静で、理論派だった。夢は夢、現実は現実、と割り切れるらしい。だが留美は違った。親友が遠くへ去り、一人で取り残されたような気持ちになった。

進路について両親と話す機会があった。父も母も、留美が大学に進むことをあまり望んではいないようだった。学校の成績がいいわけではなく、授業料の高い私立大学に通わせたところでメリットはないと考えていたようだ。留美自身もそうだ。音楽以外にやりたいことは何もなかった。

そんな時、何度か使ったライブハウスから連絡があった。『ミルク』の連絡先を知りたがっている人がいるが教えてもいいか、という内容だった。その人物はアーティストで、若い女性ボーカルを探しているらしい。

興味が湧いたので了承した。こうして出会ったのが新倉直紀だった。

新倉は複数のバンドで活動している、シンセサイザー奏者だった。作詞作曲を手がけ、ほかのアーティストに曲を提供することもあるらしい。音楽業界ではそれなりに名の通った人物だということを、留美は後に知った。

留美は気づかなかったが、新倉は『ミルク』のライブに何度か足を運んだことがあるそうだ。それで新しいバンドを組む話が持ち上がった際、ボーカルに抜擢しようと思いついたのだという。

クミコに話すと、よかったじゃない、と喜んでくれた。本物のプロと組めるならそれが一番いい、ともいった。安堵しているようにも見えた。クミコの頭には、もう『ミルク』の再結成はなく、留美に対して後ろめたさを感じていたのかもしれない。

新倉は、留美を日本を代表する歌姫にしてみせる、といいきった。それだけの才能があるし、自分の作る曲を最も的確に表現できるボーカルはほかにいない、と誰に対しても断言した。そこまでいわれれば留美も意気に感じる。何とかして期待に応えたいと思った。

約一年の準備期間を経て、新しいバンドはメジャーデビューを果たした。最初に出したCDはあまり話題にならなかったが、次に出した曲はアニメのエンディングに採用されたこともあり、そこそこのヒットとなった。

成功できるのではないか、と夢が膨らんだ。大きな会場でコンサートを開き、何万人という観客の前で歌を披露する姿を想像し、うっとりとした。

しかし現実は、そう甘くはなかった。次第に、新曲を出しても全く手応えが感じられなくなっていった。コンサートのチケットは売れ残り、ＣＤの出荷数は絞られていった。

それでもしがみつくように活動を続けた。新倉は、いつか必ず認められるはずだという信念を持っていた。

「留美には特別なものがある。それに気づかないなんてあり得ない」酒に酔った時の彼の口癖だった。

ちょうど十年、活動を続けた。留美が三十歳になる直前、新倉は二つのことを提案した。ひとつはアーティスト活動からの引退だった。

「君の才能を十分に引き出してやれなかったのは僕の責任だ。残念ながら、タイムオーバーだという気がする。君が別の人と組んで活動するというのなら止めない。誰かを紹介してほしいのなら探してみよう。でも僕自身は表舞台からは身を引こうと思う」

新倉の言葉を、留美は悲しい思いで受け止めた。彼にこんなふうにいわせていることが情けなかった。僕の責任、といってくれたが、本当はそうでないことは留美自身が一番よくわかっていた。自分に力がなかったから、新倉が生み出したいくつもの素晴らしい曲を、世間に認めさせられなかったのだ。

ごめんなさい、といって留美は泣いた。期待に応えられなくて申し訳ない、ほかの人と組むなんて考えられない、直紀さんが身を引くなら自分もそれに倣(なら)うといった。

すると新倉から、もう一つの提案が為された。二人の将来についてだった。結婚しないか、というのだった。

その時まで二人の間に男女関係はなかった。留美は新倉のことを慕っていて、それは恋愛感情といって差し支えないものだったが、態度には出さないように努めていた。新倉がメンバー同士の恋愛を嫌っていることを知っていたからだ。

表舞台からの撤退は悔しかったが、二つ目の提案は、それを解消して余りある歓びをもたらした。留美は即座にプロポーズを受け入れた。

その日から新倉との二人三脚の生活が始まった。新倉は若い才能を発掘し、育てるビジネスに取り組んだ。儲けは二の次だ。実家が資産家なのでできることだった。そんな夫を留美は陰で支えた。この第二の人生は悪くなかった。唯一の誤算は子供が出来なかったことだが、自分たちが見つけた若き才能あるアーティストを世に送り出す時には、我が子を巣立たせるような充実感を得られた。

やがて二人はとんでもない原石に出会う。並木佐織だ。彼女の歌を聴いた時の衝撃を、留美は忘れられない。

声や歌唱力の素晴らしさに圧倒された。自分なんかとは器が違う、これこそ本物のボーカリストだと思い知らされた。同時に留美は、隣にいる新倉から伝わってくる波動に心を揺さぶられた。

かつてないほどに興奮しているのだとわかった。至宝を発見した歓びで、全身の血が駆け巡っているに違いないと思った。ところが横顔を窺うと、表情はなく、青ざめていた。

初めて知った。あまりに衝撃が大きいと、人は感情を表に出せなくなるのだ。あの子を育てよう——佐織を見つけた文化祭からの帰り、新倉はいった。抑揚のない言葉だったが、並々ならぬ決意が感じられた。

佐織に注ぐ新倉の情熱は凄まじかった。彼は新たな教え子の能力を極限まで高めようとした。そのためには人生のすべてを賭けてもいいとさえ思っているようだった。その姿に留美は、かつて自分を指導した彼と重ねずにはいられなかった。あの時に叶えられなかった夢を、今度こそ実現させようとしているのだと確信した。

もちろん留美も協力した。佐織を一流の歌手に育てることを、何よりも優先した。夫婦の時間は削られたが、仕方がないと思った。新倉の目が佐織しか見ていないことにも不満はなかった。彼が教え子を異性として見ないのはわかっていたから、嫉妬など論外だった。

新倉の下で、佐織は着実に力をつけていった。彼女の吸収力は桁外れで、ふつうの人間ならば身につけるのに何か月もかかるテクニックを、いとも簡単にこなすのだった。天才とはこういう人間のことをいうのだと留美は舌を巻いた。

もう少しだった。

すぐ目の前に成功への扉があった。それを開ければ、佐織にとっても、新倉や留美にとっても明るく輝ける道が未来へと伸びていたはずなのだ。後は迷わず、ただひたすら進んでいくだけだった。

だがそんな自分たちの宝を突然奪われた。未来への道を閉ざされた。あの絶望感は、今思い出しても震えが止まらなくなるほどだ——。

「どうしたんだ？」

声を掛けられ、我に返った。ジャスミンティーの缶を手にしたまま、いつの間にかキッチンの床にしゃがみこんでいた。

新倉が心配そうな顔で立っていた。「具合でも悪いのか」

「あ……大丈夫」留美は床に散らばった茶葉を集め始めた。「電話、終わったの？」

「うん」短い返事すら暗く聞こえた。「ちょっと……いや、かなり気になる話を聞いた」

「どんなこと？」

「留美、湯川さんって知ってるよな。『なみきや』で時々会う」

留美は手を止め、夫を見上げた。「知ってるけど」

「今夜、あの人が『なみきや』にいて、戸島さんにあれこれと質問してきたそうだ」

「あの人が？　どうして？」

「警察に知り合いがいるそうなんだ」

「えっ……」

「もしかすると、警察は蓮沼の本当の死因に気づいているのかもしれない、ヘリウムボンベのトリックは見破られたかもしれないってことだ」

留美は息を吞み、右手を胸に当てた。心臓の鼓動が苦しいほどに激しくなった。

新倉が近づいてきた。留美の頭が彼の胸に引き寄せられた。
大丈夫だから、と夫は妻にいった。「安心してていいから」

## 30

子供の頃に通っていた道が、大人になってから訪れてみると、記憶よりも遥かに幅が狭かったということはよくある。たぶん自分の身体の大きさと関係があるのだろう。だから大人になってから通った道を何年かぶりに再訪した場合は、印象があまり変わらないのがふつうだ。

ところが今日約二十年ぶりに歩く道は、草薙の記憶よりもかなり幅が狭く感じられた。足を運びながら周囲を眺め、その理由に気づいた。

かつては町工場や倉庫が並んでいた場所に、大きなマンションがいくつも建っている。それらが重なっているので、遠くの景色が見通せなくなっていた。おかげで周囲からの圧迫感が増し、細い道路はますます狭くなったように錯覚するのだった。

そんな狭い道に面して建っている一軒の家の前で草薙は足を止めた。周りに下町の雰囲気が残っていた頃には、白くて洋風の洒落た屋敷だと思ったが、近代的な建物に囲まれた現在では、どこか時代遅れの気配が漂っていた。

「ここのようですね」横に並んだ内海薫が、門柱に嵌め込まれた石のプレートを見ていった。そこには『沢内』とあった。十九年前、そこに刻まれていた名字は『本橋』だった。

「ああ、間違いない」

雰囲気はずいぶんと違っているが、という台詞は呑み込んだ。

内海薫がインターホンのボタンを押した。

間もなく、はい、という女性の声が聞こえてきた。

「午前中に電話をした内海です」

「はい」

二人で門扉の前で待っていると、アプローチの先にある玄関ドアが開いた。姿を見せたのは見事な銀髪をショートカットにした小柄な女性で、丸い眼鏡をかけていた。やや表情は固いが、口元に笑みが浮かんでいるのを見て、草薙は少しほっとした。

女性の名前は沢内幸江（さわうちさちえ）といった。本橋誠二の実妹（じつまい）だ。古い資料をひっくり返して草薙が調べてみると、本橋優奈の遺骨が発見された時、本橋誠二は五十二歳だった。もし生きていれば、今年七十一歳になるはずだった。

しかし内海薫に調べさせたところ、本橋誠二は六年前に亡くなっていた。会社の経営者も変わっているらしい。ところが本橋一家が住んでいた家は現存していることが判明した。本橋誠二の妹夫妻が、十年以上も前に移り住んでいたのだ。

草薙たちが通されたのは、革張りの大きなソファが並んだ応接間だった。

ソファに座る前に、持参してきた菓子折を差し出すと、沢内幸江は困ったように両手を振った。「そんなお気遣い無用でしたのに」

「いえ、突然お邪魔して申し訳ございません」

「そんなこと構わないんですけど。では遠慮なく」沢内幸江は頭を下げ、菓子折を受け取った。「今、お茶を淹れますので、お掛けになっていてください」

「どうかお構いなく。我々は仕事で来ておりますので」

「私が飲みたいんです。お客様とのティータイムを楽しめる機会なんて、めったにありませんから」沢内幸江は笑みを浮かべて部屋を出ていった。

草薙は息をつき、女性部下のほうを向いた。「座らせてもらうか」

はい、と内海薫は答えた。

彼女と並んでソファに腰を下ろしてから、草薙は室内を眺めた。重厚な雰囲気の書棚があり、ハードカバーの本が並んでいる。洋書もあるようだ。壁には額に入れた花の絵が飾られていた。おそらく名のある画家のものだろう。

「いかがですか」内海薫が訊いてきた。「昔、係長が来た時と、何か違っていますか」

うん、と草薙は改めて見回した後、「はっきりいって全然違う」と答えた。

「そうなんですか」

「当時の状況を考えてみろ。本橋家の家族構成は両親と一人娘だけだった。その娘が十二歳で行方不明になり、間もなく母親が自殺した。その四年後に娘の遺骨が見つかった。

俺がここへ来たのは、そんな時だ。一人になったからといって、本橋さんが妻や娘の身の回り品や遊び道具を、すべて片付けていると思うか?」

ああ、と内海薫は納得顔で首を縦に動かした。「むしろ逆ですね。思い出の品が並んでいるかもしれません」

「その通りだ。特に本橋優奈ちゃんに関するものは、行方不明になった時のままで残されていた」草薙は書棚を指差した。「あそこにはアップライトのピアノが置いてあった。ピアノの上には家族三人で写っている写真が飾られていた。どこからどう見ても、小学生の女の子が住んでいる家の居間そのものだった。本橋さんの時間は止まったままだったんだ」

十九年前、この部屋に通された時のことを草薙は思い出した。間宮が一緒だった。蓮沼を逮捕したという報告のために訪れたのだ。これで鉄槌が下されるはずです――間宮が力強い口調で語っていたのが、ついこの前のことのように思い出された。

十九年後、まさかこういう状況で再訪するとは夢にも思っていなかった。苦く、悔しい経験だが、あの事件に関わることはもうないだろうと諦めていたのだ。

湯川先生に会ってきました、と内海薫から聞かされた時には、さほど驚かなかった。二人は旧知の仲だ。同じ町にいるとわかれば、時間を合わせて会おうとするのがふつうだろう。しかも蓮沼の変死という共通の話題がある。湯川の推理がなければ、犯行方法の特定にはもっと手間取っていたかもしれないのだ。

だが、二十三年前の事件の関係者について調べるべきだと湯川がいったという話には、正直戸惑いを覚えた。たしかに本橋優奈殺害事件の関係者の中には、今も蓮沼を恨んでいる者がいるかもしれない。しかしなぜ、このタイミングなのか。復讐を果たすなら、これまでにもチャンスはあったはずだ。

ところが内海薫によれば、湯川は、「パズルを成立させるピースは過去にしか存在しない」とまでいったそうだ。それが何かについては、人間関係、としかいわなかったらしい。

「君たちに先入観を与えたくない。しかしこれだけは教えておこう。過去の事件と現在の事件は、必ずどこかで繋がっている。ある人物によってね」

相変わらずの偏屈ぶりだが、あの学者の推理力が半端でないことは草薙も承知している。そこまで断言するからには、何かがあるのかもしれなかった。

湯川が立てた新たな仮説とはどういうものなのか、草薙は気になっていた。というのは、例の草むらから見つかったヘリウムボンベに関する捜査が、一向に実を結ぶ気配を見せないからだった。

菊野公園の周囲にはいくつか防犯カメラが取り付けられており、公園を出入りする人々の様子が撮影されている。ボンベが盗まれた午後四時半からの十五分間に絞っても映像の量はかなり膨大になるので、何人かの捜査員に分担させてチェックを行ったが、ボンベが入りそうな鞄、袋、箱などを運び出した人物は見つかっていない。犯人は防犯カメラの存在に気づいていて、死角になる場所から出た可能性が高い、というのが現在の見解だ。

また犯人は公園から犯行現場まで車で移動したと考えられるため、幹線道路付近のNシステムの記録などを解析しているが、そちらも成果なしだ。あの日は交通規制が敷かれていて、交通量が少なかったにもかかわらず、だ。

車ではなく自転車を使った可能性も考慮し、防犯カメラの範囲をさらに広げて映像確認を行っているが、怪しい自転車を見つけたという報告はない。

ここまで捜査が停滞すると、内海薫が遠慮がちに口にした、「発見されたボンベは犯人が仕掛けたフェイクである可能性もあるのでは」という意見が気になってくる。聞けば、湯川も同意見らしい。

つまり草薙が、二十三年前の事件関係者を当たれという湯川のアドバイスに従った大きな理由は、結局のところ、捜査が暗礁に乗り上げたから、ということに尽きるのだった。

ドアが開き、沢内幸江がワゴンを押しながら入ってきた。木製のワゴンには、ポットや急須、湯飲み茶碗などが載っている。客とのティータイムを楽しみたいといったのは、本心だったのかもしれない。

草薙たちの向かいに腰を落ち着けた沢内幸江は、淡々とした手つきで急須に湯を入れ、茶碗にほうじ茶を注いでいった。

どうぞ、と草薙の前に白い茶碗が置かれた。いただきます、といって一口啜った。

「あの方、亡くなったそうですね」内海薫の前に茶碗を置き、沢内幸江がいった。「蓮沼、という方。優奈ちゃんの事件で捕まって、無罪になった方」

「御存じでしたか」

草薙の問いに、ええ、と彼女は小声で答えた。

「テレビはあまり見ないし、インターネットなんていうものにも興味はないんですけど、近所の人が教えてくれました。もう二十年も前の話なのに、世の中には親切な人がいるものですね」親切、といった口調に皮肉が込められていた。「今朝の電話で、警視庁の者ですと聞いた時、ああやっぱりうちにも来るのかと思いました」

申し訳ありません、と内海薫が謝った。

蓮沼寛一の死が数日前からネットを中心に話題になっていることは、草薙も知っていた。数か月前に殺人事件で逮捕されたが証拠不十分で釈放になった、という情報も知れ渡っているらしい。当然、二十三年前の事件の無罪判決に触れる書き込みも増えているだろう。それを目にした近所の「親切な」人間が、沢内幸江の耳に入れたというわけだ。

「蓮沼が死んだと聞いて、どう思われましたか」草薙は訊いた。

沢内幸江は冷めた顔を向けてきた。

「何とも思いませんでした。というより、あの人のことなんか何も考えたくなかったです。死のうが生きようが、どうでもいいです。もう一生、思い出したくなかったです。

あの男のために、どれだけの人間が不幸になったか。悲しい思いをしたことか――」

徐々に声が甲高くなり、顔に赤みがさしてきた。そのことに自分でも気づいたのか、俯いて、すみません、と囁（ささや）くように詫びた。

「お兄さんは……本橋誠二さんは六年前にお亡くなりになったとか」

はい、と白髪の婦人は頷いた。

「食道癌でした。最期は鶏ガラみたいに痩せちゃって……。でも、本人としては楽になれてよかったかもしれません。何の楽しみもない人生だといってましたから」

草薙の腹の底に重く沈む言葉だった。「そうなんですか……」

沢内幸江は室内をぐるりと見回した。

「事件のせいで、兄はすべてを失いました。こんな大きな家で、何年間も一人ぼっちで暮らしていたんです。六十歳になったのを機に、会社の経営から身を引き、老人用のマンションに移りました。でも先祖伝来の土地を手放すのは忍びないから住んでほしいといわれ、私たち夫婦が移ることにしたんです。うちは主人の方針で、ずっと賃貸マンションに住んでいたんですけどね。一人息子が独り立ちしたのを機に、田舎にでも引っ越すかと話していた矢先のことでした。二年前に主人が亡くなったので、今では私一人。寂しかったであろう兄の気持ちを、改めて嚙みしめているところです。もちろん実際の辛さは、私なんかの想像の及ばないものだったと思いますけど」

「お兄さん……本橋誠二さんと事件について話をされたことはありますか」

「無罪判決が出た直後にはいろいろと。裁判のやり直しを求める署名運動をしようか、なんてことも話しました。でも実現はしませんでした。そのうちに応援してくれていた人々も一人二人と離れていきました。兄には仕事がありましたし、何となくこちらから触れなくなっていったように思います。兄も自分からは話さなくなりましたしね」

「お亡くなりになる直前なんかはいかがでしたか」

さあ、と沢内幸江は首を捻った。

「いろいろと振り返っていたとは思うんです。たぶん事件のことを考えない日はなかったと思います。でも私たちの前では口にしませんでした。かえって辛くなると思ったんじゃないでしょうか」

彼女の話を聞き、草薙は鉛を呑み込んだように胃袋のあたりが重たくなった。大切な家族を奪われたというのに、誰も罰せられず、何ひとつ真実を知らないままに死んでいった本橋誠二の胸中は、もはや想像さえできなかった。

「率直にお伺いします」草薙は婦人の目を見ていった。「本橋誠二さんは、自らの手で恨みを晴らすというようなことは、考えておられなかったのでしょうか」

沢内幸江は虚を突かれたように、丸い眼鏡の奥の目を見開いた。その目を揺らしてから唇を開いた。

「それは優奈ちゃんの仇を討つ、あの蓮沼という男を殺すという意味ですか」

「そうです」

すると沢内幸江は小さく首を傾げ、斜め下に視線を落とした。やがて顔を草薙のほうに戻した。

「殺したい、といったことは何度かあります。でも実際に手を下すことは考えていなかったと思います。殺したいと口に出すのは、結局殺せないからだと思うんですけど」

「なるほど」

説得力のある答えだ、と草薙は思った。

「では、口には出していなかったけれど、あの人なら手を下すかもしれない――そういう人物にお心当たりはありませんか」

「仇討ちをしそうな人という意味ですね。いやあ、どうかしら」沢内幸江は先程よりも大きく首を傾げ、やがてゆらゆらと頭を振った。「私にはちょっと思いつきません。そりゃあみんな怒ってましたけど、やっぱり当事者ではないですから、そこまでは……」

そうだろうな、と草薙も思った。他人の子供の復讐を考える人間などいないだろう。

ちょっといいですか、と隣の内海薫が草薙に尋ねてきた。自分から質問してもいいか、という意味らしい。うん、と小さく頷いた。

内海薫が沢内幸江のほうを向いた。

「最近になって、優奈さんの事件を思い出す機会が何かありませんでしたか。誰かが何かいってたとか、どこかから問い合わせがあったとか」

質問の途中から沢内幸江は手を横に振り始めていた。

「最初にいいましたように、昨日、近所の人から蓮沼が死んだことを聞きました。それで久しぶりに嫌なことを思い出したんですけど、もう何年も、そういうことはありません」

「親戚の皆さんと事件について話すことなんかは……」

「もう二十年が経ちましたからね、当時のことを知っている者は少なくなりました。うちの息子などは小さかったですから、優奈ちゃんという従姉がいたこと自体を覚えていないようです」

「まだ御存命で、優奈さんを特にかわいがっていた方といえば、どなたでしょうか」

それは、といってから沢内幸江はにっこりと笑った。「私だと思います。何しろ優奈ちゃんが二歳になるまでは、まだこの家に住んでましたから。ユミコさんにとっては、行き遅れのうるさい小姑だったでしょうけど」

草薙は手帳を開き、本橋優奈の家族関係を確認した。母親の名前は由美子（ゆみこ）といった。旧姓は藤原（ふじわら）だ。優奈が行方不明になった一か月後に自殺をしている。

「ほかにはちょっと思いつきません。父も母も亡くなりましたし」

そうですかと答えてから、内海薫は草薙に頷きかけてきた。

「由美子さん——優奈ちゃんのお母さん側の御親戚はどうでしたか」草薙が訊いた。

「やっぱり、優奈ちゃんをかなりかわいがってたんじゃないですか」

いえそれが、と沢内幸江は小さく手を振った。

「由美子さんには親戚はいなかったみたいなんです。いえ、いたんでしょうけど、付き合いは全くなかったようなんです。何しろ、結婚式の披露宴でも親戚は一人も出席されてなかったですから。それどころか、御両親もきょうだいもいなかったんです」

「そうだったんですか……」

そんな女性が、将来親の会社を継ぐ男性と、どこでどうやって知り合ったのか気になったが、事件とは関係がありそうになく、ここで話題にするのは避けることにした。

草薙の上着の下でスマートフォンが震えた。着信表示を見れば岸谷からだった。ちょっと失礼、と沢内幸江に断って電話に出た。「どうした？」

「当時の捜査資料を一通り当たってみましたが、関係者の中に、今回の事件に関わっていそうな人物の名前は見つかりませんでした」

「そうか……。わかった、足立署に礼をいって引き揚げてくれ」そういってから電話を切った。岸谷には足立警察署で本橋優奈の事件を洗い直すように命じてあったのだが、収穫はなかったようだ。

「お茶のおかわりはいかがですか」沢内幸江が草薙の茶碗に向けて手のひらを出した。いつの間に飲んだのか、空になっていた。

「いえ、結構です。ところで本橋誠二さんの遺品はどうされましたか」

「大方処分いたしました。ただ、どう扱っていいか判断しかねる物もあり、それらはまとめてこちらに保管してあります」

「見せていただくことは可能でしょうか」

「構いませんけど、手伝っていただけます？　少々、重たいので」

もちろんです、といって草薙よりも先に内海薫が立ち上がった。

応接間に運び込まれた段ボール箱には、古いアルバムや書簡類がぎっしりと納められていた。草薙と内海薫は手袋をつけ、それらすべてに目を通すことにした。

アルバムは草薙が担当した。優奈と一緒に写っている人間がいたら、それが誰かを沢内幸江に尋ねるのだ。待望の子供が生まれ、本橋夫妻は嬉しかったのだろう。膨大な数の写真が残っていた。

優奈が小学校に上がった頃から、沢内幸江の知らない人物が優奈の周りに増えてきた。友達や友達の親だろう。教師と思われる人物も写っていた。

いくら子供時代に仲が良かったからといって、優奈の同級生が二十年後に復讐を目論むとは思えない。それを考えるとしたら、相当に繋がりの深い人物だ。

すべての写真をチェックし終えた時には、二時間近くが過ぎていた。書簡類を調べていた内海薫も、作業を終えている。手がかりになりそうなものは見つからなかったようだ。

席を外していた沢内幸江がコーヒーを運んできてくれた。

「やあ、すみません。長居をした上に、申し訳ないです」草薙は恐縮していった。

「気にしないでください。久しぶりに昔の写真を見られて、私も懐かしかったですから」そういってから彼女は、「少し辛くもありましたけど」と付け加えた。

「こちらのアルバムは？」内海薫は段ボール箱に残っている古いアルバムを手にした。表紙は革製だから、かなりの高級品だろう。

「優奈ちゃんが生まれる前のものらしい」草薙は答えた。

へえ、と頷きながら内海薫はアルバムをひっくり返し、後ろから開いていった。時間を遡って見ていく気らしい。

「由美子さん……でしたっけ。優奈ちゃんのお母さんって綺麗な人だったんですね」

「若くて健康的な人でした」沢内幸江がいった。「あの人が嫁いできてくれてから、家の中がぱっと明るくなりました。その頃はまだ母が生きていたんですけど、よくある嫁と姑の諍いなんてものはありませんでした。優奈ちゃんにとっても、本当にいい母親で……。だから優奈ちゃんが行方不明になった時には、気の毒なほどに自分を責めていたんです。近くのビルから飛び降りたんですけど、その少し前から様子がおかしくて、じつは心配していたんだと後で兄から聞きました」

話を聞き、草薙は一層暗い気持ちになった。不幸の連鎖、という言葉が頭に浮かんだ。

内海薫が、あっと声を漏らした。草薙が横から覗き込むとウェディングドレス姿の由美子とタキシードを着た本橋誠二の写真だった。二人は幸福そうに笑っている。

「兄は父の会社を継ぐことになっていたんですけど、若い頃は親会社で修行させられていました。その頃、由美子さんと知り合ったそうです」先程草薙が知りたいと思ったことを沢内幸江が教えてくれた。「結婚した時、兄は三十三だったと思います。由美子さんは二十四か五だったんじゃないでしょうか」

草薙は改めて結婚式の写真を見た。この時、由美子は天涯孤独の身だった——。

「由美子さんの御両親はいつ頃亡くなったんですか」

「お父さんは由美子さんが幼い頃に事故で亡くなった、といってましたね。お母さんが亡くなったのは高校に入ったばかりの頃だといっていたように思います」

「その後は施設か何かに？」

「いえ、そういう話は聞いたことがありません。いろいろなところに預けられていたと聞きましたけど」

「でも親戚はいなかったんですよね。誰の世話になっていたんでしょうか」

沢内幸江は、やや困惑の色を老いた顔に浮かべた。

「詳しいことは知りません。根掘り葉掘り尋ねるようなことではないと思ってましたから」

「そうですか……」

横では内海薫がアルバムのページをめくり続けていた。時代はさらに遡り、由美子の写真はなくなっていて、被写体は本橋誠二だけになっている。学生時代から少年時代にまで遡ると白黒写真ばかりだ。

草薙は段ボール箱の中を確認した。ほかにアルバムはない。

「嫁いでくる時、由美子さんは自分の写真を持ってこなかったんでしょうか」沢内幸江に尋ねてみた。

「そうみたいですね。荷物を整理していて気づいたんですけど……」

草薙は再びアルバムを見た。内海薫のページをめくる手は速くなっている。一番最初のページに貼られているのは、赤ん坊の写真だった。生まれたばかりの本橋誠二だろう。

おかしいな、と草薙は呟いた。

「由美子さんが高校生の頃までは母親がいたわけだから、写真を全く撮ってないなんてことは考えにくい。そして写真があるなら、この家に嫁いできた時に持ってきたはずだ。その写真はどこへ消えた？　本橋誠二さんが処分したのか？」

「そんなことはあり得ないと思います」内海薫がいった。

「そうだよな」

草薙は考え込んだ。二十三年前の事件の被害者は本橋優奈だけではない。本橋由美子もまた被害者なのだ。ならば、彼女の復讐を果たそうとする者がいても不思議ではない。もしかすると湯川がいう「ピース」とは、これのことではないのか。

内海、と呼びかけた。

「本橋由美子さん、いや旧姓藤原由美子さんの戸籍を調べてくれ。親戚縁者を片っ端からリストアップするんだ」

わかりましたっ、と女性刑事は頼もしい声で返事をした。

# 31

取調室で対面した人物は、前回に会った時とは別人のような顔をしていた。卑屈さは消え、仮面を被っているように無表情だ。腹を据えている、と草薙は感じた。今になって任意同行を求められた理由について、薄々察しがついているのかもしれない。心して掛からねば、と自分にいい聞かせた。

「お名前は？」

草薙の問いかけに、男はかすかに頬を緩めた。「御存じでしょう」

「あなたの口から聞きたいんです」

男は再び感情を打ち消した顔になった。「増村栄治です」

「お父さんのお名前は？」

父親は、といってから増村は深呼吸を一つして続けた。「いません」

「そんなことはないでしょう」草薙は両手に持ったＡ４の書類に目を落とし、改めて増村の冷めた顔を見た。「御両親はきちんと結婚しておられたようです。お父さんの名前は御存じのはずだ」

「イサムだったか、オサムだったか、そういう名前でしたけど、父親のことは覚えちゃいません。何しろ、ガキの頃に出ていきましたのでね」

「岡野勇さんです。たしかにあなたが六歳の時に御両親は離婚しておられます」

ふん、と増村は鼻を鳴らした。「調べが済んでいるのなら、いちいち訊かんでください」

「あなたの口から聞きたいといってるでしょ。お母さんのお名前は？」

「……貴美子です」

「名字は？」

「増村です」

「違うでしょ」草薙は手元の書類を指で突いた。「正直にお願いします」

「忘れちゃったんですよ」増村は面倒臭そうにいった。「古い話ですし、今じゃ縁もゆかりもないことですから」

「お母さんの名字は藤原。あなたが八歳の時に再婚されたんですよね。再婚相手は藤原康明という人でしたが、あなたは藤原さんの籍には入っていなかった」

ふじわら、といってから増村は薄笑いを浮かべた。

「そうだった、そうだった。藤原だ。久しぶりに聞いたなあ、その名字」

「藤原姓を名乗ったことはないと？」

「記憶にありませんね」

「養子縁組しなくても、父親の姓を名乗ることはできます。あなたの出身地は山梨県ですね。どこの学校を卒業したか、どういう名字で通っていたか、その気になればすぐに調べられるんですよ」

草薙の言葉に、増村は白けたように黙り込んだ。好きにしろ、とでもいいたいようだ。

「藤原康明さんは、結婚してから五年後に亡くなっていますね」草薙は書類を見ていい、顔を増村に向けた。「お気の毒なことだ。お母さん――藤原貴美子さんは、途方に暮れたことでしょうね」

増村は不快そうに眉をひそめた。

「そんな昔話に、どんな意味があるんですか。刑事さん、いいたいことがあるなら、さっさといってください」

「大いに意味があることは、あなたが一番よくわかってるんじゃないですか。それに、いいたいことがあるわけじゃない。聞きたいことがあるんです。何度もいわせないでください。――お母さんはどうやって生計を立ててたんですか」

増村は目をそらし、指先で眉の上を掻いた。

「よく覚えてませんがね、いろいろとやってたんじゃないですか」

「水商売とか？」

「まあ、そんなところです」

「苦労されたでしょうね。何しろ、二人の子供を抱えていたわけだから。しかも康明さんが亡くなった時、下の子は、まだ四歳だ」

増村の頬の肉がぴくりと動いたのを草薙は見逃さなかった。

「藤原由美子さん——由美子さんというのが妹さんのお名前ですね」

「そういう感じの名前でしたね、たしかに」抑揚のない声で増村は答えた。

「父親が違うとはいえ、九歳違いの妹だ。かわいかったんじゃないですか」

　さあ、と増村は首を捻った。

「歳が離れすぎてるし、おっしゃるように父親が違う。妹といわれてもぴんとこなかったですね。近所の女の子が家に遊びに来てる——そんな感じでしたね。俺にはあんまりなついてなかったから、俺も近づかないようにしてました」

「でも、子守はしておられたはずだ」

「子守？」

「お母さんが水商売に出ていたこともあったんでしょ？　夜は留守だったわけで、あなたが妹さんの面倒をみるしかない」

　増村は鼻の下を擦った。「どうだったかな。忘れましたね」

　草薙が手にしている書類は二枚あった。二枚目を上にした。そこには、増村が傷害致死で起訴された際に作成された資料からの抜粋が記されている。

「あなたの中学卒業後の経歴を話していただけますか」

「経歴？」

「高校には行っておられませんよね」

「はあ……神奈川県にある電機メーカーに就職しました」

「働いていた期間は？」

「十四年……かな」

「どうして辞めたんですか」

「辞めさせられたんです。クビになったんです。そんなことまでいわせる気ですか」

「傷害致死で有罪。懲役三年」

そうです、とぶっきらぼうに増村はいい捨てた。

草薙は手元の資料の内容を確認した。

当時増村は、新しいアパートに引っ越したばかりだった。やがて階下の住人としばしばトラブルを起こすようになった。物音がうるさいといわれたのだ。

ある夜、相手の男が突然やってきた。かなり酔っていて、片手にビール瓶を持っていた。何かわけのわからないことを喚きながら、殴りかかってきた。何かに当たって瓶が割れ、ガラスが飛び散ったが、それでも男は動きを止めなかった。

流し台に包丁が置いてあった。増村は無我夢中でそれを手にした。脅すだけのつもりだった。だが逆上した相手が襲いかかってきたので、咄嗟に突き出していた。

包丁は相手の腹に深々と刺さった。夥しい量の血が流れ、階下の男は間もなく倒れた。すぐに救急車を呼んだが、男は助からなかった。

以上が事件の概要だ。

「あなたの裁判で同僚だった人が次のように語っています。高度成長期真っ只中、工場の生産ラインは二十四時間動き続け、土曜日も休みではなかった。三交代制なので、日勤の二週間の後、夜勤が一週間続く。その一週間で、決まって体重が二キロほど落ちていた。その落ちた分を、日勤の二週間で取り戻す。その繰り返しだった。多くの従業員たちは、いかにサボるかを考えていたが、増村は弱音を吐かず、手を抜くこともなく、真面目に働いていた。そしてそんなふうにして稼いだ給料の大半を実家への仕送りに回していた――なかなか大変だったようですね」

　増村は空咳をした。「思い出したくもない古い話だ」

「就職してから約十年が経った頃、お母さん――貴美子さんがくも膜下出血で亡くなっていますね。妹の由美子さんは、まだ高校一年。あなたはどうしましたか？」

　増村は答えない。嘘をついたところで、すぐにばれるとわかっているのだろう。

「由美子さんを寮つきの女子校に転校させた」草薙は書類の記載内容を読んだ。「授業料、生活費、寮費、そのすべてを負担した。裁判資料には、あなたの当時の給料から試算すれば、手元にはごくわずかしか残らず、自らの生活が苦しかったのではないか、と記されています。由美子さん自身も証言しておられますね。兄は自分の生活を犠牲にしてでも私を守ろうとしてくれた、と」

　増村が、ふん、と鼻から息を出した。「作戦ですよ」

「作戦？」

「情状酌量（じょうじょうしゃくりょう）を狙って、弁護士がいろいろと仕組んでくれたわけです。たしかに高校卒業までは由美子の面倒をみましたけど、そこまでです。後はもう勘弁してくれってことで、兄妹の縁は切らせてもらいました」

「由美子さんは高校卒業後、千葉にある自動車メーカーに就職しておられます。でも裁判で由美子さんは、おまえは頭がいいんだから大学に進むべきだと兄は強く主張した、と証言しておられます」

だからそれは、と増村が声のトーンを上げた。「弁護士の作戦なんです。美談を増やそうという魂胆だったんです」

「その作戦に従って由美子さんは嘘の証言をした、と？」

「そういうことです。裁判とはそんなものですから」

「偽証してくれるとは、由美子さんは余程お兄さんのことを慕っておられたんですね」

うっと言葉に詰まったような顔を見せた後、増村は、違いますよ、と手を振った。

「自分のためです。身内に人殺しなんかが出たら将来に関わりますからね。少しでも軽い刑にしてもらわなきゃ困ると思ったんでしょう。それだけのことです」

「服役中、由美子さんが面会に来たことは？」

「ありません。あるわけないじゃないですか。刑務所に入って以後、由美子とは会っていません。向こうから連絡も来ません。そりゃそうですよね。誰だって前科者とはお近づきにはなりたくないや」

「あなたが、来るな、といってたんじゃないんですか。あるいは面会を拒んでいたか」

「何をいってるんです。そんなわけないでしょうが。完全に縁は切れてたんです。どこで何をしてるのか、お互いに全く知らなかった。そういうことです」これだけは譲れないという強い口調だった。

「由美子さんが亡くなっていることは知っていますね」

「えっ、そうなんですか」増村は目を丸くした。「全然知りませんでした。いつですか。病気か何かで？」

「自殺です。二十年以上も前ですが」

「へええ、そうなんですか。いやあ、知らなかったなあ。何しろ、全く連絡を取っていなかったもんですから」

徹底的にとぼけるつもりだな、と草薙は認識した。

由美子に優奈という娘がいたこと、その優奈を殺害した罪で蓮沼が逮捕されて結局無罪になったことを知っているかどうか、質問するつもりだったがやめた。この調子では本当のことは話さないだろう。

草薙は書類を置き、目の前にいる小柄な男を改めて見つめた。今やこの人物に対する草薙の評価は、初めて会った時から一八〇度変わっていた。

悪ぶってはいるが、じつは妹思いの善人なのだ。裁判での証言は、おそらくすべて事実だ。有罪にはなったが、傷害致死は不可抗力だったのだろう。

この人物なら、愛する妹が自殺に追い込まれて、黙っているわけがないと思った。その憎しみを、二十年近く、胸に秘め続けてきたとしても少しも不思議ではない。そしてこんな人物が、今回たまたま関係者の中にいたと考えるのは、あまりに非現実的だ。湯川が内海薫に話した、過去の事件と現在の事件を繋ぐ人物が、目の前にいる無表情な男であることは、もはや疑いようがなかった。

「ビジネスホテルでの生活はいかがですか」

草薙の問いかけに、増村は不意を突かれたような顔をした。やがて、ああ、と表情を和ませた。

「じつに快適です。できればずっと続けたいですね」

「間もなく御自宅に戻っていただけると思います。ただその前に家宅捜索をさせてもらいます。あなたの荷物をお預かりしますので、御了承ください」草薙は増村の目を見つめながらいった。「あなたにとって大切な人の写真がないかどうかも、徹底的に調べさせていただきます」

増村の顔が一際引き締まったように見えた。その目には何かを覚悟した光が宿っている。

どうぞ、と彼はいった。

「俺にとって大切な人間なんていません。だからそんな写真、一枚もありません。どうか気が済むまで調べてください」

# 32

「あの自信満々の態度は虚勢だとは思えませんでした。たぶん本当に、そんな写真は持ってないのだと思います」湯川の後ろ姿に向かって薫はいった。彼の手元からは電気ポットで湯を注ぐ音が聞こえてくる。

机の上には、薫が持参したキルホーマンの赤い箱が載っている。草薙から、「名推理の礼だ。手土産に気の利いたウイスキーでも持っていってくれ」といわれたのだ。

今日の昼間に行われた増村栄治の事情聴取について報告するため、湯川の部屋に来ている。草薙が質問する傍らで、薫は記録係をしていたのだった。

「その話を聞いたかぎりでは、かなり手強い相手かもしれないな」湯川が両手に紙コップを持ち、ソファのほうにやってきた。二つの紙コップをテーブルに置き、「ミルクは？」と訊いてきた。

「結構です。マグカップじゃないんですね」

「御覧の通り、この部屋には流し台がないからな。エコロジーには反するが仕方がない」

いただきます、といってから薫は紙コップのコーヒーを口に含んだ。どこにでも売っているふつうのインスタントコーヒーのはずだが、この物理学者に入れてもらったと思うと、少し特別な味がするように感じるのはなぜだろう。

紙コップを置き、改めて湯川を見た。「なぜ手強いと？」

「本当のことをいっているにすぎないのならば話は別だ。実際に増村栄治の服役後、兄妹は音信不通になり、そのままずっと交流が途絶えていたのならね。でも、君たちはそうは思っていないのだろう？」

「それはない、というのが私や係長の一致した見解です。自分の生活を切り詰めてでも、増村は由美子さんの学費や生活費を工面しました。深い愛情がなくてはできないことです。由美子さんにしても、裁判で証言した通り、強く恩義を感じていたことでしょう。弾みのような形で事件を起こしてしまったけれど、簡単に縁を切るとは考えにくいです。でも増村は妹を愛していたからこそ、彼女の将来を考えて、自分の存在を彼女から切り離そうとしたのだと思われます。自分たちさえ黙っていれば、彼女に犯罪者の身内がいることは記されていません。名字は違うし、由美子さんの戸籍に異父兄がいることはばれないと考えたのではないでしょうか。しかも将来が約束された男性との結婚も決まった。由美子さんとしては辛かったと思いますけど、増村の気持ちを受け入れることが恩返しだと割り切り、兄の存在を隠すことにした、というわけです」

「だから家族写真や兄妹で写った写真なんかを、嫁入り先には持っていかなかった、ということだな」

「そうです」

湯川は小さく顎を引き、コーヒーを少し啜った後、紙コップを置いた。

「ではその写真はどうしたのかな。結婚前に由美子さんが処分したのだろうか」

「そんなことはしないと思います。おそらく、増村に預けたんです」

「僕もそう思う。そしてそれらの写真は、増村にとっては何物にも代えがたい宝物だったことだろう。一枚や二枚は肌身離さず持っていたかもしれないし、どんなところに移り住もうとも、大切に保管していたはずだ。さらにそのコレクションは、由美子さんが結婚した後も増え続けたと思う」

湯川が何をいいたいのか、薫にもわかった。

「増村と由美子さんは、密かに会っていた、連絡を取り合っていた、ということですね」

「妹の幸せが、増村にとって最大の生き甲斐だったのだろうと思う。そして本橋優奈ちゃんという、まさに幸せの象徴といえる存在も生まれた。密会の場に、由美子さんが幼い娘を連れていったであろうことは容易に想像がつく」

「おそらく三人で写真を撮ることもあったでしょうね」

「何十枚もね。ところが増村は、そんな写真は一枚もない、気が済むまで探したらいいとまで断言している。それはなぜか？」

「捨てたから」

「そうだ」湯川は深く頷いた。「万一、本橋優奈ちゃんの母親は増村の妹だと警察が知ったとしても、今では全く付き合いはない、死んでいることさえも知らなかったと主張できるよう、事前に処分したんだろう。切れ端さえも見つからないよう、焼いたかもしれないな。二度と手に入れられない大量の宝物をだ。増村にはそれだけの覚悟がある。だからいったんだよ、手強い相手だと」

薫は頷き、息をついた。「たしかにそうですね」

背筋をぴんと伸ばし、草薙の強い視線を真正面から受け止めていた増村の姿を薫は思い出した。彼が全身から発していたのは、まさに不退転の決意を感じさせる気配だった。

「先日湯川先生は、今のままではパズルを成立させるピースが一つ足りない、そのピースは過去にある、とおっしゃいました。それが増村だということはおわかりだったのですか」

もちろん、と湯川は答えた。

「僕の推理が正しいなら、そうでないとおかしいと思った」

「だったらなぜ、教えてくださらなかったのですか」

湯川は、片方の眉を動かし、にやりと笑った。

「増村だとわかっていたら、もっと楽に調べられたのに……か？」

「楽をしたかったわけではないですが、そのほうが効率がよかったと思うんですけど」

「効率……か」湯川は意味ありげな笑みを唇の端に滲ませた。「僕がパズルのピースの正体を君たちに明かさなかったのは、得られる答えに客観性を持たせたかったからだ」

「といいますと？」

「もしピースは増村だと聞いていたらどうだ？　君たちは増村の経歴を徹底的に調べ上げ、そちらから二十三年前の事件との繋がりを見つけようとしたんじゃないか」

「それは……はい、おそらくそうだと思います」

否定はできなかった。

「その結果、正解に辿り着いたなら問題ない。しかし誤った答えに惑わされるおそれも十分にあった。二十三年前の事件が起きたのは足立区だったな。もし増村が、過去にたまたまその近くで働いていたりしたらどうだろう。君たちは喜び勇んで、当時の交友関係なんかを調べようとしたんじゃないか。増村に父親違いの妹がいることは、彼の母親の戸籍を調べなければ判明しないが、果たしてそこまでやっていただろうか。的外れな事柄を手がかりと思い込み、間違った道から抜け出せず、結果的に遠回りをしてしまうなんてことが絶対になかったといえるだろうか。どうだ、反論できるか」

薫は唇を軽く嚙んだ。悔しいが、湯川の指摘は正しかった。

「そうだった……かもしれません」

「学生の科学実験なんかでもよくある」湯川はいった。「大抵の場合、実験の結果がどうなるかは学生たちもわかっている。だから彼等は、好ましい結果が出るように作業を行う。時には計測器の目盛りを多めに読んだり、少なめに読んだりしながらね。それで狙いに近い結果が得られたら満足してしまい、自分たちが根本的なミスを犯していたことに気づかなかったりする。正しく実験が行われたかどうかを判断するには、どんな結果が出るかなんて、知らないほうがいいんだ。それと同様、パズルのピースの正体も明かさないほうがいいと僕は判断した。答えに客観性を持たせたかったというのは、そういうことだ」

湯川が事件捜査を科学の実験に喩えることは多いが、いつも以上に説得力があった。

「よくわかりました。係長にもそのように説明しておきます。先生のようにうまく話せるか、自信はありませんけど」

「がんばってくれ」

「もう一つ、訊きたいことがあります。なぜ増村が二十三年前の事件と関係していると思ったんですか」

「簡単なことだ。彼が今回の事件に関わっていなければ、僕の仮説は成立しない。犯人は、あの小部屋を死刑執行のガス室にしたのではないか、という仮説がね。成立させるにはいくつかの条件が必要だが、そのうちの三つを挙げよう」

「ちょっと待ってください」薫はバッグから手帳とボールペンを出し、メモを取る準備をした。「どうぞ、続けてください」

湯川はコーヒーを啜った後、人差し指を立てた。

「まず一つ目、蓮沼に睡眠薬を飲ませなければならない。二つ目、蓮沼が眠る場所は、あの小部屋の中でなければならない。三つ目、あの小部屋に外から鍵をかけられることを犯人は知っていなければならない。以上だ」

すらすらと湯川が話した内容を薫は走り書きした。「……はい、それで？」

「この三つの条件を満たせるのは増村だけだ。増村なら、蓮沼を油断させ、飲み物に睡眠薬を混入することは難しくない。ふだんから一緒に生活しているのだから、どこで寝るかを知っていて当然だ。そして最も大事なことが三つ目の条件だ。引き戸に鍵をかけられることなど、そこに住んでいる人間でなければ知り得ない」

薫は乱雑な字で手帳に書き込んだ文字から、物理学者の顔にゆっくりと視線を移した。

「いわれてみればその通りです」

「納得してくれたか」

「当たり前のことばかりで、何だかがっかりしました」

湯川が眉をひそめた。「期待を裏切ったのかな」

「そうじゃなくて、自分に失望したんです。なんでこんな簡単なことがわからなかったんだろうって。たぶん係長も悔しがると思います」

「それは君たちが、増村は事件とは無関係だと決めつけていたからだ。蓮沼が増村の部屋に転がり込んだのは本人の意思だし、二人が出会ったのは並木佐織さんが亡くなるよりも前だ。おまけに増村にはアリバイがある。早々に容疑者リストから外してしまっても無理はない」

「先生は、そうは考えなかったんですね」

「自分の仮説を成立させるためには必要な人物だからね。だが草薙によれば、増村と並木家に接点はないということだった。だから増村が蓮沼に殺意を抱く理由があるとすれば、その動機が生じたのは佐織さんが亡くなるより前だ。では同じ職場で働いていた頃の話か。しかし二人の間にトラブルがあったのなら、蓮沼が転がり込むようなことはないだろう。そこで発想を転換させてみた」湯川は差し出した右の手のひらをくるりと裏返した。「そもそも、増村と蓮沼が出会ったのは偶然なのか。もっと以前から増村は蓮沼を殺す動機を抱えていて、居所を捜していたのではないか。ようやく見つけたので、同じ職場に潜り込み、蓮沼に近づき、復讐の機会を窺っていた。ところがそれを果たせぬうちに蓮沼がいなくなってしまった。しかし数年後、思わぬ形でチャンスが訪れた。なんと蓮沼のほうから近づいてきてくれた。そこで今度こそはと積年の恨みを晴らすことにした、というわけだ。さて、もしそうであれば、積年の恨みとは何か」

「それで優奈ちゃん事件に関わっているだろう、と」

「僕の仮説が正しいなら、それしかないと思った」湯川は悠然とした態度でコーヒーを飲んだ。論理的に導き出した答えだから、正しさが証明されても特に驚きはない、とでもいいたげな表情だ。

「アリバイについては、どうお考えですか」

「嘘はついていないだろう。増村は共犯であって、直接には手を下していない」

「主犯は別にいる、ということですね」

「まあ、そうなんだが」湯川は紙コップを置き、ため息をついた。「問題はそう単純ではなさそうなんだ。白状すると、仮説はまだ未完成だ。肝心な部分の謎が解けていない」

「どういうことですか。犯行方法について、わからないことがあるんですか」

「いや、それはたぶん間違いないと思う」湯川の口ぶりからは自信が感じられた。

「例の、あの小部屋をガス室にするというアイデアですね」

「そうだ」

「ヘリウムガスの問題はどう考えればいいんですか。大量のヘリウムが必要だとおっしゃってましたけど」

「それを説明する前に、例の結果を聞きたいな。鑑識に確認しておいてくれと頼んであったことだ。答えは聞けたのか」

「結果を記したレポートをいただいたので、コピーを持ってきました」薫はバッグから折り畳んだコピー用紙を取りだし、湯川の前に置いた。

湯川は指先で眼鏡の位置を直してから、それを手に取った。記された文字を見つめる目は科学者のものだった。

「いかがでしょうか」薫はおそるおそる尋ねた。「鑑識の担当者は、なぜ湯川先生がそんなことを知りたがるのか不思議がってましたけど」

真剣そのものだった湯川の口元が、不意に緩んだ。目も笑っている。

素晴らしい、と物理学者はいった。

「鑑識に、実験してもらう必要があるな。もちろん僕も立ち会おう」

## 33

若き鑑識課員が、いつかの湯川のように引き戸の横で片膝をつき、ドライバーを使っている。引き手金具を留めてあるネジを回しているのだ。

ネジをすべて取り除くと、鑑識課員は引き戸の表と裏に付いていた引き手金具を両方外した。湯川がいうところの「ユダの窓」が開かれたわけだ。

内海薫が横から覗き込んだ。「本当ですね。向こうが見通せます」

「そこがポイントだ」草薙の横にいる湯川がいった。「問題は、その小さな四角い穴に、どれだけの太さのものを通せるかだ」

「その大きさなら大丈夫だと思います」そう答えたのは、一緒に作業を見守っている鑑識課の島岡という主任だった。今日の実験の責任者でもある。理知的な顔つきだが、日に焼けているのは、屋外の活動が多いからだろう。

増村栄治の狭い住処で、ある実験が行われようとしていた。かなり大がかりなものではあるが、鑑識課員以外で立ち会うのは、草薙と内海薫、そして湯川だけだ。実験の様子はいくつかのカメラで撮影し、間宮たちには後から報告することになっている。

若手鑑識課員が引き戸のそばから離れたので、草薙は犯行現場となった小部屋の中を覗いた。ここでのセッティングは完了している。

床にはレジャーシートが敷かれ、その上にマットレスと布団が重ねられている。さらには人形が横たえられていた。聞けば車の衝突実験などに使用される特殊な人形で、重量なども人間とほぼ等しいという。

「遺体発見時の状況を、ほぼ再現してあるはずです。マットレスも布団も、全く同じものです」島岡がいった。「被害者が使用していたのは、レンタルされたばかりのものだったということですから、新品のものを用意しました。それでいいですね、湯川先生」

「重量は？」

「大丈夫、測ってあります」

「それなら結構です。ありがとうございます」

「何のために重量を？」草薙は湯川に訊いた。

「後で説明する」学者の答えは素っ気ない。

草薙は室内を見回した。遺体発見時にはなかったはずのものがいくつかある。二箇所にカメラがセットされ、二〇センチほどの見慣れない四角い機器も、あちらこちらに置かれている。そのうちの一つは人形の近くにあった。

「あの機械は何ですか」草薙は島岡に訊いた。

「酸素濃度計です。人が中に入って観察するわけにはいきませんからね。映像や濃度計の数値は、外でモニタリングできるようになっています」そういって引き戸の横に置かれた机を指した。そこにはノートパソコンが二台並べられている。

先程の鑑識課員が戻ってきて、島岡に何やら報告した。島岡は頷き、草薙たちに顔を向けてきた。

「準備が整ったそうです。いつでも実験を始められます」

草薙は湯川と顔を見合わせた。湯川が無言で頷いたので、「始めてください」と草薙は島岡にいった。

二人の鑑識課員が、取っ手の付いた円筒形タンクを運びながら入ってきた。高さは六〇センチ、直径は三〇センチといったところか。上部にはゴム球のようなものと特殊なホースが取り付けられている。彼等は慎重にタンクを部屋の中央に置いた。

「部屋の換気には気をつけて。窓と入り口のドアを開放しておきましょう」湯川がいった。

彼の指示通り、窓とドアが開け放された。そして島岡は小部屋の引き戸を閉めた。

「では始めましょうか」

その前に、と湯川がいった。「この場で、ほんの少しだけ床に出してもらえますか」

「ここで、ですか」島岡が確認する。

はい、と湯川は答えた。「どういう現象が起きるのか、草薙たちに直に見せておきたいので」

わかりました、といって島岡は部下に頷きかけた。

若い鑑識課員がホースの先端を下に向けたまま、いくつかのバルブを操作し、さらにタンクの上にあるゴム球を押しつぶした。するとホースから床に向かって、白い蒸気と液体が噴出した。

しかし床は濡れない。液体は瞬時に消失していた。

「液体窒素だ」湯川がいった。「沸点はマイナス一九六度。床にこぼしても、熱したフライパンに水滴を垂らすようなもので、このように一瞬にして気化する。ではこの液体窒素を」引き戸を指差した。「あのユダの窓を通して、閉ざされた小部屋に大量に流し込んだらどうなるか？」

「どうなるんだ」草薙は訊いた。

「それをこれから検証するんだ」

お願いします、と湯川は島岡にいった。

島岡の指示で、鑑識課員たちが作業を始めた。一人はタンクを引き戸のそばまで運び、ホースを例の四角い貫通穴に通した。もう一人は二台のノートパソコンを操作した。一方のモニターには室内の様子が映り、もう一方にはデジタル数字とグラフが表示された。

湯川が、パソコンを操作している鑑識課員の後ろに立ったので、草薙たちも倣った。

「では始めます」島岡がいい、タンクのそばにいる部下に合図を送った。

鑑識課員が、先程と同じようにタンクの上部についたゴム球を何度か押しつぶした。

すると室内を映しているモニター画面に早くも異変が起きた。

真っ白な靄(もや)が立ちこめているのだ。そのせいで床に敷いたレジャーシートやマットレス、布団さえ、かすんで見えにくくなっている。

「液体窒素によって空気中の水蒸気が冷やされ、細かい水の粒子となって浮かんでいる。いわば部屋の中に雲ができたようなものだ」湯川が説明した。

内海薫が、「あっ、ドアの隙間から……」と呟いた。

草薙も見た。隙間から白い煙が漏れてくる。しかしすぐに消えていく。そのことをいうと、「こっちは気温が高いから、また水蒸気に戻る」当たり前のことを訊くなとばかりに湯川が早口でいった。

しばらくして湯川は、「酸素濃度はどうですか」とパソコンに向かっている鑑識課員に訊いた。

「部屋の上部は、まだあまり変わりませんが、人形の近くは、あっという間に一八パーセントを切りました。間もなく一七パーセントも切りそうです」鑑識課員が答えた。

「酸素濃度一六パーセントで、頭痛や吐き気などの自覚症状が出ます」島岡がモニターを見ながらいった。「一二パーセントを下回れば目眩(めまい)が起き、一〇パーセントを切れば意識障害を起こします」

それから約十分後、人形のそばに設置された酸素濃度計の数値は六パーセントにまで低下していた。

「呼吸停止に陥る数値だ。——このタンクの容量は？」湯川が島岡に訊いた。

「二〇リットルです。ほぼ満タンにしてありました。後で重量を測ってみますが、それほどは残ってないと思います」

湯川は頷き、草薙たちのほうを見た。

「液体窒素が気化すれば、体積が約七百倍になる。二〇リットルの七百倍は、一万四〇〇〇リットルだ。部屋の容積は約一万リットル。オーバーフローした分がドアの隙間から押し出されていくわけだが、元にあった空気と気化した窒素とが瞬時に混ざることはないから、室内の酸素濃度は場所によって違ってくる。今の実験でわかるように、部屋の下部のほうが先に薄くなるようだ。眠っていたり、仮に起きていても酸欠のせいで倒れたりすれば、呼吸停止に至る可能性は高い」

「凶器はヘリウムじゃなかったというのか」草薙はいった。

「発見されたヘリウムボンベはフェイク、捜査を攪乱させるための目くらましだった。そのことについては、僕も謝らなければならない。ヘリウムが犯行に使われたんじゃないかと最初にいいだしたのは僕だからな」

「なぜ液体窒素だと思った？」

「草むらから見つかったヘリウムボンベがフェイクだと仮定し、では実際に犯行に使われたのは何かと考えた。工業用高圧ヘリウムボンベか？　すると内海君がヒントをくれた。彼女はこういった。なぜ犯人はヘリウムに拘るのか、と。そこでぴんときた。犯人は凶器がヘリウムだと捜査陣に思わせたいのではないか。ヘリウム自体がフェイクではないか。ではヘリウムに代わるものといえば何だ？」湯川は口元を緩め、液体窒素が入っていた容器を指差した。「この世界に最も多く存在する不活性ガス、その名は窒素。しかも液体にすれば、たったの二〇リットルで済む」そういってから顔を内海薫に向けた。「この仮説が正しいかどうかを確認するため、内海君に、あることを確認してもらった」

何だ、と草薙は女性部下に訊いた。

「遺体発見時に、マットレスと布団に含まれていた水分量です」内海薫は答えた。

草薙は眉間に皺を寄せた。「水分量？」

「さっきの映像を見ただろ」湯川がいった。「室内に液体窒素が注ぎ込まれると、空気中の水蒸気が白い靄となって漂う。気温が上がれば再び空気中に溶け込むが、液体窒素は注がれ続け、部屋の気温は上がらない。室内は雲の中にいるのと同じ状態が続く。すなわち、極めて結露しやすい環境になるわけだ。そんなところにマットレスや布団を放置しておいたらどうなると思う？」

「大量の水分を含む、というわけか」

「鑑識さんに確認したところ、たしかに通常の使われ方をしていたにしては湿っている、つまり水分量が多い、とのことでした」内海薫がいった。「コップ半分ほどの水を余分に含んでいる可能性がある、とか」

島岡主任、と湯川が鑑識責任者に声を掛けた。「中の様子を見せてもらっていいですか」

「わかりました。でも念のため、もう少し離れていてください」

島岡に言われ、草薙たちは引き戸から離れた。鑑識課員の一人が引き戸を開いたが、すぐには中へ入らない。まだ酸素が薄い状態だからだろう。

冷気が草薙たちのところまで漂ってきた。ぶるる、と一瞬身体が震えた。

「涼しい……というより寒いほどですね」内海薫がいった。

「当然だ。何しろマイナス一九六度の液体窒素二〇リットルが気化したんだからな」湯川が話しだした。「昔、北海道の研究施設で痛ましい事故が起きた。低温実験室の機械が故障して、室温が上がり始めたんだ。研究者たちは急いで室温を下げようとして液体窒素を大量に床に撒いた。余程あわてていたんだろうな、部屋の換気を忘れていた。結果、彼等は窒息死した」

「そんなことがあったのか」草薙は全く知らない話だった。

「外出先から戻ってきた増村が引き戸を開けた瞬間も、これと同等の状況だったはずだ。彼は液体窒素の危険性はわかっていたはずだから、引き戸を開けた後も、すぐに部屋に入ったりはしなかっただろう」

パソコンのモニターを睨んでいた鑑識課員が、「酸素濃度が二〇パーセントを超えました」といった。

島岡が湯川に頷きかけた。「先生、どうぞ」

湯川が部屋に入っていく。草薙も、その後に続いた。

室内の様子は、特に変わっているようには見えなかった。白い靄は、すでに消えている。

湯川は足元を見て立ち止まり、ポケットから革手袋を取り出した。それを嵌めてから腰を屈め、何かを拾い上げた。

何だ、と草薙は訊いた。

湯川は手袋に載せたものを見せた。白くて薄い煎餅のようなものだ。

「液体窒素が一箇所に集中して注がれたから、この部分だけが極端に冷やされた。そのために水蒸気だけでなく、空気中の炭酸ガスも凍らされたんだろう。これはドライアイスだ」

「鑑識からは、そんなものが見つかったという報告は受けていない」

「当然だろう。増村が処分したに決まっている」

「そうか……」

湯川はドライアイスを手に持ったまま、壁を触ったり、腰を屈めて床に敷かれたレジャーシートを見つめたりしている。

どうだ、と草薙は訊いた。「ほかに何か気づいたことはあるか」

湯川は身体を起こし、眼鏡の位置を直した。

「何度もいうようだが、ポイントは空気中の水蒸気がどうなるかだ。その時の状況――温度、湿度、密閉度などによっても違うと思うが、レジャーシートに水滴が残るようなことも起こりうるのではないかと考えていた。しかし見たところ、そういうことはない。壁が若干湿り気を帯びているようだが、不自然というほどではない。それに現場検証が行われた頃には、ある程度乾燥し、元に戻っていたかもしれない。――いかがですか、島岡主任」

島岡たちはマットレスと布団を紐で縛り、デジタル表示の吊りばかりで重さを測っているところだった。

「実験前の重さは、二つ合わせて六・三キロでした。それが六・四キロに増えています。約一〇〇グラムの増量です」

「水にして計量カップ半分。現場に残されていたマットレスや布団の状態と一致する」そういって湯川は草薙のほうを向いた。「仮説の立証に、一歩近づいたようだな」

## 34

戸島修作が経営する『トジマ屋フーズ』に対する捜索差押許可状が発行されたのは、液体窒素による実験が行われた翌日のことだ。草薙自らが指揮を執り、内海薫や岸谷らを連れて社長室に入った。

令状を見せられた戸島は、大きく身体を仰け反らせ、「どういうことですか」と甲高い声を上げた。「うちの会社が殺人事件に関与しているというんですか？　うちはただの食品加工業者です。悪いことなんかしちゃいません」

「だったら何も問題ないじゃないですか。捜査に御協力ください」令状を懐にしまいながら草薙は告げた。

捜索のきっかけとなったのは湯川の言葉だった。液体窒素の実験後、彼は次のようにいったのだ。

「犯行に使われたのはヘリウムではなく液体窒素ではないかと思いついた時、同時に重要なことに気づいた。液体窒素ならば、容易に調達できる人間が並木家の周辺にいるではないか、と。店主の幼馴染み、戸島社長だ。あの人の会社では冷凍食品を扱っている。食品を凍らせる装置には様々なタイプがあるが、近年では液体窒素を使った急速冷凍システムが注目されている。もしかするとあの会社でも採用されているのではないかと考えた」

そこで確認するため、湯川は戸島本人に直接尋ねたのだという。

「内海君が研究室に来た日の夜だ。あの人が現れそうな時間を狙って『なみきや』に行ったんだ。うまく相席になれたので、冷凍機について質問した。予想通り、『トジマ屋フーズ』では、液体窒素を使った冷凍システムも取り入れていた。主にデザート類の冷凍に用いるそうだ。ただし、かなりしつこく質問したから戸島社長に怪しまれたおそれがある。知り合いに刑事がいることを夏美さんに話してしまっているので、今や僕は彼等にとって要注意人物かもしれない。そういえばこのところ、『なみきや』に行っても常連客の顔を見ないな」

重大な情報だった。

警察官ではない湯川にそこまで骨を折ってもらったとなれば、草薙としてものんびりはしていられない。すぐに戸島の会社を捜索する手続きを執ったのだった。

捜索終了から約八時間後、草薙は内海薫や岸谷と共に菊野警察署の会議室にいた。間宮に成果を報告するためだった。

「聞き込みの結果、今年の三月頃、『トジマ屋フーズ』で液体窒素による事故が起きていたことがわかりました」草薙がメモを見ながらいった。「自動の冷凍機を使うのではなく、従業員が食品に液体窒素を直接噴霧(ふんむ)している時、気を失って倒れたそうです。換気が悪かったのが原因だったとか。幸いその従業員は命に別状がなかったとのことですが、ひとつ間違えれば死に至っていたおそれがありました」

「その事故をヒントに今回の犯行を思いついたと？」間宮が問う。

「思いついたのが戸島なのか、この話を聞いた誰かなのかはわかりませんが」草薙は慎重にいってから、内海、と隣にいる部下に指示した。

内海薫がノートパソコンを操作し、モニターを間宮のほうに向けた。工場の入り口が映っている。

「『トジマ屋フーズ』の工場の入り口に設置されている防犯カメラの映像です。この工場には液体窒素を使った冷凍機があります。これはパレードがあった日の映像です。御覧の通り、時刻は十三時頃です。日曜日なので休業のはずですが、このように搬入口が開いています」

彼女がキーボードを叩くと映像が動き始めた。工場の搬入口から一台のライトバンが中に入っていく様子が捉えられている。それを見て間宮が、おっと声を漏らした。

「少し早送りをします」そういって内海薫は映像を進めた。時刻は十三時二十分、今度は先程のライトバンと思われる車が搬入口から出ていった。

「運転手の顔は確認できないのか」間宮が訊いた。

「この映像ではできませんが、ほかの映像があります」草薙は内海薫に目配せした。

女性部下が別の映像をモニターに映した。数台のライトバンが並んでいる駐車場だ。

「『トジマ屋フーズ』の営業車用駐車場です」内海薫が説明した。「先程の時刻より少し前です。表示は十二時五十六分になっています」

映像が動きだすと、間もなく左端からジャンパー姿の男性が現れた。やや小太りだ。一台のライトバンに乗り込み、発進させた。

内海薫は映像を少し戻し、静止画にしてから男性の顔を拡大させた。

草薙は用意しておいた一枚の写真を間宮に見せた。戸島修作の免許証から取り出したものだ。「同一人物と考えて、間違いないと思われます」

間宮は目を細め、写真を見た。「戸島が自分の工場から液体窒素を持ち出したわけか」

「その可能性が高いかと」

「証拠はあるか」

「貯槽タンクの残量は毎日管理されています。金曜日と月曜日の間に、約二〇リットル程度が減っています。液体窒素は常に何パーセントかは蒸発しているそうですが、これほど減ったことはない、というのがタンクの管理者の話です」

「なるほど。しかし決定的とはいえんな」間宮は仏頂面でいった。「ライトバンの行方は追えてるのか」

それが、といって草薙は岸谷のほうに顎を突き出した。

「付近の防犯カメラの映像を当たっていますが、今のところ問題のライトバンは確認できていません」岸谷が間宮に向かっていった。「また幹線道路のNシステムにも引っ掛かってきません」

「それらのNシステムに引っ掛からず、工場から犯行現場に行くルートはないのか」

「かなりの大回りをすれば可能ですが、そんなコースを選ぶ理由がありません。どこにNシステムがあるのか、民間人は知らないはずですから」岸谷はいった。

それに、といって内海薫が再びキーボードを操作し、駐車場の映像を進めた。先程のライトバンが戻ってくると、戸島らしき人物が降りてきて、立ち去った。

「時刻は十三時五十一分です。工場を出たのが十三時二十分でしたから、その間は約三十分。犯行現場まで最短ルートを通っても片道十分以上はかかります。遠回りをしたとは考えられません」

間宮は腕組みをし、草薙のほうを向いた。「戸島にアリバイは？」

「あります」草薙は即答した。「午後三時頃から町内会の知り合いたちと一緒にいました。たまに外すこともあったようですが長い時間ではありません。夜まで一緒にいて、その後、『なみきや』に行っています。裏も取れています」

つまり、と間宮は呟いた。「いずれにしても戸島は主犯ではないわけだ」

「違うと思います」草薙はいった。「ライトバンで液体窒素を持ちだした後、どこかに置いてから、工場に戻った。その液体窒素を何者かが運んだ、と考えるのが妥当でしょう」

「それが主犯か。一体誰だ」

「わかりません。最も有力なのは並木祐太郎ですが、御存じの通り、完璧なアリバイがあります。増村にしても然り」

間宮は再び低く唸り、両手を頭の後ろに回すと、椅子の背もたれに体重を預けた。

「あの人……ガリレオ先生はどういってる？　いつものような名推理は出てこないのか」

「とりあえずの解、というのは聞きました」

「何だ、それは？」

「かなり突飛な推理ではありますが……」

それは、戸島の工場で液体窒素を扱っていることを話した後、湯川が披露したものだった。彼もまた戸島は主犯ではないだろうと断じていた。

「増村は共犯、戸島社長もおそらく共犯。では共犯は、この二人だけだろうか。たとえば高垣智也君にはアリバイがあるようだが、三十分程度の空白の時間は存在するんだろ？　彼は、その三十分をどのように使ったのだろうか。また草むらで見つかったヘリウムボンベがフェイクであるなら、犯行はボンベが盗まれた午後四時半以前であった可能性もあるわけで、新倉夫妻のアリバイは完璧ではなくなる。これらの事実に何らかの意味はないのだろうか」

湯川の指摘は、まさに青天の霹靂(へきれき)だった。物理学者は、今回の犯行には多くの人間が関わっている可能性があるといっているのだ。

ところが彼は、「しかしこれは、とりあえずの解だ」と続けた。

「僕は彼等のことをある程度は知っている。皆、善良で平凡な市民だ。並木佐織さんのことを好きだったことはわかるし、蓮沼を憎む気持ちが強かったのも事実だろうが、人殺しに荷担するとはどうしても思えないんだ。仮に共犯が十人いたとしても、それぞれの良心の呵責が十分の一になるわけではない。だから仮説を完成させられないでいる」

沈痛な表情で湯川が語った内容は、草薙にも合点がいくものだった。たしかに大勢の人間が計画殺人に合意するというのは考えにくい。

話を聞いて間宮も、同感だな、といった。

「複数の共犯が存在するという説は興味深いが、殺人などという大それたことで一枚岩になれるとは思えない。発覚した時のリスクが大きすぎる」

「でも増村や戸島が共犯であることは、ほぼ確実だと思われます。何かが彼等を結びつけているわけです。それは並木祐太郎以外には考えられないのですが……」

「肝心のその人物にはアリバイあり、か」間宮は腕組みをした。「堂々巡りだな」

「突破口を見つけられるとしたら、これです」草薙はパソコンのモニターを指差した。画面には『トジマ屋フーズ』の駐車場に止められたライトバンが映ったままだ。「実験により、犯行には約二〇リットルの液体窒素が必要だと判明しています。一般的な容器の高さは六〇センチ以上で直径約三〇センチ、充塡時の重量は二五キロほど。戸島がライトバンで工場から持ちだした後、誰がどうやって犯行現場まで運んだか、です」

「ヘリウムボンベが液体窒素に変わったわけだな。いずれにせよ、犯人は大きな荷物を移動させたということか。しかし今のところ、そういう人間は見つかっていないのだろう？」

「これまではヘリウムボンベが盗まれた公園周辺の防犯カメラに拘っていました。また盗まれた午後四時半以降を重視していました。今後は場所も時間帯も広げて、聞き込みや防犯カメラ映像の解析をしていきたいと思います」

　草薙は力強くいいきったが、その胸に不安な気持ちが残留していることは認めざるをえなかった。あの湯川でさえ仮説を組み立てきれていないのだ。この捜査が本当に的を射たものなのかどうか、まるで自信が持てなかった。

## 35

薫が草薙から教わった店は、菊野駅から徒歩で十分ほどのところにあった。細い脇道に面した小さなビルの一階だ。賑やかな商店街からは少し離れており、こんなところで商売になるのだろうかと心配になるが、何十年も営業を続けているとのことだから、『なみきや』と同様に常連客に支えられているのかもしれない。

ダークブラウンの重厚な扉を開け、店内に足を踏み入れた。右側のカウンターにマスターと思われる白髪頭の男性がいて、いらっしゃいませ、と挨拶してきた。彼の背後には様々な酒が並んでいる。ガラス瓶が照明の光を適度に反射させ、それだけでも十分な装飾となっていた。

テーブル席はカップルで埋まっていた。カウンターにもカップルが一組座っている。彼等から離れて、一番隅の席に薫の待ち合わせ相手はいた。

「お待たせしてすみません」薫は小声で詫びながら湯川の隣に座った。

湯川はスマートフォンを懐にしまい、タンブラーを手にした。「そんなに待っていない」

マスターが近づいてきたので、薫はノンアルコールのモスコミュールを頼んだ。

「この後、また警察署に戻るのか」

「はい、報告書を書かなきゃいけないので」

「大変だな」湯川が飲んでいるのは、どうやらハイボールのようだ。「捜査が行き詰まっているのか」

「よくおわかりですね」

「人を呼びだしておいて、手土産もないようだからな」

すみませんと謝ってから、薫はため息をつき、首を傾げた。「捜査の方向は間違ってないと思うんですけど」

「戸島社長はどうだ。貯槽タンクの液体窒素が減っていることは草薙から聞いたが」

「自分には心当たりがない、といい張ってます。パレードの日にライトバンで工場を出入りしたり、会社の外に出たりしたことは認めています。冷凍機の点検をして、そのままパレード会場に行こうと思ったけれど、ライトバンを駐車するところがないかもしれないと思い、会社に戻ったんだといっています。実際、パレードのスタート地点付近で、『トジマ屋フーズ』の車を見たという目撃情報もあるんです」

湯川は、ふっと息を吐いた。「言い訳として成立していないわけではないな」

「でも不自然です。点検なんて部下にさせればいいし、日曜日にする必要がないし」

「大きなお世話だ、といわれたらそれまでだ」

「それはそうですけど……」薫は口ごもる。

マスターがモスコミュールの入ったタンブラーを薫の前に置いた。半分にカットされたライムが浮いている。一口含むとさわやかな香りが広がった。

「増村は依然として口を割らないのか」

湯川の問いに薫は力なく頷いた。

「今の会社に入ったのは、前科者でも雇ってもらえると聞いたからで、蓮沼がいたことなんか知らなかった、それ以前に二十三年前の事件自体を知らないと主張しています」

「増村の以前の職場は調べたのか」

「もちろん捜査員が聞き込みに行っています。建設会社の下請け業者です。従業員の出入りが激しいところらしく、増村のことなんて覚えている人間すら少ないとか」

「そうだろうな」湯川の口調は、予想通り、といわんばかりだ。「そこが脆弱だと彼等の計画は台無しになる。増村は何としてでも、自分と二十三年前の事件との関わりについては否定する気だろう」

「彼等の計画……彼等とは誰でしょうか。増村と戸島、それからやっぱり並木家の人々や高垣智也さん、新倉夫妻が怪しいと考えておられますか」

「それを考えないほうが非論理的だろう」

「でも並木さんたちにはアリバイがあるし、高垣さんたちの姿はパレード会場周辺の防犯カメラに映っていて、大きな荷物なんて運んでいないことが確認されています。戸島社長がライトバンで会社の外にいた時間から逆算して、液体窒素を運んだとしても、パレード会場までがせいぜいです。その後、誰がどうやって犯行現場まで運んだというんですか」

「それを調べるのが君たちの仕事じゃないのか」

「総力を挙げて調べています。湯川先生はシートボックスって御存じですか」

「シートボックス？　いや、知らないな。電車のボックスシートなら知っているが」

「宅配便の配達員たちが台車に載せて使う、ビニールシートの四角い大きな箱です。中に荷物を入れて運びます。雨が降っても濡れないし、荷物が転がり落ちるのも防げます。街で見かけたことがあるんじゃないですか」

「ああ、あれのことか」湯川は合点したらしく首を縦に振った。「よく見かける」

「パレード当日も、配達は行われていました。防犯カメラに、ちょくちょく映っているんです。それらのすべてについて、宅配業者に問い合わせ、実際に荷物が配達されたかどうかを確認しています。犯人が配達員を装って、液体窒素を運んだかもしれないと考えたからです」

「なるほど。それは草薙の指示か」

「そうですけど」

湯川は笑みを浮かべ、ハイボールを飲み干した。「なかなかいい警部になったようだな」

「その言葉、係長に伝えたほうがいいですか」

「必要ない」

「とにかく、そこまで徹底的にやっているんです。私、あの日のパレード自体は見ていませんけど、会場でどんなふうに人が流れていたか、見物客たちがどれだけ楽しんでいたか、すべて把握しています。何しろ、あらゆる場所の防犯カメラの映像を見ましたから。そこまでやっても犯人がどうやって液体窒素を運んだのかわからないから、こうしてお会いしているんです」

「僕に推理しろとでも？」

薫は両手を膝に置き、湯川のほうに身体を捻った。「先生なら謎が解けるはずです」

「非論理的なことをいうんじゃない」そういってから湯川はマスターに声をかけてタンブラーを指し、同じ物を、と注文した。

薫は頭を掻きむしった。「何か見落としているのかなあ……」

「そうかもしれないな。いや、たぶんそうなんだろう。そういう時には視点を変えてみることが大事だ」

「視点ね……」冷えたモスコミュールで口の中を潤して頬杖をつき、ウイスキーのソーダ割りを作っているマスターの手元を眺めた。それから視線を彼の背後に並んだ酒瓶に移した。一番下の棚の隅に小さなカエルの置物が飾られているのが目に入った。

なぜカエルが、と不思議に思ったが、すぐに気づいた。つい笑みが漏れた。

どうした、と湯川が訊いてきた。

あれです、と薫は置物を指した。「名前を知っていますか？」

湯川が置物を見て、ふんと鼻を鳴らした。「キクノンだろ？　パレードのマスコットキャラクターだ」

「どうかと思うデザインですよね。カエルにしか見えないんですけど」

マスターが湯川の前に新しいハイボールを置いた。「お客さんの忘れ物です」

「あっ、そういうことか」湯川が得心したようにいった。「道理で場違いなものが置いてあると思った」

「捨てるわけにもいかなくて困ってるんですよ。思い出して、取りに来てくれたらいいんですけどね」そういってマスターは離れていった。

薫はキクノンの置物を見つめた。パレードでは、これの巨大バルーンが最後に出てきたらしい。バルーンの中身はヘリウムで、膨らませるには高圧ボンベが何本も必要だという話だった。

あっ、と口から少し大きな声が出てしまった。

「今度は何だ」

いえ、と薫は小さく左手を上げた。

「もしかして、というアイデアが思いついたんですけど……ごめんなさい。だめでした」

「何がだめなんだ」

「だから全然だめなんです。そんなことあるわけないってことを思いついただけです。忘れてください」

湯川はタンブラーをコースターに置いた。

「だめかどうかを自分で判断しちゃいけない。あるわけないと決めつけるのもよくない。得てしてそういうところに問題解決のヒントが潜んでいる。とりあえず披露し、第三者の意見を聞いてみるべきだ」

「その必要はないです。聞いたら先生は笑います。笑わなかったら呆れます」

「ますます聞きたくなった」先程とは逆に湯川が薫のほうに身体を捻ってきた。その顔は真剣そのものだ。「さあ、話してくれ」

はあーっと薫は長い息を吐いた。アイデアが思いついたなんていうんじゃなかった、と後悔した。

「あの中のガスが使われたんじゃ……なんてことを想像したんです」そういって薫は、棚に置かれたキクノンを指した。

「あの中？」湯川は不審げに眉根を寄せた。

「キクノンの巨大バルーンです。中には大量のヘリウムが入っているわけだから、パレードが終わった後、バルーンからヘリウムを抜き取って、それを犯行現場まで持っていければ、一番最初に湯川先生がおっしゃった方法で窒息死させられるんじゃないかって」そこまで話したところで、続けるのが嫌になった。すみません、と薫は頭を下げた。「忘れてください。犯行に使われたのはヘリウムじゃなくて液体窒素ですよね」

湯川は笑わなかった。呆れた様子もない。棚に置かれたキクノンを見つめ、何やら考えている。

先生、と薫は呼びかけた。あまりに突飛な話を聞き、途方に暮れているのかと思った。

「面白い」湯川は、ぽつりといった。「その方法だと、パレードのスタート地点からゴール地点までは、犯人たちは何もしなくていい。バルーンはスタッフたちの手で運ばれるわけだからな」

「そう思ったから、一瞬いいアイデアのような気がしたんです。だけど不可能ですよね。バルーンからヘリウムを抜き取るなんて」

「抜くこと自体は難しくない。しかし、もう一度ボンベに詰めるのは至難の業だろうな」

「そうですよね。やっぱり忘れてください。でもよかった、笑われなくて」薫はほっとしてモスコミュールを口にした。

「笑うどころか」湯川は上着の内ポケットからスマートフォンを出してきた。「君はとてつもない解答を発見したのかもしれない」

「えっ、どうして？」

湯川はスマートフォンを操作した。

「さっき君は、あらゆる場所の防犯カメラの映像を見たといっていたな。だから人の流れも見物客の様子も、すべて把握しているとか」

「いいましたけど」

「しかし、この人たちの動きは見ていないんじゃないのか」そういって湯川は画面を薫のほうに向けた。

　画面に映っているのは海賊たちの姿だった。

## 36

『宮沢書店』は三階建ての大型書店だ。しかし最も広い一階は、音楽ソフトや映像ソフト、そしてゲームの売り場となっている。本来の商品である書籍の売り場は二階で、オフィスは三階にあった。

　そのオフィスにいた宮沢麻耶は、引き締まった口元が意志の強さを感じさせる女性だった。町内会の理事を務め、菊野市代表のパレードチームを仕切っているそうだから、人望もあるのだろう。

　警察のバッジを見て怪訝そうな顔をした宮沢麻耶は、パレードの小道具を見せてほしいという草薙の要望を聞き、さらに眉間の皺を深くした。

「小道具がどうかしたんでしょうか」

「ちょっと確認したいことがあるんです。どこにありますか」

「事務局の倉庫に置いてありますけど」

「場所はどちらですか。そこにはどなたかいらっしゃるんですか」

「すぐそこです。ふだんは誰もいません。あの……今すぐ見たいということでしょうか」

草薙は相手の顔を見つめたまま頭を下げた。「できましたら」

わかりました、といって宮沢麻耶はそばの机の抽斗を開け、鍵の束を取り出した。

彼女が直々に案内してくれた事務局の建物は、商店街から少し外れた交差点の脇にあった。二階建ての小さなビルで、一階が倉庫で階段を上がった二階が事務局になっている。

「年末に商店街全体で大々的なセールをします。その時にチーム菊野のパレードを再演することがあるんです。そのための小道具や衣装はここに保管してあります。山車は使いませんから、パレード終了後に解体しました」倉庫の電動シャッターのスイッチを操作しながら宮沢麻耶がいった。

倉庫の中には段ボール箱や衣装ケースが積まれていた。板や角材、トタン板といったものもある。

さて、と宮沢麻耶が草薙のほうを向いた。「何を御覧になりたいんですか」

草薙は傍らにいる内海薫に目で合図をした。今日は彼女のほかに、若手部下を何人か連れてきている。力仕事をさせるためだ。

内海薫がスマートフォンを素早く操作し、画面を宮沢麻耶のほうに向けた。「これです」

草薙は若き女性経営者の顔を凝視した。ほんのわずかな表情の変化さえも見逃してはならなかった。

宮沢麻耶の頰がぴくりと動いたようだった。だが残念ながら、内海薫から見せられたものが予想外だったからか、覚悟していた通りだったからかは判断がつかなかった。

「宝箱……ですか」

そうです、と草薙が答えた。「見物していた人の話では、宝箱はいくつかあったようですね」

「五つ作りました」

「ここにありますか」

「ありますけど」宮沢麻耶は倉庫の中を振り返った。「分解してあります」

「構いません。部下に組み立てさせますので、手順を教えてやっていただけますか」

「わかりました。どの色の宝箱を組み立てますか」

「何種類かあるんですか」

「すべて違います。金、銀、銅と、赤と青です。大きさや形は同じです」

「それならどれでも結構です」

宮沢麻耶は頷き、付いてきてください、といって倉庫の奥に進んだ。草薙は若手刑事たちに目で指示を送った。

宮沢麻耶の指示に従って若手たちが宝箱を組み立てるのを眺めながら、草薙は加熱式タバコを取り出し、吸い始めた。ふつうのタバコは三年前にやめた。

「それ、湯川先生の前でも吸ってるんですか」内海薫が尋ねてきた。

「吸うわけないだろ」

「先生は嫌煙家ですものね」

「こんなものを吸っていると知ったら、馬鹿にするに決まってるからな。なんて往生際が悪いんだ、非論理的だ、とかいって」

「私も同感ですけど」

「うるせえな。ほっといてくれ。俺の肺だ」

そんなことを話していたら、宝箱が完成したらしく、若手たちが押しながらやってきた。土台は大型の台車らしい。

宝箱は高さが一メートルほどで上部の蓋が開いた状態になっている。金銀財宝を模した飾りが箱から溢れそうだが、草薙が触ってみると発泡スチロール製で、接着剤で固定されていた。

「近くで見ると安っぽいでしょ」宮沢麻耶が、誰かにいわれるよりも先に、とばかりに自嘲気味にいった。「本体はベニヤ板です」彼女が箱の側面を叩くと、ぱんぱんと軽薄な音が鳴った。

「蓋は閉まるんですか」草薙が訊いた。

「閉まりません。開いた状態で固定してあります」

「中はどうなっていますか」

「どうにもなっていません。金銀財宝の飾りは上げ底ですから、中はがらんどうです」

草薙は台車の取っ手を両手で握り押してみた。思った以上に軽く動いた。少し力を入れて取っ手を下に押し下げると、前輪が浮いた。

草薙は内海薫と顔を見合わせた。女性刑事が小さく頷いた。湯川先生の指摘通りですね、とでもいいたげだ。

何か、と宮沢麻耶が訊いてきた。

「確認しますが、これで宝箱は完成ですか」

「完成です」

「この状態でパレードに出たわけですか」

「そうですけど……」

宮沢麻耶の顔に警戒の色が出たように草薙は感じた。

「内海、例の動画をお見せしろ」

はい、といって内海薫がまたスマートフォンの操作を始めた。

「これはパレードを見物していた方が撮影したものです」女性刑事はスマートフォンの

画面を宮沢麻耶に見せながらいった。「海賊の扮装をした人たちが、宝箱を押しながら動き回っていますよね」

「それが何か」

「いろいろな動きをしていて、時には宝箱を押している人が台車の後部に乗ったりしています。ところが台車の前輪は少しも浮いていません。こうなるためには、宝箱はもっと重くなくてはいけないはずだ、というのがこの動画を分析した専門家の意見なんです」

宮沢麻耶が、ああと頷き、唇を舐めた。「そのことですか」

「何か仕掛けでも？」草薙が訊いた。

「重しを載っけてあるんです。すみません。いい忘れてました」

本当に忘れていたのか、と草薙は訝しんだ。「重しというのは？」

「このままだとバランスが悪いんです。蓋が開いているでしょ？ そのせいで箱全体の重心がかなり上にあるんです。下手をすると倒れてしまうおそれがあります。だから下のほうに重しを置いて、安定させるようにしたんです。それに大して重くないものを重そうに押すってのは演技力が必要で、素人にそんなことを要求するのは酷だから、一石二鳥の効果もあります」

「その専門家によれば」内海薫がいった。「宝箱本体を含めて、最低でも四〇キロぐらいは必要ではないかとのことでした」

「それぐらいにはなっていたかもしれませんね」

「重しは何ですか」

「お茶や水のペットボトルです。二リットルが六本入った段ボール箱を二つ、宝箱の中に入れました。ペットボトルは、パレードが終わった後、みんなに配りました」

草薙は暗算した。合計で二四キロだ。

「出し入れはどうやってするんですか」

「別に難しくありません。簡単です」宮沢麻耶が宝箱の側面の両側についている金具を外すと下部を軸にして側面が手前に開いた。がらんどうの内部が丸見えになった。底にベルトが何本か付いている。「ここに載せて、箱をベルトで固定します。後は側面を元に戻しておくだけです」

たしかに簡単だ。三分もかからないだろう。

「重しをセットしたのは、どのタイミングですか」

「宝箱を組み立てた時だから当日の朝です」

「場所はどこで?」

「スタート地点のそばにある市営グラウンドです。参加チームの準備場所として提供してもらっていますので」

「あなた方の出番は一番最後のはずですよね。それまでの間、ずっとそこに置いてあったわけですか」

「そうですけど、それが何か」

「聞くところによれば、毎年参加チームが増えているそうじゃないですか。グラウンドにはいろいろな人が出入りして、ごった返しになりそうですが」

「まあ、そうですね」宮沢麻耶は頷いた。「だから早めに行って、余裕を持って準備するわけです」

「でもそんな状態だと、小道具に悪戯されても気づかないんじゃないですか」

若き女社長の表情が曇った。「悪戯、とは？」

たとえば、と草薙は続けた。

「何者かがこっそりと宝箱に近づき、中の重しを別の物とすり替えることは可能ではないでしょうか」

宮沢麻耶は小首を傾げた。

「何のためにそんなことをするのかはわかりませんけど、やろうと思ったらできるかもしれませんね」

「ゴールした後、宝箱はどこへ？」

「一旦、近くにある小学校の校庭に置きました」

「一旦というのは？」

「順位発表があるまで、です。三位以内に入ったら、もう一度披露するチャンスがありますから。残念ながら、うちは四位でしたけど」

「終わってから順位発表まではどれぐらいの待ち時間がありましたか」

「二時間ほどです」

「しつこいようですが、その間、宝箱は小学校の校庭に放置したままなのですね」

そうです、と宮沢麻耶は、ややうんざりした様子で答えてから、草薙の次の質問を遮るように右手を出してきた。

「もし誰かが宝箱に悪戯したとしても気づかないのではないか、とおっしゃりたいんでしょう？　それに対しては、そうかもしれない、とだけお答えしておきます。これで御満足？」

ありがとうございます、と草薙は礼を述べた。「宝箱の組み立てや解体はどなたが？」

「小道具係です」

「その方々から宝箱について何か報告は受けていませんか。予定とは違うようなことが起きた、とか」

いえ、と宮沢麻耶は首を振った。「特になかったと思いますけど」

「ではその小道具係に所属していた人の名前と連絡先を教えていただけますか」

「いいですよ。後でリストを差し上げます」

ところで、と草薙は倉庫の奥に目を向けた。「聞くところによれば、毎年、パレードの演し物は当日まで秘密だとか」

「そうです。チーム菊野の関係者以外には明かさないことになっています」

「関係者というのは？」

「メンバーとか支援者です」

「支援者？」

「スポンサーですよ。市から出るお金だけじゃ、とても足りないですから。うちの店も少し出資しています」

「『トジマ屋フーズ』はどうですか」

宮沢麻耶が一瞬息を止める気配があった。それから小さく頷いた。

「地元の有力企業ですからね。やはりお世話になっています」

「宮沢さんは社長の戸島修作さんとは懇意にしておられるそうですね。戸島さんは今年の演し物を御存じだったんでしょうか」

「知っていたかもしれません」

「この宝箱についてはどうですか？」

さあ、と宮沢麻耶は首を傾げた。「スポンサーの中には、進捗状況を確かめに来る人もいますからね。私がいない時にやってきて、誰かから見せられたかもしれません」

「あなた自身が見せた覚えはないと？」

「記憶にありませんが、何ともいえません。忘れているだけかも」

宮沢麻耶の口調は慎重だ。後になって辻褄の合わないことが出てきた時の用心をしているようにも聞こえる。

草薙は話題を変えることにした。

「パレードが始まる前、スタート地点で新倉夫妻とお会いになってますよね」

「ええ……」宮沢麻耶の顔に不審の色が浮かんだ。「音楽面で世話になっていますからね。最終チェックをしてもらいました。そのことは別の刑事さんに話しましたけど」

たしかに岸谷が新倉夫妻のアリバイ確認のために宮沢麻耶に会っている。だがその時には宮沢麻耶は事件とは無関係の第三者だと草薙は考えていた。

「新倉さんたちと話したのは、どれぐらいの時間ですか」

「十分とか十五分とか、そんなものだったと思います」宮沢麻耶は視線を斜め上に向け、首を傾げた。

「ゴール地点では高垣智也さんと話をされたとか」

「しましたけど」

「ほんの挨拶程度だったということですが、間違いないですか」

「ええ」

草薙が次の質問を考えていると、刑事さん、と宮沢麻耶がいった。「ひとつ、いいでしょうか」

「何ですか」

「偽証罪というのはありますよね。では沈黙罪というのはあるんでしょうか」

「沈黙罪？」

「嘘はつかない。でも訊かれたことに答えもしない。そういうのは罪になりますか」

「いえそれは……」草薙は軽く首を横に振った。「それは特に罪にはなりません」

「そうでしょうね。何しろ、黙秘権というのがあるぐらいですから」

「何をおっしゃりたいんでしょうか」

私は、といって宮沢麻耶は深い呼吸をした。

「警察が宝箱について調べる理由を尋ねません。その代わり、大切なお客さんについて迂闊に話すこともしません」

「お客さんとは？」

「この町に住む人々全員です。いえ、住んでなくても、うちの店に足を運んでくださる可能性のある方は全員お客さんです。私は、お客さんが不利になるかもしれないようなことはいたしません。今後、私に会いに来られても、お客さんに関する質問をするのが目的であれば、おそらく無駄だと申し上げておきます」

「庇うということですか」

「沈黙するだけです。沈黙は自由なんでしょ？」宮沢麻耶は微笑んでそういってから宝箱のほうを振り返った。「御用がお済みでしたら、片付けたいと思うのですが」

草薙は若手刑事を見て、「お手伝いしろ」と顎を動かした。

# 37

　ぽんと肩を叩かれ、智也は振り返った。課長の塚本が立っていた。温厚な人物だが、今は少し表情が硬い。「今、ちょっといいかな」

「構いませんけど」

　じゃあ、といって塚本は出入口のほうを指して歩きだした。ついてこい、という意味らしい。智也はあわてて立ち上がった。

　来客室で向き合うと塚本は口を開いた。

「田中から妙なことを聞いた。先日、女の刑事が部屋に訪ねてきたそうだ」

　えっ、という声を思わず漏らした。

「その様子だと心当たりがあるようだな」塚本は押し殺した声でいった。眼鏡の向こうの目が険しくなっている。「田中によれば、佐藤のところにも来たらしい。それでどうしたらいいだろうと、田中は佐藤から相談されたんだってさ」

　田中というのは智也の後輩で、佐藤というのは新しく入った女子社員だ。智也がパレード見物に連れていった二人だ。

「二人はどんなことを訊かれたんですか」

「菊野でパレードがあった日のことだ。君、彼等と一緒に行ったんだろう？」

「はい」

「その日の行動を逐一尋ねられたそうだ。特に君と別行動を取っていた時間について、しつこいくらいに細かく確認されたといってるぞ」

内海という刑事の、怜悧そうな顔を思い出した。目的を果たすためなら、相手がうんざりするのも厭わなかっただろう。

高垣、と塚本は呼びかけてきた。

「一体、どういうことだ。君、何かやったのか」

「やっていません」反射的に答えた後、瞬きを繰り返した。

「だったら、どうして警察が君の行動を確認しているんだ。おかしいじゃないか」

だからそれは、といった声が裏返った。「元カノを殺したやつが死んだので……」

「なにっ」塚本の眉尻が吊り上がった。

「それで僕も疑われているらしいんです。そいつが死んだのがパレードの日で、だからアリバイが調べられているんだと思います」

塚本の顔面から血の気が引くのがわかった。頬が少しひきつっている。

「ちょっと待て。元カノを殺したとかいったな。そいつは捕まってないのか」

「捕まったんですけど、証拠不十分で釈放されたんです」

塚本は狐につままれたような顔をしている。ネットなどでは話題になっているのだが、興味のない人間にとっては読むに値しないローカルな記事なのかもしれなかった。

「そんな大きな事件に……。なぜ今まで隠してた？」

「個人的なことですし、会社に迷惑がかかってもまずいと思いましたし……」

「そんなことといっても、実際、もう迷惑がかかってるじゃないか。田中や佐藤が不安がってる」

「それは……申し訳ないと思っています」

塚本が貧乏揺すりを始めた。考えがまとまらず、苛々しているのかもしれない。泳いだ目をあちらこちらに向けた後、智也に視線を戻した。

「本当に大丈夫なんだろうな」

「大丈夫……とは？」

「君は事件とは関係ないんだろうな、と訊いてるんだ。どうなんだ」

「関係……ありません」

歯切れよく答えるべきだったが、少しぎこちなくなってしまった。そのせいか智也を見る塚本の目に得心の色はない。

「まあいい。とにかく、今後何かあったらすぐに報告するんだぞ。わかったな」

「はい。どうもすみませんでした」智也は頭を下げた。

塚本は立ち上がり、来客室のドアを開けた。しかし外に出る前に振り返った。「田中と佐藤を責めるんじゃないぞ」

「わかっています」

塚本は廊下に出て、ばたんと乱暴にドアを閉めた。

上司より少し遅れて智也は職場に戻った。隅の席にいる田中と目が合った。気まずそうな顔をしている後輩に向かって、智也は懸命に作り笑いをしてみせた。

終業時刻になると、いつもより早く支度を済ませて会社を出た。仕事は残っているが、今日は残業をする気になれなかった。

ところが建物を出て駅に向かおうとした時、高垣さん、と横から呼び止められた。聞き覚えのある女性の声だったので、はっとした。

立ち止まって声のしたほうを見ると、予想通りの人物が近づいてくるところだった。

「お仕事、終わられたみたいですね。お疲れ様です」内海が智也の前まで来て挨拶した。

「まだ何か……」

「はい。お尋ねしたいことがたくさんございます」

「たくさん？」

「はい、そこで」女性刑事は一歩踏み出してきた。「菊野署まで御同行願えないでしょうか。それほど時間はかからないと思いますし、帰りは車でお送りします」

「同行……」そう呟いた直後、愕然とした。いつの間にか、スーツを着た数人の男たちに取り囲まれていた。

お願いします、と内海が頭を下げた。智也は声を出せなかった。

すぐ近くに黒い車が止められていて、それに乗るようにいわれた。乗り込んでから外を見て、どきりとした。

呆然とした様子で立ち尽くしている塚本の姿があった。


生まれて初めて入った取調室で向き合ったのは、草薙という名字の人物だった。引退したばかりのスポーツ選手を連想させる体つきをしている。最初に役職をいったようだが、智也の耳には入っていなかった。百戦錬磨（ひゃくせんれんま）の刑事なのだろうと思うと、それだけで全身が萎縮しそうだった。

警察署に連れてこられてから何分も経つのに、智也の心臓は早打ちをやめなかった。興奮しているせいで身体は熱いのに、時折背筋がぞくぞくと寒くなる。

「かなり緊張しておられるようだ」草薙が智也の内心を見透かしたようにいった。「御安心ください。こちらの質問にすらすらと答えていただければ、あっという間に終わります」

どんなことを訊きたいのですかといいたかったが、口が動かなかった。

「知りたいことはただ一つ」草薙が人差し指を立てた。「パレード当日のあなたの行動、ただそれだけです」

「そのことは……」ようやく声が出た。

「内海に話してくださいましたよね。はい、報告は受けています」草薙は傍らでパソコンに向かっている内海のほうを見てから、智也に顔を戻した。「職場の後輩――ええと」

机の上の書類を手に取った。「田中さん、佐藤さんと一緒にパレード見物をしておられたんですよね。でもそのお二人と別行動を取っていた時間がある。午後三時過ぎから午後四時まで。その間のことをお訊きしたいんです。ゴール地点で『宮沢書店』の宮沢社長と挨拶を交わしたということですが、それ以外は何をしておられたんですか」

「何をって、特に何も……。そのへんをぶらぶらしていただけです」

「そのへんとは？」

「商店街の中をです」

「それはおかしいな」草薙は書類を置き、腕組みをした。「我々は商店街に設置されている、すべての防犯カメラの映像をチェックしましたが、その時間帯、あなたの姿はどこにも映っていないんです。ちなみに田中さんと佐藤さんの姿は何箇所かで確認できています。一体、どのあたりにいたんですか」

智也は目を伏せた。心臓の鼓動が一層激しくなった。こめかみを汗が伝っていくのを感じる。

いい加減なことはいえなかった。商店街のどこに防犯カメラがあるのか、智也は把握していない。

「覚えてないです」細い声でそう答えるのが精一杯だった。

高垣さん、と草薙が呼びかけてきた。「こっちを向いてくださいよ、高垣さん」

智也はおそるおそる顔を上げた。すると草薙が一枚の写真を机に置いた。そこに写っているものを見て、さらに心臓が跳ねた。

「これが何か御存じですね」

「宝箱……」

「そう、チーム菊野がパレードで使った小道具です。この宝箱について、面白い話を摑んでいます。この箱の中には、重心を安定させるために、水やお茶のペットボトルを積んであったそうなんです。それらはパレード終了後にスタッフたちに配られたわけですが、奇妙なことが起きていました。買ったはずのウーロン茶が消えていて、代わりに水のペットボトルが増えていたんです。小道具係の勘違いだろうってことになっているのですが、本人は絶対にそんなことはないと主張しています。一体どういうことなんでしょうね」穏やかな口調で語る草薙の一言一言が、智也の腹をえぐってきた。

「我々は、この宝箱にまつわる奇妙な出来事が、蓮沼容疑者の死に深く関わっていると睨んでいます。その考えに基づいて捜査を進めた結果、あなたの行動が問題になってきました。あなたの空白の数十分間が。だからどうしても明らかにする必要があるわけです」

智也は再び俯いた。草薙と目を合わせていられなかった。

不意に戸島の声が脳裏に蘇った。先日の電話でのやりとりだ。

いざとなれば君は本当のことを話せばいい。嘘はつかなくていいし、隠し事もしなくていい——。

今がその時なのだろうか、と思った。しかし自分が話したら、ほかの人たちはどうなるのか。罪には問われないのか。そんなわけがない。人が死んでいるのだ。

「宝箱は五つあります」草薙が話を続けた。「現在、すべての宝箱に付いている指紋を調べています。特に開閉部分の金具あたりの指紋を」

その点は大丈夫だ、と智也は思った。あの時は手袋を嵌めていた。

「もちろん、指紋以外も調べますよ。たとえばＤＮＡ。今は科学技術が進んでいますからね、ほんのわずかな皮脂、汗、フケなんかでも鑑定が可能です。覆面でも被っていないかぎり、顔や頭から落ちるそういったものが付着するのを、なかなか防げるものじゃない。毛髪が落ちてないかどうかも調べます。あと、手袋痕（てぶくろこん）」

どきりとした。肩をぴくりと動かしてしまった。

どうしました、と目ざとく草薙が訊いてきた。

「聞いたことないですか、手袋痕。手袋を使って物に触った痕（あと）です。どんな手袋を使ったか、大体わかります。軍手や綿の手袋なら繊維が付着していることもあって、種類を特定できます。そういえば――」草薙が間を置いてからいった。「宝箱の一つから手袋痕が見つかったという話も出ていたんじゃなかったかな。どうやら革手袋らしい、とか。革手袋というのは、一つ一つの表面に特徴がありましてね、全く同じものは二つとない。手袋痕が確認できたら、使用された手袋は確実に特定できます」

脇の下から冷や汗が噴き出した。智也は耳が赤くなっているのを自覚したが、どうすることもできなかった。

　高垣さん、とまたしても草薙が改まった声を掛けてきた。

「あなたも革手袋の一つぐらいは持っているんじゃないですか。我々は手続きさえ踏めば、あなたの御自宅を捜索することが可能です。所謂、家宅捜索というやつです。もし革手袋が見つかれば、それが宝箱に付いた手袋痕と一致するかどうか、調べさせていただきます。御自宅から手袋が見つからなければ、職場を訪ねます。あなたの机からロッカーから、すべてを漁ることになります。それでもいいんですか」

　いいわけないですよね、と草薙は続けた。

「お母さんはきっと驚きますよ。いや、それどころじゃない。息子が何をしたんだろうって、胃が痛むほどに心配されるはずです。職場の人たちだってそうです。上司の人、同僚の人、皆さんのあなたを見る目が変わってしまいます。そんなことは避けたほうがいいんじゃないですか。我々だって、本当はやりたくない。やらずに済ませたい。だからこうして、あなたにチャンスを差し上げているんです。パレード当日の空白の数十分間の行動。それさえ話していただければ、お互い嫌な思いをせずに済むんです。いかがですか、高垣さん。チャンスを生かそうと思いませんか。それともお母さんに心配をかけたり、職場の人たちから白い目で見られる道を選びますか」

　海千山千の容疑者たちと対峙してきたに違いないベテラン刑事の言葉は、四方八方から智也の心をじわりじわりと追い詰めていった。脳裏に里枝の思い詰めたような顔や塚本の苦々しい表情が浮かんだ。

高垣さんっ、と強い口調でいい、草薙が机を叩いた。智也は、びくっとして顔を上げた。

「これが最後のチャンスです。空白の数十分間について説明してください。答えないということなら、それはそれで結構です。ただし、あなたには今夜、宿を用意させていただきます。そしてあなたがここを出た直後に、家宅捜索の手続きをします。その後あなたが、気が変わった、すべて話すといっても手遅れです。どうされますか」圧倒するような早口でまくしたててきた。

智也は混乱し、頭に手をやった。暗くて深い穴を覗き込んでいるような気分だった。

ふと横を見ると、内海と目が合った。彼女はまるで、あなたの気持ちはわかっている、とでもいうように優しく頷きかけてきた。冷徹な印象しか受けなかったこの女性刑事の顔が、今だけは聖母のように見えた。

智也は顔を上げ、草薙の目を真っ直ぐに見つめた。

「母や職場には内緒にしていただけますか」

約束します、と草薙は断言した。

## 38

高垣智也の供述内容は次のようなものだった。

パレードの数日前、『なみきや』を出たところで車に乗った戸島から、「大事な話がある」と声をかけられた。場所を移動し、その話を聞いて驚いた。蓮沼に鉄槌を下す計画があるから協力してほしいというのだった。

殺すわけじゃない、と戸島はいった。「懲らしめてやるんだ。制裁ってやつだ」

しかしその具体的な方法については教えてくれなかった。君は知らないほうがいい、と戸島はいうのだった。

「すべてが無事に済めば、その時に教えてあげよう。でもそれまでは、君には何も知らない善意の第三者でいてほしいんだ。それが全員の総意でもある」

全員というのが誰を指すのかもいえない、と戸島はいった。

だが智也には察しがついた。並木祐太郎や新倉だろう。

「それらを教えてくれなければ協力しない、と君がいうのなら諦めよう。今すぐに車から降りて帰ってくれていい。ただし、この話は聞かなかったことにしてほしい」

何をするのか聞いてから考えてもいいかと智也はいった。もちろんだ、と戸島は答えた。

説明された内容は、意外なものだった。パレード当日、チーム菊野の小道具に隠してある荷物を、ある場所まで移動させてほしい、というのだ。

「小道具というのは宝箱だ。チーム菊野の今年の演し物は『宝島』で、宝箱が五個登場する。すべて色が違っていて、荷物が隠してあるのは銀色の宝箱だ。チーム菊野がゴールインしたら、宝箱の中の荷物を取り出し、ある場所まで車で運ぶ。運んだら車を元のところに戻す。そこまでが君の仕事だ」

引き受けてくれるなら、もう少し詳しい話をする、と戸島は付け足した。

聞くかぎり、さほど難しい仕事だとは思えなかった。一日ぐらい考えてから答えてくれていいと戸島はいったが、こんなところで迷っていたら、あの世の佐織に申し訳ないと思った。

やります、と答えていた。

パレード当日、智也は職場の後輩たちと午後三時過ぎまで見物した後、一旦解散した。それを提案したのは智也自身だった。

ゴール地点に行くと宮沢麻耶の姿を捜した。アリバイ作りのために彼女に挨拶したらいいと戸島から指示されていたからだ。

無事に彼女を見つけて言葉を交わすと、三〇メートルほど離れたところにある『山辺商店』という米屋に向かった。店は休みで、隣の駐車場に軽トラックが一台止められていた。荷台には台車と段ボール箱が二つ、そして白いポリ袋が載っていた。段ボール箱は二リットル入りの水が六本入ったもので、ポリ袋の中身はパレードの仕事を手伝うボランティアの人が着る、スタッフジャンパーだった。

智也はジャンパーを羽織り、台車に二つの段ボール箱を載せ、近くの小学校に向かった。付近では同じジャンパーを着た人々が忙しそうに動き回っている。誰も智也には目もくれなかった。

校庭に入ると、銀色の宝箱を目で捜した。目的のものはすぐに見つかった。幸い、周囲に人はいない。

近づくと、ポケットに入れてあった革手袋を嵌め、誰にも見られていないことを確認してから宝箱の側面を開けた。やり方は戸島から教わっていた。

大きな段ボール箱が入っていて、ベルトで固定されていた。取り出そうとして抱えてみると、かなり重かった。

荷物の中身が液体窒素だということは戸島から聞いていた。本当は教えたくないんだけど、知っておいてもらわないと危険だから、と彼はいった。

「段ボール箱は密閉されていない。液体窒素は常に気化し続けているから、そんなことをしたら箱が膨れて、しまいには破裂してしまうんだ。それから運ぶ際には、革の手袋を使うこと。指紋がつくのを防ぐためだけじゃない。万一箱の中の容器が倒れて、手に液体窒素がかかった時の用心だ。軍手や布の手袋だと、浸みて凍傷になってしまうからね」

自分で用意した革手袋は、里枝がクリスマスプレゼントとして買ってくれたものだった。

宝箱の中に、水のペットボトルが入った二つの段ボール箱を入れ、ベルトで固定して側面を閉じると、取り出した段ボール箱を台車に載せ、来た道を戻った。この時も周りの人々から怪しまれている気配はなかった。人目がなくなったことを確認し、スタッフジャンパーを脱いだ。

『山辺商店』に戻ると、軽トラックの荷台に段ボール箱を載せた後、ナンバープレートの裏を探った。戸島がいっていた通り、車のキーをガムテープで貼ってあった。それを使って軽トラックを運転し、蓮沼がいる事務所を目指した。事務所に着くと、扉の前に段ボール箱を置き、再び軽トラックを運転して『山辺商店』に帰った。キーを元に戻した後、スタッフジャンパーを入れたポリ袋を手に、後輩たちとの待ち合わせ場所に向かった。途中、放置自転車の荷台にポリ袋を突っ込んでおいた。

ビアレストランで後輩たちと過ごした後、一人で『なみきや』に行った。どうなったのか、知るためだった。蓮沼への制裁はうまくいったのだろうか。

常連客が一人二人と現れた。戸島と新倉夫妻もやってきた。しかし何も話してくれない。

やがて宮沢麻耶たちの仲間が血相を変えて入ってきて、驚くべきことを彼女に伝えた。蓮沼が死んだというのだ。智也は戸島を見た。

戸島は目を合わそうとしなかった。

何が起きたのか、自分以外の誰が何をしたのか、全くわからないままに今日に至っている。このようにすべてを自供した以上、一刻も早く真相を知りたいというのが現在の心境だった。

## 39

供述調書を読み終えた間宮は、仏頂面で草薙を見上げた。だが書類を置いた後、にやり、と口元を緩めた。「よくやった」

恐縮です、と草薙は頭を下げた。

「内海から聞いたが、かなり思い切ったブラフを使ったようだな」

「革手袋のことですか」

「うん。内海によれば、鑑識から手袋痕が見つかったなんていう報告は来てなかったそうじゃないか」

「それに関しては湯川から聞いた話が役に立ちました。犯人が液体窒素を使ったなら、必ず革手袋を嵌めていたはずだ、といったのはあいつですから。手袋痕の話をした時、高垣の表情が変わったんです。もしやと思い、はったりをかましてみました」

「なかなかの反射神経だったな。いや、それにしても」間宮は再び書類を手にした。

「こんな手口で液体窒素を運んだとはな。驚いたよ」

「正直、内海から湯川の推理を聞かされた時点では半信半疑だったんです。どうやら当たりらしいと確信したのは、宮沢麻耶に会ってからです」

液体窒素は宝箱の中に隠され、運ばれたのではないか、というのは湯川の推理だ。だがパレードの参加者全員が共犯とは考えにくい。関わっているとすればリーダーの宮沢麻耶ぐらいだろう。しかし彼女にしても、荷物の中身がそんな危険なものとは知らなかっただろうし、宝箱への出し入れに直接関与しているとは思えない。それをするのは並木佐織との関わりがもっと深い人間だ。

そこで浮上してきたのが高垣智也だ。ゴール地点で宮沢麻耶と会ったという話、さらには空白の数十分間が俄然怪しくなってきたのだった。

「防犯カメラの映像で大きな荷物を運んでいる人間をチェックしましたが、スタート地点やゴール地点の周辺は見逃していました。参加チームが大道具や小道具を運んでいるのは当然で、そのエリアから出ていないかぎり問題はないと考えていたからです」

「ゴール地点で宝箱から荷物を取り出したのは高垣か。となれば、スタート地点で宝箱に荷物を入れた人間もいるはずだ」

「そちらも高垣と同等か、もしくはそれ以上に並木佐織との関わりが深い人間でしょう。そうなれば候補者は限られてきます。すでに最も怪しい人物たちには任意同行を求め、現在岸谷たちが事情聴取を行っています」

間宮は頷いた。部下の素早い対応に満足そうだ。

「ほかにも共犯はいるかな」

「いるかもしれません。ただ、各人によって役割の重要度は違っていると思われます。たとえば高垣は、蓮沼に制裁を加えるという目的は聞いていますが、その詳しい内容は聞かされていません。しかし中には本当の目的すら教わっていない者もいるようです。高垣の供述に出てくる『山辺商店』ですが、今朝、捜査員を出向かせ、店主から話を聞いてきました。パレード当日、戸島に軽トラックを貸したことを認めています。台車も貸したし、水のペットボトルも用意したといっているそうです。スタッフジャンパーは事前に戸島から渡され、一緒に置いておくようにいわれたとか。急遽パレードの手伝いをしなきゃいけなくなった、というのが戸島の説明だったらしいです」

間宮が顎を擦った。「戸島が黒幕か」

「そう考えて間違いないと思います。ただ、どうしてもわからないのは、並木一家が絡んでこないことです。目的が並木佐織の復讐にあるのなら、あの家族が関わってこないのは絶対におかしいんです」

間宮は無言で書類を見つめている。同意見だからだろう、と草薙は解した。

よろしいでしょうか、と部下が近づいてきた。なんだ、と草薙が訊いた。

「戸島修作が到着しました」

草薙は間宮と顔を見合わせた。

「本丸の登場か」間宮がいった。

「ちょっと顔を見てきます」管理官に一礼し、草薙は踵を返して歩きだした。

取調室では戸島修作が殊勝そうに肩をすぼめて待っていた。草薙は今回も記録係の内海薫と目を合わせた後、椅子に腰を下ろした。「お忙しいところをどうも」

いいえ、と戸島は小さく頭を下げてから草薙のほうを向いた。

白髪交じりの五分刈りで、ごつい強面。一見すると商売には向かなそうだが、家業を順調に成長させてきたのは、人心掌握術に長けているからかもしれない。この男が相手では、母親と同居する二十代の心優しい若者――高垣智也のように簡単にはいかないだろう。

「高垣さんから連絡はありましたか」

「高垣さんっていうと、あの高垣君？　いいえ、何のことですか」

昨夜帰宅した高垣智也が戸島に連絡していないはずはなかったが、とぼけるのは草薙の予想通りだった。

「パレードの数日前、高垣さんと二人だけで話をされたそうですね」

「いつの話ですかね」戸島は首を傾げた。「彼とはちょくちょく会ってますのでね。『なみきや』とかで」

「『なみきや』の外です。高垣さんが店を出たら、車に乗ったあなたのほうから声をかけてきたとか。ちょっと話がある、と」

ああ、と戸島は口を半開きにし、顎を上げた。「あの日のことですか」

「どんな話をしたんですか」

戸島はすました顔を左右に向けた後、探るような目を草薙に向けてきた。「彼、どんなふうに話したんですか」

「訊いてるのはこっちですよ」草薙は笑い顔を作った。「答えてください。どんな話をしたんですか」

「プライベートなことです」

「高垣さんからは伺っています」

戸島は頷き、背筋を伸ばした。

「高垣君が話しているなら、それでいいじゃないですか。彼のいうことを信用したらいい」

「信用していいんですか」

「刑事さんの自由だといってるんです」

「高垣さんは」草薙は相手の顔を見据えながらいった。「蓮沼に制裁を加えることに手を貸してくれないか——あなたからそういわれたといっています」

戸島の表情は変わらない。むしろ少し柔らかくなった。

「彼がそういっているのなら、そうかもしれませんね」

「違うというんですか」

「刑事さん、私は否定なんかしてませんよ」戸島は苦笑した。「そうかもしれないといってるじゃないですか」

やはり相当な狸だ、と草薙は思った。

「その制裁にはある品物が必要で、それを蓮沼が居候している事務所のそばまで運んでほしい。戸島社長からそんなふうに頼まれたと高垣さんはいっています。間違いないですか」

「彼がそういっているのなら――」

「あなたに尋ねているんです」草薙は戸島の声に被せていった。「本当に、そのように頼んだのですか」

しかし戸島は少しも揺らぎを見せない。「御想像にお任せします」

草薙は椅子から腰を浮かせ、戸島のほうに身を乗り出した。

「その品物とは何ですか。高垣さんに、いつ、何を、どのように運んでほしいと頼んだのですか」

「その質問に」戸島が見つめ返してきた。「答えなきゃ、罪になりますか」

「答えない理由は?」

「答えたくないからです」

草薙は戸島の淡泊な表情から目をそらさずに椅子に座り直した。

「今のままでは、高垣さんの供述調書が裁判で証拠として採用されることになりますよ。

それでも構わないんですか」

「何の裁判かは知りませんが」戸島は小さく肩を上下させた。「仕方ないでしょうね」

草薙は組んだ両手を机に載せた。

「数か月前、蓮沼を逮捕した時に捜査の指揮を執ったのは私です。御存じですか」

ええ、と戸島は顎を引いた。「祐太郎から聞いています」

「祐太郎……いいですね、その年齢になっても名前を呼び合える仲というのは。並木佐織さんのことも、さぞかしかわいがられたんでしょうね」

「『なみきや』のテーブルの上で、おむつを替えてやったことがあります」戸島は笑みを浮かべていった。

「あなた方が蓮沼を憎む気持ちは大変よくわかります。なかなか起訴に持ち込めず、我々も歯痒い思いをしていました」

「おたくさんたちの悔しい気持ちと、私共の気持ちは全然違います」戸島は口元を緩めながらも眼光を鋭くしていった。「次元が違う。レベルが違う」

「今の言葉を記録させていただいても？」

どうぞ、と戸島はいった。「蓮沼を憎む台詞なら、いくらでも吐きますよ。何なら、もう少し続けましょうか」

「憎んだ末、何をしたのかを話していただきたいのですが」

「それは御想像にお任せします」

「こちらで勝手に想像して供述調書を作成したら、それにサインしていただけますか」

戸島は、ふっと笑った。

「そういうわけにはいきませんが、もしそんなものが書けるのなら、是非読ませてもらいたいものですね。一体どんなふうに想像しておられるのか、とても興味がある」

「想像できるものならやってみろ、ですか？　でもあなたは高垣さんからの連絡を受けて、会社が捜索を受けた時以上に動揺したはずだ。液体窒素に続いて、まさか宝箱のトリックまで見破られるとは夢にも思わなかったんじゃないですか。世の中にはね、常人には考えが及ばないほどの想像力を持っている人間がいるんです」

すると不意に戸島の目元に翳りが生じた。初めて見せる揺らぎだった。

「それはもしかして……大学の先生のことでもおっしゃってるのかな。湯川という……」

「何ですか、その人は？」

「違ってたなら結構です」戸島は手を振った。「忘れてください」

「ですからね、戸島さん」草薙は相手を見つめる目に改めて力を込めた。「あなた方が力を合わせて何をどんなふうにやったのかも、いずれは見破られる日が来ると考えたほうがいいんです。そうなる前にすべてを話せば、いくらかでも罪が軽くなる。いいですか、戸島さん。蓮沼がどれほど残虐で、生かしておくに値しない人間だとしても、殺すことは犯罪なんです。死を宣告できるのは司法だけです」

だが戸島の表情は変わらない。湯川の名前を口にした時の狼狽は消えている。

「できなかったじゃないですか」嘲(あざけ)る口調でいった。「司法にもできなかった。裁判さえできなかった」

「だから親友に代わって、自分たちの手で殺したと?」

戸島は口を閉ざした。だが草薙の強い視線から逃げようともしなかった。無言の時間が流れた。

その時ドアがノックされた。

はい、と草薙が答えると、ドアが開いて岸谷が顔を覗かせた。

ちょっと失礼、と戸島にいってから腰を上げた。

取調室を出て、ドアを閉めた。「どうした? どちらかが口を割ったか」

岸谷たちには新倉夫妻の事情聴取を任せてある。もちろん、別々にだ。

それが、と険しい顔つきの岸谷は声をひそめていった。「聴取の途中で新倉留美が倒れました」

## 40

最後の客を店の外で見送った後、夏美は暖簾を外した。午後十時を十分ほど過ぎている。今夜は久しぶりに少し忙しかった。

外した暖簾を抱えて店に入ろうとした時、今晩は、と背後から声を掛けられた。聞き覚えのある男性の声だった。

振り返ると思った通りの人物が立っていた。

「教授……こんな時間にどうしたの？　もう閉店ですよ」

「もちろん、わかっている。客としてではなく、知り合いとしてやってきた。並木さんと大事な話をしたいんだ」笑みを浮かべてはいるが、その目は真剣だ。いつもの湯川教授じゃない、と夏美は思った。

「ちょっと待っててください」

店に入り、厨房で後片付けをしている両親に話すと、「あの人が？」と祐太郎は怪訝そうな顔をした。しかし少し考えた後、「入ってもらえ」といいながら前掛けを外し始めた。

夏美は店先に戻り、湯川を招き入れた。

厨房から祐太郎と真智子が出てきた。どちらも表情が硬い。

「今晩は。夜分に押しかけてきて、申し訳ありません」湯川が二人に向かって頭を下げた。

「何でしょうか、大事な話というのは？」祐太郎が立ったままで訊いた。

「少々込み入った話です。蓮沼寛一の変死事件について」

「なぜ学者のあなたが？　関係ないでしょう」

「第三者だからいいんです。警察関係者だと捜査内容の漏洩にあたりますから」湯川は夏美のほうをちらりと見てから祐太郎に顔を戻した。「知人に警察官がいます。今回の事件を担当しています。僕がここへ来たことを、その知人は知らないことになっています」

つまり実際には知っている、ということらしい。

そうですか、といってから祐太郎が夏美に顔を向けてきた。「おまえは上に行ってろ」

「いやだ。あたしも話を聞く」

「夏美っ」

「できましたら」湯川が口を挟んだ。「夏美さんにも聞いていただきたいのですが」

祐太郎が苦々しい顔で黙り込むのを見て、夏美はそばの椅子に座った。

「どうぞ先生、お掛けになってください」真智子が湯川にいい、自分も椅子を引いた。

祐太郎も不承不承といった表情で腰を下ろした。

夏美は膝の上で両手を握りしめた。湯川の話がただならぬものであるのは確実だった。じつは今朝から祐太郎や真智子の様子がおかしかったのだ。いや正確にいえば昨夜遅くからだ。祐太郎に誰かから電話がかかってきて、それ以来だ。相手は不明だが、戸島ではないかという気がしていた。湯川の用件とは、それに関することではないのか。

「蓮沼寛一の変死事件について、警察は様々なことを解明しつつあります」湯川は穏やかな口調で話し始めた。「事件に複数の人間が関与していることを見抜き、すでにその中の一人からは供述を得ています。もしかすると並木さんも、そのことは御存じかもしれませんね。こちらの店にもよく来る高垣智也君です」

いきなりよく知っている名前が出てきたので、夏美はどきりとした。あの智也が一体どう絡んでいるのだろうか。

「高垣君は、戸島さんに頼まれたといっているそうです。蓮沼寛一に鉄槌を下したいから手伝ってほしいと。警察は、そんなふうに頼まれたのは一人や二人ではないだろうと踏んでいます。多くの人間が力を合わせ、蓮沼寛一に制裁を加えたとみているのです。その考えには僕も同意します。でも戸島さんが、あなた方に無断でそんなことをするとは到底思えません。計画のことは並木さんも御存じだったと考えていいんでしょうか」

湯川は祐太郎を見ていった。

さあ、と祐太郎は首を傾げた。「何のことやら」

「自分に置き換えて考えてみました」湯川は淡々と続けた。「憎んでも憎み足りない人間がいたとします。何とか復讐したいと思った。でもその人物を殺せば自分が疑われるのは間違いない。すると親友が、自分が代わりに殺してやるといいだした。殺してやるから、おまえは完璧なアリバイを作っておけという。ありがたい話ではあります。しかし果たしてそんな話に乗るだろうか。下手をすれば親友が刑務所行きです。僕なら乗りません。そんな話には乗りません。そして並木さん、あなたも乗らないだろうと思うんです。いかがでしょうか」

湯川が淀みなく話した内容に、夏美は愕然としていた。あのパレードの日、自分の知らないところで、本当にそんなことが行われていたのだろうか。

「そんな途方もない空想話を聞かされても、何と答えていいかわからんのですが」祐太郎は平坦な口調でいった。「もしそんな話があったとしても、私も乗らないでしょうね」

「その言葉に嘘はないだろうと思います。ではやはり今回の犯行は、戸島さんがあなたに無断で、勝手にやったことだということになります。今後詳しい犯行内容が明らかになったとしても、警察や検察としては、計画を立案したのは戸島修作、並木祐太郎は無関係、というストーリーで事件を組み立てるしかない。どんなに不自然でも、そうせざるを得ない。裁判とはそういうものですからね。でも並木さん、それでいいんですか」

祐太郎は視線を落とした。そんな彼の横顔を真智子は不安げに見つめている。

「アクシデントが起きた、と僕は考えています」湯川がいった。何のことを話し始めたのか、夏美にはわからなかった。「パレードの日、女性客が体調不良を訴えたのは、あなたたちにとって誤算だった。あなたたちだけじゃない。戸島社長らにとっても計算外だった。警察はアリバイ作りだった可能性を疑っていますが、そうじゃない。アリバイ作りなら、奥さんに病気のふりをさせ、病院に連れて行けばいいだけの話だ。あなた方にとって、あれは本当に想定外の出来事だった。自分の店の料理を食べた客が具合が悪くなったんだから、放ってはおけない。おそらくあなたは苦渋の決断をして、お客さんを病院に連れていったんでしょう。ではもしアクシデントが起きなかったらどうだったか。本来の計画では、あなたにはどんな役割が与えられていたのか――」

そこまで強い口調で語った後、湯川は吐息を漏らした。

「それを明らかにしないままで、戸島さんたちだけが罰せられるのを眺めていたのでは、一生後悔するのではないですか、自分を責め続けることになるのではないですか、と申し上げているのです」

「そうなの、お父さん？」夏美は横から訊いた。「どうなの、お母さん？　答えてよ」

「おまえは黙ってろっ」祐太郎が怒鳴った。

「黙ってられるわけ――」

夏美がいい終わらぬうちに、ばんっと祐太郎がテーブルを叩いた。

静粛が何秒間か続いた後、こほん、と祐太郎が空咳をして湯川のほうを向いた。

「先生のお気遣いには感謝いたします。いっておられることは尤もだ。人として、正しいことだと思いますよ。もし先生の推理が正しいのなら、ですがね」

「でもやはり何もいえないと？」

すみません、と祐太郎は暗い声を出した。

「今、私がしゃべるわけにはいきません。それをしたら、懸命に沈黙を続けてくれている人たちに顔向けができません」

そうですか、といって湯川は頬を緩めた。

「それならば仕方がないですね。これ以上は、あまりにお節介なのでやめておきます」

祐太郎は黙って頭を下げた。

ではこれで、といって湯川が立ち上がった時、彼の上着の内側から着信音が聞こえてきた。彼はスマートフォンを取り出し、液晶表示を見てから、失礼します、といって背中を向けた。電話を耳に当てながら引き戸を開け、店を出ていった。

夏美は両親を見た。祐太郎が立ち上がり、娘の視線を避けるように厨房に向かった。真智子は思い詰めた表情で下を向いている。

お母さん、と夏美が呼びかけようとした時、引き戸が開いた。見ると、湯川が再び入ってくるところだった。顔が少し紅潮しているように見えた。

「重大な進展がありました。これもまた捜査情報の漏洩に当たるのかもしれませんが、どうしてもお知らせしておかねばと思いまして」

厨房から祐太郎が出てきた。「どうしたんですか」

「新倉直紀氏が自供したそうです。蓮沼寛一を死亡させたのは自分だと」

## 41

取調室で再会した増村栄治は、新倉が自供したことを草薙から聞くと、ほうーっと長い息を吐き、肩を落とした。

「そうですか。本人が白状したのなら、仕方ないですね。まあ、その人が一番辛かったでしょうし」

「その人?」妙な言い方だと思ったので、草薙は問い直した。

「会ったことないんですよ、そのニイクラって人とは。名前も、今初めて知りました」

草薙は横で記録係を務めている内海薫と顔を見合わせた後、改めて増村を見た。

「どういうことですか。詳しく話してもらえますか」

増村は低く唸った。「どこから話せばいいかなあ」

「本橋優奈ちゃん事件——二十三年前の話からでいいんじゃないですか」

だが増村は、いや、といって首を傾げた。「もっと昔から話さないと、わかってもらえないかもしれないな」

「だったら、もっと昔から」

「長くなりますよ、かなり」

結構、といって草薙は両手を軽く広げた。「さあ、どうぞ」

増村は自分に気合いを入れるように姿勢を正すと、咳払いを一つしてから話し始めた。

それは本当に長い物語だった。


傷害致死で逮捕された時、真っ先に増村の頭をよぎったのは、このままでは由美子の将来が台無しになってしまう、ということだった。

父親違いの九歳下の由美子を、増村は心の底からかわいがった。彼女には自分のような苦労はさせたくないと思ったからこそ、懸命に働いて仕送りを続け、母が急死した後は、費用のかかる寮つきの女子校に転校させ、すべての面倒を見続けてきた。

本当は大学にも行かせてやりたかった。由美子は成績が優秀だったのだ。しかし彼女は、「これ以上お兄ちゃんに甘えられない」といって卒業後は自動車メーカーに就職した。勤務先は千葉にある工場で、彼女も独身寮に入ることになった。

これでようやく苦労から解放されると思い、増村がアパートに引っ越した直後、事件を起こしてしまったのだった。

拘置所に面会にやってきた由美子に、もう来なくていい、と増村はいった。

「縁を切ろう。幸い、名字が違う。由美子の戸籍を調べても俺との繫がりはわからない」

由美子は泣きながら、そんなことできるわけない、といった。

情状証人として裁判に出廷した彼女は、自分がいかに兄に世話になったか、兄がどれだけ思いやりのある人間かを切々と訴えてくれた。増村は涙が止まらなかった。

服役中、由美子はしばしば手紙をくれた。それが増村には励みになったが、同時に心配でもあった。自分の存在が彼女の人生に悪い影響を与えていないか、気掛かりだった。

刑期を終える少し前、恋人ができたという手紙が由美子から届いた。社内恋愛らしい。しかも相手はエリート社員だった。子会社の社長の息子で、修行のために由美子と同じ職場で働いているとのことだった。

急いで返事を書いた。前科者の兄のことは絶対に相手にいってはいけない、もう手紙をくれなくていいし、こちらからも連絡しない、という内容だった。

しかし由美子は手紙を送ってきた。刑務所を出たら、必ず連絡がほしいと書いてあった。

やがて出所する日がやってきた。躊躇いつつ、由美子に電話をかけた。久しぶりに聞く妹の声は元気そうだった。だが言葉を交わすうち、どちらも涙声になっていった。会いたいといわれ、胸の奥が熱くなった。断りきれず、約束をした。

後日、待ち合わせの場所に行くと、すっかり大人の女性になった由美子がいた。話したいことはたくさんあるはずなのに、言葉が出てこなかった。美しく成長した妹を眺めているだけで満足だった。

「じつは会わせたい人がいるの」由美子がいった。

それから間もなく一人の男性が現れた。礼儀正しく、誠実そうな人物だった。

由美子の恋人――本橋誠二だった。

増村は驚いた。自分の存在は隠されているものと思い込んでいたからだ。

「この人ならきっとわかってくれると思ったから打ち明けたの」そういって由美子は本橋を見た。

聞けば、本橋の父親の会社は足立区にあるらしい。当時本橋は三十二歳だった。数年後には父親の会社に移るとのことだった。

結婚させてくださいと本橋から頭を下げられ、増村は面食らった。自分なんかの意見を尊重してくれるとは思っていなかったからだ。

「もちろん大賛成ですけど、いいんですか？　俺なんかと親戚になっちゃって」

「問題はそこです」本橋は険しい顔つきになった。

それから彼が話した内容は、極めて現実的なものだった。

自分は由美子を愛しているし、信頼もしている。その彼女が尊敬し、恩義を感じている兄ならば、たとえ前科があったとしても気にならない。しかも由美子から聞くかぎり、不運としかいいようがない事件ではないか。

しかし誰もが同じように思うとはかぎらない。いやむしろ、偏見を持ち、抵抗を感じるのがふつうだろう。自分の家族、親戚も、きっと結婚には反対する。

だから当分の間、増村の存在は伏せておきたい、と本橋はいうのだった。話を聞いている間、由美子は辛そうな表情で黙っていた。

「それはだめだ」ぎくりとした顔の二人に向かって増村は続けた。「当分の間、なんてのはだめです。ずっとだ。俺の存在は、ずっと隠しておいてください。ばれたら、きっと由美子は苦労します。絶対に明かさないと約束してください。それができないなら反対です。結婚には反対します」

由美子の頰を涙が伝った。本橋誠二は苦しげな表情で頭を下げた。

こうして二人は結婚した。由美子が二十四歳の秋だ。嫁入りの際、昔のアルバムは増村が預かった。家族写真は誰にも見せられないからだ。

増村の存在は隠されたが、由美子とは縁が切れたわけではなかった。不定期にではあったが、増村は由美子と会っていた。またその際、由美子が生まれたばかりの優奈を連れてくることもあった。本橋だけは承知しているとのことだったので、増村は安心した。だが優奈に物心がつくようになると、由美子は連れてこなくなった。優奈が増村のことを誰かに話すかもしれないからだ。寂しかったが、写真で満足することにした。由美子と会うたび、優奈の写真が増えていった。増村にとっては命よりも大切な宝物だった。

そんなふうにして十年以上が過ぎた。凶事が起きたのは優奈が十二歳の時だ。突然、行方不明になったのだ。増村はあわてて由美子に会いに行った。

妹は痩せこけ、魂が抜けたようになっていた。何を話しかけても反応がない。早まったことをしなければいいがと心配になった。

その悪い予感が現実になった。優奈の行方不明から一か月後、由美子は飛び降り自殺をした。母親としての不注意を詫びる遺書があったという。

本橋誠二からの知らせを聞いた時、増村は狂わんばかりに号泣した。

それからの数年間をどのように過ごしたか、うまく思い出せない。何のために生きているのかわからず、中身のない日々をぼんやりと過ごした。

そんな増村を突如現実に引き戻す出来事が起きた。優奈の遺体が見つかったのだ。すでに本橋誠二との連絡は途絶えていたが、たまたま目にした新聞記事で、そのことを知った。

覚悟していたことではあったが、事実として突きつけられるとやはりショックだった。深い絶望感に襲われると共に、妹を失った悲しみも改めて押し寄せてきた。

一体誰がそんなひどいことを、と思った。しかし事件から何年も経っている。犯人が見つかることはおそらくないだろう、と諦めていた。

ところが違った。それからしばらくして、犯人が逮捕されたのだ。蓮沼寛一という男で、本橋の会社に勤めていた元従業員らしい。

居ても立ってもいられなくなり、おそるおそる本橋誠二に連絡を取ってみた。

電話に出た本橋の声は沈んでいた。犯人が逮捕されたところで優奈や由美子が生き返るわけではないからかと増村は思ったが、事情は少し違っていた。

本橋によれば、逮捕された男が全く何もしゃべらないので、真相がまるでわからないそうなのだ。

「それはね、今だけですよ」電話口で増村はいった。「私は経験があるからわかるんですけど、逮捕された直後は頭の中が真っ白になって、しゃべりたくても言葉がうまく出てこないんです。おかしなことを口にして、取り返しのつかないことになっちゃいけないと思いますしね。でも刑事というのは、それはもう上手に話を引き出します。もう少し待ったら、きっと犯人は白状しますよ」

「それならいいのですが……」本橋は浮かない口調で応じた。その時すでに彼は警察関係者から詳しいことを聞いていて、蓮沼が口を割らないのは黙秘権を行使しているからだと知っていたのかもしれない。

しかし何も知らなかった増村は、少し生気を取り戻した。逮捕されたのだから、いずれ犯人は裁かれるだろうと思い込んでいた。幼い子供の命を奪っただけでなく、その母親を自殺に追い込んでもいるのだ。死刑だっておかしくないと思った。

その判決の出る日が、優奈や由美子が成仏できる日でもある。それが近づいているのだから、自分もそろそろ気持ちを切り替えるべきなのかもしれない、などと考え始めた。

ところが現実は、増村の予想とは全く違った。裁判の結果を伝える新聞記事を読み、仰天した。無罪だというではないか。何度も記事を読み直した。別の事件ではないかと思ったが、本橋優奈ちゃん、という文字がたしかに含まれていた。

早速、本橋に連絡してみた。「一体全体、どういうことですか？」と、彼にぶつけても仕方のない質問を口にしていた。

「証拠不十分……ということらしいです。我々も何が何だかわからなくて。とにかく検察に任せるしかないです」

本橋が苦しげに話すのを聞き、増村は自らの無力さを痛感した。何もしてやれることがないのが情けなかった。

だから、ただ祈った。次の裁判で勝つことを祈った。これで無罪なら、神も仏もないと思った。

だが二度目の判決も無罪だった。増村はそれをニュースで見たが、腰が抜けたようになり、しばらく立ち上がれなかった。悪い夢としかいいようがなかった。

この時ばかりは本橋には電話をしなかった。自分と同様に、いや自分以上に落胆しているに違いないと思ったからだ。

もしかすると本橋は復讐を考えるのではないかと思った。法廷が裁いてくれないのならば自らの手で、というわけだ。その時には加担したいので声を掛けてほしいと思ったが、いつまで待ってもそんな誘いは来なかった。本橋が一人で蓮沼に復讐した、という話も聞こえてこない。考えてみれば当然で、会社の経営者である本橋には、背負っているものがたくさんあるのだった。

つまり、天誅を下すとすれば自分しかいないのだ、と増村は気づいた。その瞬間、それが生きる目的になった。蓮沼寛一を見つけだし、あの世に葬るのだ。その結果、刑務所に入れられたって構わない。

だがその思いを遂げるのは、殊の外困難だった。裁判後、蓮沼は行方をくらましていたからだ。元々、増村は人脈に乏しい。行方不明になった人間を捜し出す手立てがなかった。

何もできないまま、長い年月が経った。生きていくには働かねばならないが、前科者ではなかなか定職につけない。結果、職探しばかりに追われる日々となった。蓮沼に対する憎しみは些かも消えていなかったが、復讐できる機会も方法も見つけられず、半ば諦めていた。それは人生に対する思いでもあった。生きる意味を完全に見失っていた。

そんな空しい日々を終わらせたのは、ある男の話だった。

その男とは、四年ほど前に日雇いの工事現場で知り合った。妻子がいたが離婚して、今は気ままに暮らしているという中年男だった。何となくウマが合い、休憩時間に話すようになった。

増村は男に自分に前科があることを打ち明けた。だからなかなか仕事が見つからないのだといった。するとその男は、東京の菊野市にいい会社があると教えてくれた。

「社長が変わり者でさ、前科者を敢えて採用することもあるんだ。そういう人間を生まれ変わらせたら、ふつうの人間より良い仕事をするとかいって」

廃品回収の会社だ、と彼はいった。少し前まで、そこで働いていたらしい。辞めた理由はいわなかったが、どうやら何かの不正をしてクビになったようだ。

「前科者ではないけど、一人すごい男がいた。人殺しで逮捕されたのに、裁判で一言も口をきかなかったから無罪になったっていう話だった」

人殺しや無罪という言葉に増村は反応した。名前を尋ねたところ、ハスヌマという男だとその男はいった。

一気に頭に血が上った。身体が震えだすのを止められなかった。詳しいことを教えろ、と迫った。男は増村の興奮ぶりに当惑した様子で、本人から直接聞いたわけではなく、仲間が噂していたのを耳にしただけだと答えた。

彼の話に基づき、その廃品回収業者についてインターネットで調べてみた。作業者募集の一文が目に留まった。シニア歓迎ともある。

迷う余地などなかった。すぐに採用担当に電話をかけた。会社を選んだ理由を尋ねられたので前科のことをいうと、相手は納得したようだ。

後日、履歴書を手に会社を訪ねていった。社長が直々に会ってくれた。傷害致死で逮捕された事件についても正直に話した。「そいつは不運だったね」と社長はいい、その場で採用を決めてくれた。

住むところはあるのかと訊かれ、これから探すつもりだと答えると、ちょうどいい物件があると社長はいった。

それは今はあまり使っていない倉庫の管理事務所で、風呂はないが流し台やトイレは備わっているとのことだった。見せてもらったところ、さほど老朽化しておらず、壁も綺麗だ。家賃も格安にしてもらえたので、喜んで借りることにした。

家財などろくにないから転居は簡単だ。翌週から働き始めた。

職場には様々な人間がいた。わけありの雰囲気を漂わせている者もいれば、善良そのもののような人物もいた。

蓮沼の存在は、すぐに確認できた。会社のパソコンに従業員名簿が入っていたからだ。

本人に気づいたのは三日目だ。喫煙所で煙草を吸っている従業員たちの中に、蓮沼と記されたネームプレートを付けている男がいた。

顔を見るのは初めてだった。窪んだ目と尖った顎、薄い唇が酷薄そうな雰囲気を発している。他人とは距離を置いているのか、皆から離れたところで煙草を吸っていた。

この男が優奈を殺し、由美子を追い詰めたのか――。

今すぐにでも、どこかから刃物を持ってきて、襲いかかりたかった。だが、その衝動を懸命に抑えた。

ただ殺すだけではだめだと思った。まずは真相を蓮沼の口から聞き出すのだ。

そのためには極めて不本意ではあるが、親しくなるしかない。きっかけを見つけて、近づく必要があった。

するとそれから数日後、思わぬ形でチャンスが訪れた。増村が喫煙所で煙草を吸っていると、火を貸してくれといって蓮沼のほうから近寄ってきたのだ。

「あんた、前科があるんだってな」蓮沼は煙を吐いてから訊いてきた。

「まあね、大昔の話だよ」自分でも意外なほど自然な声が出た。

「何をやったんだ？　盗みか？」

「そんなんじゃない」

増村は傷害致死事件のことを包み隠さず話した。この男を信用させるには変にごまかさないほうがいいと判断したからだ。

話を聞き、蓮沼は肩をすくめた。「それはまた、馬鹿なことをしたもんだな」

「咄嗟(とっさ)のことで、無我夢中だった。殺されるかもしれないと思ったからな」

増村の説明に蓮沼は首を振った。

「俺が馬鹿なことだといったのは、相手を刺したことについてじゃねえよ。なんでそんな正直に警察で話したのかっていってるんだ」

言葉の意味が理解できずに増村が黙っていると蓮沼は続けた。

「刺した覚えなんかない、最初に包丁を手にしたのは向こうだったとでもいえばよかったんだ。それを取り返そうとしているうちに、気がついたら相手が血を流して倒れていた、とかさ」

増村は首を振った。「そんなのは無理だ」

「どうして？」

「嘘なんかついたら、すぐに見破られる。現場の状況を再現する時に、いろいろと訊かれるんだ。話が合わないことが出てきたら、説明に困っちまう」

すると蓮沼は、はっはっはと愉快そうに笑った。

「あんた、お人好しだな。そんなもの、何も覚えてない、わからないで押し通せばいいんだ。話が合わなくたって別に構わない。そんなもの、こっちの責任じゃないんだから。最終的に包丁を握ってたのはあんただとしても、先に手に持ったのは相手じゃないって、どうしていいきれるんだ？　あんたの指紋が重なったから、相手の指紋が消えたのかもしれないじゃねえか。今、俺がいったように主張してたら、あんた、無罪になってたぜ」

得意げに話す蓮沼の顔を、増村は呆気にとられる思いで眺めた。

この男のいう通りかもしれなかった。逮捕された時、そのように供述し、辻褄の合わないことに関しては知らぬ存ぜぬで押し通せたら、裁判の結果は違っていたかもしれない。

しかし現実には無理だ。取調室の独特の雰囲気に呑まれ、強面の刑事に睨まれたら、そんな嘘など咄嗟には出てこない。仮に思いついたとしても、矛盾点を突かれ、本当のことをいえと迫られたら、あっさりと白状してしまうだろう。

ところがこの男——蓮沼は違う。増村の話をちょっと聞いただけで、即座に刑を免れる方策を思いついた。たぶんこの手の悪事に関して、おそろしく頭の回転が速いのだ。しかも、答えられない質問には答えなければいいと開き直れる神経の図太さもある。

優奈を殺しておきながら無罪になった悪辣(あくらつ)さの片鱗を見たような気がした。

「おたく、詳しいんだねえ」こみ上げてくる怒りを押し殺し、増村はいった。「そういう経験があるのかね」

もしかすると優奈殺しについて何かいうかもしれないと思って誘ってみたが、蓮沼はにやりと笑い、さあねえ、とはぐらかした。

それ以来、顔を合わせれば言葉を交わすようになった。ほかの従業員とはあまり親しくしない蓮沼だが、なぜか増村には気を許しているように思われた。馬鹿正直に刑事罰を受け入れた人間を見ていると、自分の賢智さを改めて嚙みしめられ、優越感に浸れるのかもしれない。そう思うと増村の憎悪の炎は一層燃え上がったが、それを懸命に隠し、蓮沼との距離を縮められるよう努めた。いずれは優奈殺しのことを聞き出せるのではないかと考えたからだ。

半年ほどが経つと、二人で酒を飲むようになった。あまり自分のことを話さない蓮沼が、生い立ちについて漏らしたりもした。

警察官だった父親が大嫌いだった、と蓮沼はいった。

「一般人を露骨に見下すわけよ。典型的なオイコラ警官だ。自分が脅せば、誰でもいうことをきくと思ってやがる。頭が悪いんだ」

さらに、こんなことをいった。

「家で酔っ払った時なんか、よく自慢してたよ。今日も一人、吐かせてやったってな。怪しいけど証拠がなくて困ってた奴を別件で逮捕して、取調室で徹底的に脅して自白させたわけだ。自白は証拠の王様で、それを引き出した自分は検事なんかより偉いんだってよ。俺は、もしこんな奴の取り調べを受けるようなことになったら、死んでも口を開かないでおこうと思ったね」

そういうことか、と増村は合点する思いだった。自白は証拠の王様だと父親から聞かされ続けてきたから、否認と黙秘を続ければ何とかなると学習したのだ。その知恵は、優奈殺害事件で逮捕された際に生かされることになった――。

決定的なことを聞き出せたのは、それから間もなくだった。その時も二人で酒を飲んでいた。どちらからともなく拘置所の話になった。

「あそこはひどいよな。狭い上に夏は暑くて冬は寒い。おまけに臭い。こっちを何だと思ってやがる」

蓮沼がいうのを聞き、増村の神経が反応した。「何をやったんだ?」

「うん?」

「拘置所にいたんだろ? 何をやって捕まったんだ?」

それまで蓮沼は、逮捕歴があるとは一度もいっていなかった。

蓮沼は少し迷うような素振りを見せた後、「殺しだよ」と小声でいった。「あんたと同じで、大昔の話だけどな」

「誰を殺したんだ?」

増村の問いかけに、蓮沼は即答しなかった。勿体をつけるように猪口に酒をゆっくりと注ぎ、それを飲んでから口を開いた。

「働いていた工場の娘が行方不明になった。何年か経ってから骨が見つかった。その娘を殺したんじゃないかってことで逮捕されたんだ」

「殺したのか?」増村の心臓は早打ちを始めていた。「あんたが?」

蓮沼は横目でちらりと増村を見た後、遠くに視線を向けた。

「起訴されて裁判になった。俺は余計なことは一切しゃべらなかった。それでいいって、弁護士もいうしな。いろいろあったけど、結局俺は無罪になった」

「……そいつはよかったな。でも、本当のところはどうなんだ？　あんたがやったのか？　誰にもいわないから教えてくれよ」煮えたぎる怒りを懸命に抑え、増村は媚びる口調でいった。

蓮沼は口元を曲げ、肩を小さく揺すって低く笑った。

「本当のところ？　何だよ、本当って？　裁判で無罪となったんだから、それで終わりだ。実際、俺は拘置所に入れられてた期間に応じた補償金だって貰ってる」

この話はここまでだ、といって口にチャックをするしぐさをした。

その後は増村がいくら誘ってみても、この話題には乗ってこなかった。「しつこいな、あんた」といって嫌な顔をするだけだ。気分を損ねて、付き合いを断たれてはまずいので、増村は諦めた。

だが収穫はあった。優奈殺害事件について、初めて蓮沼が漏らしたのだ。こうしたことを続けていれば、いずれは真相を聞き出せるかもしれない。

ところがその思惑が狂った。ある日突然、蓮沼が会社に来なくなったからだ。会社には、辞めるという電話があっただけらしい。アパートに行くと、すでにもぬけの殻だった。携帯電話にかけてみたが、解約されているらしく繋がらない。

ほかの従業員に尋ねたが、誰も行方を知らなかった。社長にも退職の理由をいわなかったらしい。

愕然とした。何ということか。こんなことならば、もっと早くに復讐を遂げておくべきだった、と悶絶するほどに後悔した。

　しかしそれから数日して、携帯電話に着信があった。公衆電話からだった。出てみると驚いたことに蓮沼だ。

「どうしたんだ、急にいなくなって」

「ちょっとした事情があってね。会社に刑事が来なかったか」

「刑事？　いや、そんな話は聞いてないが」

「そうか。それならいい」

「何だ。何をやったんだ」

　ふふ、と鼻を鳴らすのが聞こえた。

「別に何もしてない、といっておくよ」

　蓮沼が電話を切りそうな気配がしたので増村は慌てた。

「待ってくれ。どこにいるんだ」

「今はいえない。また連絡する。じゃあな」そういって蓮沼は一方的に電話を切った。

　実際、それから何度か連絡があった。いつも公衆電話からだった。まずは最初に、会社で何か変わったことはないか、と尋ねてくるのだった。

　連絡の頻度は、少しずつ減っていった。数日おきだったのが、数週間おきになり、やがては何か月も連絡が来ないこともあった。このまま連絡が途絶えたらどうしようと増村は焦ったが、蓮沼は相変わらず公衆電話を使っているし、居場所を教えてくれなかった。

そんなふうにして三年が過ぎた。ある日、増村が職場に行くと、知らない男たちが待っていた。彼等は刑事だった。一枚の写真を見せられ、この人物を知っていますか、と訊かれた。そこに写っていたのは蓮沼の顔だった。

知っていますと答えた後、増村は様々なことを訊かれた。どうやら蓮沼と一番親しくしていた人物、と捉えられているようだった。

刑事たちの質問は、蓮沼が行方をくらました当時のことに集中していた。どんな話をしたか、変わった様子はなかったか、連絡はなかったか等々。増村は少し迷ったが、正直に答えていった。時々電話がかかってくることも話した。

刑事たちは満足したようだ。御協力ありがとうございました、といって去って行った。ただしどういう事件の捜査かは教えてくれなかった。

しかし、それはすぐにわかった。大々的にニュースになったからだ。三年前に行方不明になった若い女性の遺体が、静岡県で火事になった家の焼け跡から見つかったらしい。その女性が菊野商店街にある食堂の娘だということは、職場の誰かが聞きつけてきた。

そういうことか、と腑(ふ)に落ちた。時々行く食堂に色気のある娘がいる、という話を蓮沼から聞いたことがあった。その娘を襲い、挙げ句に殺害したのだろう。遺体を隠し、念のために自分も姿を消した。そして警察の動きを確かめるため、増村に連絡してきたのだ。

しばらくして蓮沼が逮捕されたという話が伝わってきた。

増村の思いは複雑だった。今度という今度は、さすがの蓮沼も逃げられないだろう。ついに処罰されることになる。だがそれは優奈を殺した罪に対する罰ではない。そして刑務所に入られてしまったら、増村はもう手を出せないのだ。

ところが、そこからの展開は思わぬものだった。復讐が果たせぬ今、もうこんなところにいても意味がない、さりとて行くところもないと考えていた頃、驚いたことに蓮沼から電話がかかってきたのだ。

「あんた、逮捕されたんじゃなかったのか」

「されたよ。だけど釈放された」

「釈放……」

「前にいっただろ。自白は証拠の王様だって。その王様がいなきゃ、奴らはどうしようもないんだ」

言葉が出なかった。今回もまた黙秘を続け、処罰を免れたというのか。

「あんた、まだ菊野にいるのか」増村が黙っていると蓮沼が訊いてきた。

「いるけど……」

「そうか。だったら、近々会いに行くかもしれない。その時はよろしく頼むよ」

「ああ、わかった」

じゃあまた、といって蓮沼は電話を切った。増村は呆然として、携帯電話を見つめた。

信じられなかった。あの男は二人も殺していながら、何の裁きも受けずに済むのか。一体、遺族の気持ちはどうなるのか——。

そう思った時、今回の遺族は自分ではなかったことに気づいた。会ったことのない人々ではあるが、彼等の心境を想像すると胸が痛んだ。自分がもっと早くに蓮沼を殺しておけば、こんなことにはならなかったのだ。

しばらくしてから増村は、被害者の自宅である食堂を覗きに行った。だが店は閉まっていた。営業などできる精神状態ではないのだろう。

どうしたらいいのか、増村は懸命に考えた。このままでいいわけがないと思った。何とかして蓮沼に天誅を加えねばならない。しかし方法がわからなかった。蓮沼の居場所さえ知らないのだ。

どうすることもできず、悶々とした毎日を送った。時間ばかりが過ぎていき、焦った。

するとある日、携帯電話に知らない番号から着信があった。出てみると蓮沼だった。前回の電話から三か月近くが経っていた。

頼みがある、と蓮沼がいった。「しばらく部屋に置いてくれないか」

「部屋に？　どうして？」

「アパートの大家が、契約を更新しないといってきたんだ。まあ、予想してたことだから、別に驚きはしなかったけどな。そうなったら、あんたのところで世話になれないかなと考えてたんだ。もちろん、それなりの金は払うよ」

「これからどうするんだ」

「ゆっくりと次の住処を探すよ。どうだ、置いてくれるか」

まさに千載一遇のチャンスだった。これを生かさずに復讐はあり得ない。

「ああ、いいよ。狭いけどな」

「大丈夫だ。寝るところがあればいい」

それからすぐに蓮沼はやってきた。会うのは久しぶりだったが、酷薄そうな顔つきはまるで変わっていなかった。

「この町は相変わらずだな」靴を脱ぎ、部屋で胡座をかきながら蓮沼はいった。「しけた商店街しかない。さえないところだ」

それから蓮沼は、くっくっくと押し殺したような笑い声を漏らした。

「どうかしたのか」

「いやなに、ちょっくら挨拶に行ってきたんだ。遺族の家にな」

「えっ？　遺族の家って……」

「『なみきや』っていう食堂だ。店の親父に、てめえのせいで逮捕されて、おかげで信用をなくした、賠償金を払えって脅してきたんだ」

「……相手は何と？」

「何かぐちゃぐちゃいってたけど、所詮は負け犬の遠吠えだ。無視して出てきたよ」

勝ち誇ったようにいう蓮沼の顔を見て、増村はもう一方の遺族たちの気持ちを想像し、思った。

暗澹たる思いに包まれた。この男は人間ではない、人間の皮を被った邪悪な生き物だと

それでも増村は旧友という仮面をつけ、その夜は再会を祝して酒を酌み交わした。蓮沼は上機嫌だった。警察や検察を馬鹿にする言葉を吐き続けた。

起訴されたらどうするつもりだったのか、と増村は訊いた。

「その時はその時だ」蓮沼は何でもないことのようにいった。「前と同じようにやるだけだ。一年ちょっとぐらい拘置所で不自由な思いをするが、補償金という見返りもある。悪い話じゃない」

「有罪になったら?」

「ならねえよ」蓮沼は言下にいった。「前の事件でさえ無罪だったんだ。今度のほうが、状況証拠は少ない。俺が黙っていれば、検察は何もできねえ」

「その、前の事件だけど」増村はいった。「なんで殺したんだ? 無罪っていう判決が出てるんだから、もういいだろ? そろそろ教えてくれよ」

蓮沼は酒に酔った顔を不自然に歪めた。それは今まで見せたことのない悪意に満ちた笑みだった。

「殺そうと思ったわけじゃねえ」焼酎の入った茶碗を手にいった。「かわいい子猫がいたから、撫でてやろうとしたんだ。すると嚙みついてきやがった。それでお仕置きしたら、死んじまった。そのままじゃまずいから、焼いて供養して埋めてやった。ただそれ

だけのことだ」

増村は、血の気の引いていく音が聞こえたような気がした。蓮沼が口にしたのは、紛れもなく優奈殺害を認める発言だった。しかも、あろうことか、優奈を動物に喩えていた。

「ふうん、そうだったのか」増村は抑揚のない声で相槌を打った。演技ではなかった。あまりに感情の昂ぶりが大きいと、人間はそれを表に出せなくなるのだと知った。

その夜、増村は眠れなかった。隣からは毛布にくるまった蓮沼の寝息が聞こえてくる。呑気で無警戒な呼吸音だ。今なら間違いなく殺せると思った。

流し台から包丁を取ってきた。蓮沼の忌々しい寝顔を睨んだ後、握りしめた包丁を高々と持ち上げた。

だが振り下ろす寸前で堪えた。

復讐を果たしたいのは自分だけではないはずだ、と気づいたからだ。

## 42

並木祐太郎が、突然『なみきや』にやってきた刑事たちから任意同行を求められたのは、新倉直紀が自供したと聞いた夜の三日後だった。料理の仕込みをしている最中だったが、「何もなければ営業時刻までには戻っていただけると思います」と刑事はいった。

何もなければ、とはどういうことなのか。警察車両に乗せられてから、逮捕する材料がなければ、という意味だと気づいた。それならば、もしかすると今夜は帰れないかもしれない。店を出る時、真智子や夏美が心配そうに見送っていたが、場合によっては彼女たちも呼ばれるだろう。すでに二人には、本当のことを話してある。

何もかも計算外だ、と並木は思った。少しも思ったようにいかなかっただけでなく、新倉直紀の人生を壊すことになった。本人が選んだこととはいえ、そのきっかけを作ったのは自分だ。

すべてはあの夜から始まった。蓮沼が突然『なみきや』にやってきた夜だ。

それまでは、ほんの少しだが光が見えつつあった。

蓮沼寛一が釈放された時は、深い闇の中に放り出されたような感覚に襲われた。捜査責任者の草薙が釈明に来たが、到底納得できるような話ではなかった。

並木たちの心の拠り所は、諦めたわけではない、何とか決定的な証拠を摑んで起訴に持ち込みたい、という草薙の言葉だけだった。

だがそれから瞬く間に時が過ぎた。蓮沼が再逮捕されたという話など、一向に聞こえてこない。

期待は日に日に萎んでいった。事件のことをなるべく考えないようにしている自分に気づいた。悔しく無念なことだが、諦める気持ちが少しずつ広がっているのを認めざるをえなかった。店のこと、夏美の将来、憂うべきことはいくつもある。佐織の死は重大な出来事ではあるが、過去は過去、何があっても彼女は生き返らない。

前を向いて生きていくしかないのだろう、と考え始めた。はっきりと口に出したわけではないが、その思いは真智子や夏美にも伝わっているようだった。彼女たちの顔に笑みが表れ始めたことでそれがわかった。少しずつだが、並木家は明るさを取り戻していった。

だが蓮沼寛一が『なみきや』に現れたことで、何もかもが最も絶望が深かった頃に戻った。薄れかけていた憎悪は、以前よりも増幅されて蘇った。

あの夜は一睡もできなかった。真智子も同じらしく、いつまでも布団の中でもがいているのがわかった。だが二人の間に会話はなかった。怒りや憎しみを口にするには、どちらも打ちひしがれすぎていた。

翌日は臨時休業にした。仕込みをする気力が湧かなかったからだ。夏美は何とか大学に行ったが、真智子は布団から出てこなかった。

並木は店に下り、まだ日の高いうちから酒を飲んだ。

午後五時を少し過ぎた頃だ。格子戸を叩く音が聞こえた。見ると、外で誰かが立っている。おかしいな、と思った。臨時休業の札は出ているはずだ。

鍵を外し、戸を開けた。小柄で白髪頭の男が立っていた。マスクをしているので、顔はよくわからない。薄汚れたジャンパーに膝の突き出たズボンという出で立ちだった。

「今日は休みです」

並木がいうと男は手を横に振った。

「大事な話がありまして……蓮沼のことです」

ぎくりとした。「おたくは？」

「話すと少々長くなります。中に入れてもらえませんか」

男の目からは何かの覚悟が感じられた。並木は頷き、招き入れた。

店に入ってから、男はマスクを外した。顔に刻まれた深い皺は、これまで楽な人生を送ってきたわけでないことを示していた。

男は立ったままで自己紹介をした。増村栄治という名前には全く覚えがなかったが、次の言葉に並木は驚いた。

「二十年ほど前、蓮沼が殺人罪で無罪になったことを御存じですね。私、あの事件で殺された本橋優奈の伯父です」

並木は彼に椅子を勧めた。聞き捨てならない話だった。

増村は、さらに愕然とする話を続けた。この二十年間近く、復讐を果たすためだけに生きてきたこと、ようやく見つけた蓮沼に近づき、ついに信用を得るところまで漕ぎ着けたということを、淡々とした口調で語った。

「昨日、蓮沼はここへ来たでしょう？　私の部屋で自慢げにしゃべっていました。あいつは人間のクズです。じつは昨夜遅く、刺し殺してやろうとしたんです。包丁を持ってきて、振り上げました。でも寸前で止めたのは、並木さんのことを思い出したからです。

ここで私があいつを殺しても、並木さんの気は治まらないんじゃないかと思いましてね。私と同様に、並木さんだって自分の手で復讐したいに決まっている、と」

いかがですか、と増村は窺うような目を向けてきた。

「それはそうです」並木はいった。「この手で殺したいです」

増村は大きく頷いた。

「やっぱり、そうでしょうね。いかがですか、並木さん。私たち二人で手を組んで、あの男に天誅を加えるというのは？　あいつは今、うちの奥にある三畳ほどの部屋で寝泊まりしていますが、そこは本来物置なんです。だから窓はないので、外からは見えない。二人でなぶり殺しにしたって邪魔は入りません」

その提案は並木にとって魅力的な誘いではあった。

国が裁いてくれないのならこの手で、と何度考えたことか。だがそれはいつも想像だけで終わった。

「刑務所に入るのが怖いですか」並木が黙っていると増村が訊いてきた。

「いや、その覚悟はあるんですが……」

「御家族のことが気になるんですね」増村は並木の内心をいい当ててきた。

並木は小さく頷いた。「娘の将来もありますからね」

「御心配なく。いざとなったら私が出頭します」増村は自分の胸を叩いた。「全部、自分一人でやったことにしますよ」

「いや、そんなわけにはいかない。自分だけが助かるなんて……。それに、復讐する前にやっておきたいことがあります」

「何ですか」

「真相を知ることです。なぜ佐織が殺されなきゃいけなかったのか、それを知っておきたいんです。蓮沼は黙秘を続けたせいで釈放されましたが、もし起訴されていて、裁判の結果、有罪になっていたとしても、あいつが真相を語らないままだったら、私は納得できなかったと思います。まずはあいつに本当のことをしゃべらせたい。復讐するかどうかを考えるのは、その後です」

増村は顔をしかめ、両方の眉尻を下げた。「そのお気持ちは大変よくわかります」

並木は、少し時間をもらえないだろうか、と増村にいった。

「どうすればいいのか、じっくりと考えてみます。その答えが出てから、改めて相談するということでどうでしょうか」

わかりました、と増村はいった。

「蓮沼は、しばらく私のところにいるはずです。ゆっくり考えてください」

連絡先を交換した後、返事を待っていますといって、増村は去っていった。

小柄な背中を見送ってから後ろを振り返り、はっとした。真智子が立っていたからだ。

「おまえ……起きてたのか」

「冷たいものでも飲もうと思って」

「そうか」

並木はテーブルの上を片付け始めた。

「どうするの？」真智子が尋ねてきた。

えっ、と妻の顔を見た。彼女は思い詰めたような目を向けてきた。

「どうやって、あいつに本当のことをしゃべらせるの？」

並木は唇を舐めた。「……聞いてたのか」

「階段の上で。話し相手が聞き慣れない声だったから、誰なのかなと思って」

「前の事件の遺族らしい」

「そうみたいね。で、どうするつもり？」

並木は椅子を引き、腰を下ろした。「どうすりゃいいかな……」片付けるつもりだった茶碗に一升瓶の酒を注いだ。

真智子も茶碗を取ってきて、向かいに座った。自分も飲むということらしい。並木は黙って注いでやった。

日本酒をぐいと一口飲み、真智子は、ふうーっと息を吐いた。茶碗の中を見つめ、「お父さん、考えなくていいよ」といった。「私や夏美のことは考えなくていいから」

並木は驚いて真智子の顔を見た。彼女の充血した目が据わっている。無論、たった一口の酒が回ったせいではないだろう。

「お父さんが何をやるにしても、私たちはついていくから。恨みを晴らすためなら、何だってする。夏美だって、きっとそういってくれる」

並木は首を振り、酒を飲んでから口元を手の甲で拭った。

「おまえたちには手出しさせない。何かするにしても、俺だけでやる」

「お父さん……」

「といっても、何をどうすりゃいいのか、ちっとも思いつかないんだけどな。真智子、おまえ、何かいいアイデアはないか」

「蓮沼に真相を白状させる方法？」

「ああ」

真智子は茶碗を置き、首を傾げた。「難しいわねえ」

「そうだよな。何しろ警察や検察でさえ、それができなかったわけだしな」

「昔だったら、拷問にかけたりしたんでしょうけど、今はできないもんね」

何気なさそうにいった真智子の言葉が、並木の脳裏に引っ掛かった。

拷問か――。

ものは考えようかもしれない。取り調べの可視化をはじめ、いろいろと厳しい制約があるから、今の警察や検察には強引なことができない。しかし自分たちなら、非合法な手段を使うことに何の問題もない。

だが、単に脅しただけでは無理だろう。たとえば並木が出刃包丁（でばぼうちょう）をちらつかせたところで、蓮沼は鼻で笑うに違いない。実際格闘になったら、並木に勝ち目があるとは思えなかった。それどころか刃物を奪われ、逆に刺されてしまうおそれさえあった。

睡眠薬で眠らせ、手足を縛った上で、刃物などで脅せばどうか。増村の協力があれば不可能ではないだろう。

このアイデアを真智子に話したが、彼女の反応は芳しくなかった。あの蓮沼がその程度の脅しで怯むようには思えない、というのだった。

「刺せるものなら刺してみろ、殺せるものなら殺してみろっていいそうな気がする」

真智子の意見に、並木は首肯せざるをえなかった。たしかにそうだと思った。そしてそんなふうに挑発されても、きっと自分には殺せないだろうと予想がついた。

戸島修作から聞いた液体窒素の話を思い出したのは、翌朝、冷凍庫の食材を確認している時だった。換気の悪い狭い部屋で液体窒素を使っていた従業員が、あわや窒息死しそうになったというエピソードだ。

頭が痛くなり、目眩がしたと思ったら、床に倒れていた。まずいと思ったが身体が動かず、心底恐怖を覚えた――従業員は、後にそう語ったらしい。

使えるのではないか、と思った。増村によれば、蓮沼が寝泊まりしているところは窓のない狭い部屋だという話だった。そこに閉じ込め、わずかに開けた隙間から液体窒素を少しずつ注ぎこむのだ。徐々に苦しくなれば、蓮沼も単なる脅しとは思わないだろう。命が惜しければ佐織を殺した時のことを話せと詰め寄ったなら、さすがに観念するのではないか。

早速、増村に連絡し、このアイデアを話してみた。

「それは面白いですな」増村は乗ってきた。「いわば毒ガス責めだ。いけるような気がします。しかし液体窒素なんて、そう簡単に手に入るんですか」

「それについては心当たりがあります」

その後、二人で入念に打ち合わせを行った。蓮沼が出かけている間に、部屋や引き戸をチェックした。液体窒素を室内に注ぎ込むには戸に穴を開ける必要があったが、指を引っかける金具を外せば、四角い穴が貫通していることがわかった。

「この穴にぴったり合う漏斗（ろうと）が必要だな」増村がいった。「うちの仕事は廃品回収だ。ちょっと探せば、そんなものは簡単に見つかるでしょう」

こうして方法は決まった。問題は液体窒素の調達だ。

行きつけの飲み屋に戸島を呼びだして相談したところ、何に使うつもりだ、と尋ねてきた。親戚の子供が実験に使いたいらしいと答えたが、納得してはくれなかった。

「祐太郎、おまえ、自分じゃ気づいてないかもしれないが、おっかない顔つきになってるぞ。目も血走ってる。何か企んでるんだな」

「いや……」

「ごまかすな。俺とおまえの仲じゃないか」戸島は声をひそめた。「蓮沼を殺すのか」

並木が返答に困っていると、そうなんだな、と念を押してきた。「だったら協力する。だけど、とぼけるなら手は貸さない。どうなんだ？」

並木は、かぶりを振った。

「殺すわけじゃない。それに俺は関係のない人間を巻き込みたくないんだ」

「関係ない？」戸島が片方の眉を上げた。「祐太郎、おまえ、殴るぞ」

どうやら隠し通すのは無理のようだった。並木はため息をつき、増村と立てた計画を話した。

「ずいぶんと七面倒臭いことを考えたものだな」戸島は呆れたようにいった。「だけど、たしかにいいアイデアかもしれない。それぐらいのことをしなきゃ、あの蓮沼は白状しないかもな」

「液体窒素、都合してくれるか」

「任せておけ。その計画を聞いたかぎりでは、二〇リットルほどあればよさそうだな。専用の容器に入れれば車で運べる」そういってから戸島は少し考え込む顔になり、改めて口を開いた。「ひとつ訊くけど、首尾よく白状させられたら、その後はどうするつもりだ。殺すわけじゃないといったな。じゃあ、脅すのはそこまでにして、あいつを助けるのか」

「それは……わからん。その時になってみないと。あいつがどんなことを語るかにもよる」

並木の正直な気持ちだった。自分でもどうなるか、全く予想がつかなかった。怒りにまかせ、そのまま蓮沼の息の根を止めてしまいたくなるかもしれない。あるいは、理性がそれを押し留めることも十分に考えられた。

祐太郎、と戸島がいった。

「俺は殺したっていいと思うよ。あんな奴が生きてると思うだけで、残りの人生、ずっと嫌な気持ちを抱えていかなきゃいけない。俺なら殺す。だからおまえがあいつを殺したって、全然構わないと思う。ただ俺は、おまえを刑務所には入れたくない」

「俺だって入りたくはない。だから、蓮沼からどんな話を聞いても逆上しないように気をつけないと、とは思っている」

するとと戸島が苛立ったように顔をしかめた。

「俺がいってるのは、そんなことじゃない。いいんだよ、逆上したって。殺したって構わない。それがふつうなんだ。仮にそうなったとしても、俺はおまえを刑務所には入れたくないといってるんだ。それにな、いっておくけど、おまえに殺す気はなくても、蓮沼は死んじまうかもしれないぞ」

「どういうことだ」

「液体窒素というのは、それぐらい厄介な代物なんだよ」

戸島は液体窒素の危険性について、いろいろと話してくれた。ごくわずかな量でも気化すれば膨大な体積になること、それを直接吸えば短時間で酸素欠乏症になること、専用容器でも少しずつ気化しているので、エレベータで運ぶ際には人は同乗しないことなどだ。

「だから、ただ脅すためだけに液体窒素を部屋に流し込んでいたつもりが、ほんの少し匙加減を間違えたせいで蓮沼が死んじまうってことは大いにあり得るってわけだ」

戸島の話を聞き、並木は改めて緊張した。

「どうした、怖じ気づいたか？」戸島が訊いてきた。「やめておこうって気になったか」

「そんなことはない」並木は首を振った。「逆に腹が据わった。覚悟を決めてやるよ」

「そうこなくっちゃな」戸島は、にやりと笑ってからすぐに真顔に戻った。「俺がいいたいのは、殺した場合はもちろんのこと、その気はなくて死なせちまった場合でも、蓮沼の死体が見つかったら警察の捜査が始まるってことだ。もしかしたら警察は、液体窒素が使われたことを見抜くかもしれない。その時の用心をしておく必要がある」

「どんなふうに？」

「蓮沼の死体が見つかったら、警察は真っ先におまえを疑う。だけどおまえに液体窒素は調達できない。いずれ、うちの工場に目をつけるだろう。工場には防犯カメラがついている。俺が車で出入りしているところが映っていたら、その時に液体窒素の容器を持ち出したんじゃないかと怪しむに違いない」

「それはまずい」並木はいった。「修作にそんなことはさせられない。液体窒素は、俺が自分で運ぶ」

「馬鹿か、おまえは」戸島が吐き捨てるようにいった。「社長の俺が自分の工場に車で出入りしたって、何も問題ない。何とでも言い逃れができる。だけどおまえがそれをやったら、自分が犯人でございと喧伝(けんでん)してるようなものじゃねえか」

まさにその通りだと思ったので、並木は反論できなかった。

「しかし修作にしても、そのまま蓮沼のところへは行けないじゃないか。町中には至るところに防犯カメラがある。どれかに映ってたらアウトだ」

「たしかに防犯カメラは厄介だ。二〇リットルの液体窒素を入れた専用容器となると、かなり大きくて重い。運ぼうと思ったら、車を使うしかない。警察は、町中の防犯カメラの映像から、犯人が使った可能性のある車両を発見しようとするだろうな。それに聞いた話だと、最近はNシステムってやつで、どこをどんな車が走行しているか、警察は逐一チェックしているらしい」

「やっぱり俺が運ぶ。蓮沼を死なせないように注意するし、もし間違って死なせてしまったら、潔く自首する」

戸島が大きく舌打ちした。

「俺の話を聞いてなかったのか。おまえを刑務所には入れたくないといってるだろうが。それに死なせないように気を遣ってたら、たぶんうまくいかないぞ」

「そうかもしれんが……」

「少しは知恵を働かせろ。液体窒素の使用に警察が気づいたとして、その後連中がどう考えるかを予想して、その裏をかくんだ」

「裏を？　どうやって？」

「一日だけ時間をくれ」戸島は指を一本立てた。「いい考えが思いつきそうなんだ」

そして翌日、再び二人で会った。戸島は何となく生き生きとしているように見えた。

「警察は、犯人は車を使ったと考えるわけだろ？　その裏をかくわけだから――」

車を使わずに液体窒素を運ぶのだ、と戸島はいった。

意表をつかれ、並木は目を剝いた。

「容器は大きくて重いんだろ？　どうやって運ぶ？　台車なんかに載せて運んでたら、たくさんの人間に目撃されるぞ」

「そりゃ、俺やおまえが運んだらだめだろうな」

並木は息を呑んだ。「共犯者を増やすっていうのか」

「声を掛けたら、話に乗ってくる人間はいる。おまえだって、一人や二人は顔が思い浮かぶはずだ」

戸島の言葉を否定はできなかった。実際、新倉夫妻や高垣智也の顔が浮かんでいた。

「殺すわけじゃないってことを強調すれば、きっと協力してもらえる。もちろん、その交渉は俺がやる。祐太郎は何もしなくていい。当日、蓮沼のところへ行くだけでいい」

「一体、どうする気だ。何を企んでいるんだ」

「おまえは知らなくていい。ただし、これだけはいっておこう。実行するのはパレード当日だ」

並木は啞然とした。

「パレード当日？　なんでまたそんなバタバタする日に……」

「そういう日だからいいんだよ。それから一つ問題がある。増村っていう人のことだ。当日、どうする気なんだ」

「増村さんなら、俺と一緒にいるといっている。蓮沼を問い詰めるところを見ていたいと」

ところが戸島は首を振り、それは絶対にだめだ、といった。

「もし蓮沼が死ねば、警察は必ず他殺を疑う。睡眠薬が検出されたら、誰が飲ませたのかってことになって、その増村って人の経歴なんかも調べるだろう。万一出身地にまで捜査の手が伸びて、二十三年前の事件との繋がりがばれたら、そこを徹底的に突いてくる。そんなことにならないためには、増村さんのアリバイを作っておく必要がある。偽のアリバイじゃなく、本当の完璧なアリバイだ」

戸島の話は尤もだった。増村は事件とは全く無関係と警察が決めつけてくれれば、捜査は必ず行き詰まるはずだ。

心苦しかったが、並木は増村にそのことを伝えた。もしかしたら、話が違う、こんなことなら自分が一人で復讐を果たせばよかった、と怒り出すのではないかと思った。

だが増村は、わかりました、とあっさり承諾した。

「私自身は刑務所に入れられたって構わないと思っていますが、だからといって並木さんに同じことは強いられません。それに、私が警察に疑われないようにするってところが今度の計画の肝だってことは、重々承知しております。了解しました。並木さんが蓮沼を懲らしめている間、私はどこかでアリバイを作っておきます」

ただし条件を付けさせてください、と増村は続けた。

「今のところ並木さんは、蓮沼を殺さないつもりなんですよね。もしその気持ちが最後まで変わらなかったら、引き戸の掛け金は掛けたままにして、現場から立ち去ってもらえますか。で、後は私の好きなようにやらせてもらいたいんですが」

掛け金を掛けたままにしておけば、蓮沼は部屋から出られない。酸欠で弱っているだろうから、引き戸に体当たりする力もないだろう。

私の好きなようにやるとはどういうことか、訊くまでもなかった。

「出刃包丁でやります。その後、警察に出頭します。それなら並木さんに捜査の手が及ぶことはない。四方八方丸く収まるってやつです」そんなふうにいう増村の顔には、清々しささえ漂っていた。

こうして計画は整った。後はパレードの当日を待つのみとなった。

しかし並木は計画の詳細を知っているわけではない。すべてを把握しているのは戸島だけだ。誰が協力者なのか、想像はつくが、確信は得ていなかった。

高垣智也もその一人だろうと思った。戸島が声を掛けないわけがない。

だが純朴さの残る青年の顔を見ていると、残虐な行為に手を貸させるのはかわいそうな気がした。立場上、協力しないわけにはいかないが、内心では関わりたくない、逃げたいと思うのではないか。そう考えたから彼には、もう佐織のことは忘れてくれていい、といっておいた。薄情だとも思わないといい添えた。

新倉夫妻にも同じような言葉を掛けたかったが、そのチャンスがなかった。

そしてパレード当日になった。並木は朝から落ち着かなかった。真智子には、「今日の昼間、蓮沼のところへ行ってくる。殺すつもりはない。真実を吐かせるだけだ」とだけいってあった。ただし具体的に何をするのかは話していない。すべてが終わったら教えるつもりだった。

決行は、たぶん午後四時前後、と戸島からは指示されていた。

「準備が整ったら連絡する。『山辺商店』の軽トラを使ってくれ。大丈夫、話はつけてある。蓮沼のいる事務所に行けば、ブツを入れた段ボール箱が入り口に置いてあるはずだ。それを事務所に持ち込んで、後は予定通りにやってくれ」

誰が事務所まで段ボール箱を運ぶのか、戸島は並木に教えようとしなかった。

落ち着かない気持ちを抱えたまま、いつも通りに『なみきや』の厨房で働いた。

午後二時より少し前、電話が掛かってきた。戸島からだった。

増村から連絡があり、蓮沼が飲んでいる缶ビールに首尾よく睡眠薬を入れることに成功した、とのことだった。増村が事務所を出る時には眠そうにしていたらしいから、起こされなければ二時間や三時間は眠っているはずだ、という。

それから、と戸島は付け足した。

「蓮沼を尋問する場に新倉さんも立ち会いたいそうだ」

「新倉さんが？」

「気持ちはわかるから、おまえに訊いてみてくれと答えた。『山辺商店』の駐車場で待っていると思う。おまえが嫌なら断ってくれ」

「わかった」

断る必要はないと思った。むしろ新倉が一緒だというのは心強かった。計画外のことが起きた時、相談できる相手がいたほうがいい。

並木の緊張感は一気に上昇した。いよいよ自分が決断し、動く時だ、と思った。

ところが予想外のことが起きた。ランチタイム終了間際にやってきた女性客が、長時間トイレに籠もった後、ぐったりとした様子で出てきて、腹痛を訴えたのだ。

放ってはおけなかった。真智子は車の運転ができない。並木が病院に運ぶしかなかった。

女性客を病院に連れていった後、戸島に連絡し、事情を話した。

「準備が整ったから、電話しようと思っていたところだったんだ。なんでこんな日に、よりによってそんなことが……」戸島の声は落胆の色が濃かった。

「どうしようもなかった。すまん」

「おまえが謝ることはねえよ。わかった。仕切り直そう。またきっとチャンスはある」

切り替えの早い戸島の言葉は、並木には頼もしく聞こえた。「協力者たちには俺から連絡しておく」

電話を切った後、全身から力が抜けた。思考力も弱くなっていた。病院の待合室でぼんやりしていると真智子がやってきた。状況を話すと、彼女は落胆と安堵が入り混じった表情を示した。やはり内心では何が起きるのか怖かったのだな、と並木は悟った。

女性客の容態は深刻ではなかったようだ。御迷惑をおかけしました、と並木たちに謝ってきた。一人で帰れる様子だったので、病院を出たところで別れた。

これですべて終わったはずだった。今日は何も起きない、と思っていた。

だがその後戸島から掛かってきた電話が並木を混乱させた。

事情が変わった、というのだった。

「予想外の事態が起きた。詳しくは今夜遅くに電話で話す。後で店に行くけど、その時は何も知らない顔をしていてくれ」

どんなことだと訊いたが、ゆっくり話している時間がない、といって電話を切られてしまった。

五時半になると、いつも通りに店を開けた。次々と常連客がやってきた。戸島も新倉夫妻たちと一緒に現れた。その表情はふだんと変わらないように見えたが、後から振り返れば大した役者だったといわざるをえない。新倉夫妻の顔はよく見なかった。見ていたら、きっと気づくことがあっただろう。

そしてチーム菊野のメンバーから蓮沼の死を知らされた。並木は戸島の顔を見た。一瞬だけ目が合った。

予想外の事態とはこのことかと合点した。

深夜、戸島から電話がかかってきた。誰がやったんだ、と並木は訊いた。

「もちろん俺がやったんじゃない。高垣君でもない。だったら、察しがつくだろ？」

「……新倉さんか」

そうだ、と戸島は答えた。

## 43

戸島修作さんから電話があったのは、パレードの一週間ほど前です。新倉さんに相談したいことがあるんです、といわれました。その時、蓮沼が菊野に戻ってきて、『なみきや』に現れたことも聞きました。信じられませんでした。

戸島さんは私を車で、あの男が住み着いているという事務所の近くまで連れていってくれました。

その後、近くのファミレスで、戸島さんから思わぬ提案をされました。

蓮沼寛一に罰を与える計画があるから、力を貸してくれないかというのです。計画の発案者が並木祐太郎さんだということも、その時に合わせて聞きました。

驚きました。たしかに私も、この手で殺してやりたいほど蓮沼を憎んではいますが、実際に手を下すことなど想像さえしていなかったからです。そんなことをすれば必ず警察が動きます。絶対に犯行がばれない完全犯罪など不可能です。

もしかすると並木さんには、警察に逮捕されても構わない、仮に誰かの協力を得ていたとしても、すべての罪を自分一人で背負う覚悟があるのだろうかと思いました。

するとと戸島さんは、大切な幼馴染みが刑務所に入れられるなんてことは自分が受け入れられない、誰も警察に捕まらなくていい方法で蓮沼に鉄槌を下すのだといいました。

そんなうまい方法があるのかと思いましたが、戸島さんから詳しい説明を聞き、納得がいきました。部屋に閉じ込め、液体窒素で脅して真実を語らせる——意表をついた、じつに独創的な拷問方法です。罪になるとすれば傷害罪だろうと戸島さんはいいます。しかし蓮沼が警察に訴えるはずがなく、結局のところ誰も逮捕されなくて済むというわけです。

私が頼まれたのは、液体窒素の容器をチーム菊野が使う宝箱に隠してほしい、ということでした。それを聞き、少し拍子抜けしました。もっと重要な役割を与えてもらえるかと思っていたからです。私は、その場で承諾しました。

計画のことを妻の留美には話しませんでした。夫がそんな犯罪まがいのことをすると知ったら、きっと平静ではいられないでしょう。彼女は身体が丈夫でなく、精神的にも脆いところがあります。重大な秘密を抱えさせるのはかわいそうだという思いもありました。

実行日が近づくと、私は落ち着かなくなりました。並木さんが蓮沼からどんな話を聞き出せるかを想像するだけで頭に血が上ります。

やがて、どうせなら自分も立ち会ってみたいと思うようになりました。蓮沼が苦しむ様子を見たくもあります。

そこで戸島さんに頼んでみることにしました。戸島さんの答えは、当日の状況を見てから祐太郎に話してみる、というものでした。

パレード当日、私と留美は昼過ぎに家を出ました。時折知り合いと挨拶を交わしながら見物した後、チーム菊野がスタートするより少し前に宮沢麻耶さんのところへ挨拶に行きました。曲について確認することがあったからですが、戸島さんから、万一の時の用心にアリバイをはっきりさせておいたほうがいいので、といわれてもいました。

宮沢さんとの打ち合わせを終えた後、私は留美に、仕事相手から急遽連絡が入った、しばらく一人で見物しててくれといいました。彼女が遠ざかるのを確認すると、急いで市営グラウンドに行きました。『トジマ屋フーズ』のライトバンが近くの路上に止まっていて、運転席に戸島さんの姿がありました。私を見ると戸島さんは車から出て、荷台から大きな段ボール箱と台車を降ろしました。さらに私にスタッフジャンパーを渡しました。

ジャンパーを羽織ると、台車に段ボール箱を載せ、市営グラウンドに向かいました。銀色の宝箱はすぐに見つかりました。宝箱の中には、二つの段ボール箱が入っていました。一つは水のペットボトルを、もう一つはウーロン茶のペットボトルを六本詰めたものでした。それらを取り出し、持ってきた大きな段ボール箱を代わりに入れ、ベルトで固定しました。すべての作業に十分はかからなかったと思います。ペットボトルの段ボール箱を載せた台車を押して戸島さんのところまで戻り、スタッフジャンパーも返しました。

戸島さんは、蓮沼の尋問に立ち会いたいなら『山辺商店』の駐車場で待っていてくれ、といいました。私の要望は、すでに並木さんには伝えてあるようでした。

それから留美のところへ行き、一緒に見物を続けました。

間もなくチーム菊野がスタートしました。私たちは彼等と同じように移動を始めました。

やがてゴール地点に到着です。私は留美に、ちょっと用があるので先にのど自慢大会の会場へ行っているよう命じました。彼女は怪しむ様子もなく、立ち去りました。

私は『山辺商店』へ行くと、駐車場で並木さんが来るのを待ちました。ところが四時になっても現れません。おかしいなと思っていたら戸島さんから連絡がありました。アクシデントが起きたので計画は中止だとのことです。だから軽トラを使い、事務所の前から段ボール箱を回収してきてほしい、といわれました。

気合いが入っていたので、正直なところ拍子抜けをしました。でも並木さんが来られないのならば仕方がないと諦め、いわれたように軽トラックで蓮沼がいる事務所に向かいました。

段ボール箱は計画通りに入り口の前に置いてありました。それを軽トラックに積む前に、ドアを開けてみました。鍵はかかっていませんでした。

奥の小部屋が見えました。引き戸は閉じられ、掛け金が掛けられていました。そして話に聞いていた通り、引き戸金具が外され、四角い穴が空いていました。

私は靴を脱ぐと足音を殺し、引き戸に近づきました。途中、鼾(いびき)が聞こえてきた時には、ぎくりとして足を止めました。

蓮沼が目を覚ました気配はありません。私はさらに引き戸に近づき、四角い穴から中の様子を覗きました。

布団の上で横になっている蓮沼の顔が見えました。だらしなく涎(よだれ)を垂らし、鼾をかいています。

その顔を見ていると猛烈に怒りがこみ上げてきました。

佐織は、私たちの宝は、こんな男に殺されたのか？　一体どうして？　二人の間に何があったのか？　どんなふうに殺されたのか？

今すぐに知りたいと思いました。真実を語らせるチャンスは今しかない、それに自分ならば並木さんの代わりを務めてもいいのではないか、とも思いました。

外に置いてあった段ボール箱を室内に持ち込み、梱包を解きました。特殊な漏斗(ろうと)が入っていたので、まずそれを四角い穴に通しました。液体窒素の容器の蓋を外すと、蓮沼の名を呼び、引き戸を思い切り叩きました。

やがて蓮沼が目を覚ましました。誰だといって立ち上がる気配がありました。引き戸を開けようとしたようですが、掛け金が掛かっているので、無論開きません。

私は容器を持ち上げ、液体窒素を漏斗に流し込みました。蓮沼は驚いたようです。何だこれはと訊いてきました。

液体窒素だ、と答えました。さらに、このまま注ぎ続けたら酸素が薄くなっておまえは死ぬ、と告げました。

蓮沼は喚きだしました。やめろとか、ぶっ殺すぞとか怒鳴っています。もしかすると体当たりをしてくるかもしれないと思い、私は容器を抱えたままで引き戸に身を寄せて構えましたが、そんな様子はありません。どうやら漏斗から注がれる液体窒素に近づけないでいるようです。

間もなく蓮沼は、頭が痛いとか、吐き気がするとか、身体の異変を訴え始めました。私は、助けてほしければ本当のことをいえ、と迫りました。並木佐織に何をしたのか正直に答えろ、といいました。

引き戸を開けてくれ、と蓮沼はいいました。ここから出してくれたら話すといいました。嘘に決まっています。私は、全部話したら開けてやると答え、液体窒素を流し続けました。

やがて、わかった、話すからやめてくれ、と悲鳴のような声が聞こえてきました。それで私は液体窒素を流すのをやめました。
『なみきや』の娘のことは、いつか襲ってやろうと思ってた、と蓮沼はいいました。前々から目をつけていたが、『なみきや』を出入り禁止にされたのが面白くなく、仕返しに娘を犯してやろうと思っていたそうです。たまたま佐織が一人でいるところを見かけたので、その時に乗っていた車で尾行し、小さな公園で襲ったといいました。その公園は工事中だったらしく、人気がなかったそうです。車に連れ込むつもりが抵抗されたため、その場で押し倒したら、急におとなしくなった。どうしたのかと思ってよく見たら、どうやら死んでいるようだった。まずいと思い、あわてて遺体を車に乗せた。どこへ捨てようかと考え、未だにババアの死体が見つかっていないあの家ならちょうどいいのではないかと思いついた——蓮沼は息も絶え絶えになりながら、そんなふうに語りました。

改めて激しい怒りが湧き上がってきました。なぜ自首しなかったのかと問いました。するとあいつは何と答えたと思いますか？　そんな馬鹿なことをするわけがない、死体を隠したらこっちのものだ、そういったのです。

私は再び液体窒素を注ぎ始めました。そして、謝れと命じました。あの世の佐織に詫びろ、心の底から許しを請(こ)えといいました。蓮沼は何かいったようですが、詫びの言葉ではないようでした。そこで液体窒素を注ぎ続けました。

やがて室内から物音が何も聞こえなくなっていることに気づきました。液体窒素の容器は、殆ど空になっています。私は漏斗を穴から引き抜き、中の様子を窺いました。

蓮沼が倒れていました。ぴくりとも動きません。しまったと思い、掛け金を外して引き戸を開けました。でも急いで入ったら危険です。しばらく待ってから、小部屋に足を踏み入れました。

蓮沼の心肺は停止していました。心臓マッサージを試みましたが、蘇生する気配はありません。私は液体窒素の容器と漏斗を段ボール箱に戻し、箱を抱えて事務所を出ました。

軽トラックの荷台に箱を載せると、『山辺商店』を目指しました。運転しながら戸島さんに電話をかけ、事情を話しました。

戸島さんは絶句されました。でもそこからが、あの方のすごいところでした。すべて予定通りに進めていいといったのです。後は自分が何とかするからと。

いわれるままに、軽トラックを戻すと公園へ行き、留美と合流しました。のど自慢大会どころではなく、審査員席で作り笑いを続けるのは辛かったです。

のど自慢大会終了後、戸島さんと落ち合いました。留美がいるので、戸島さんは何もいいませんでした。彼女が計画について何も知らないことはすでに話してありました。

その後、三人で『なみきや』に行き、蓮沼が死んだという知らせを、ほかの客たちと共に聞きました。それまでの間、平静を装っているのが大変でした。

深夜、戸島さんから電話がありました。増村さんや並木さんには事情を説明した、とのことでした。

新倉さんに申し訳ないことをしたと祐太郎がいってましたよ、と戸島さんはいいました。自分が妙なことを思いついたせいで、とんでもない負担を負わせてしまった――並木さんはそういったそうです。

必ず守りますから、と戸島さんはいいました。我々が沈黙を守りさえすれば、警察には計画の全貌はわからないはずだから安心してください、と続けました。

ところが警察が真相に迫る速度は、私たちの想像以上でした。特に、ヘリウムボンベが偽の証拠であり、実際の犯行に使用されたのは液体窒素だと気づいているかもしれないと戸島さんから聞かされた時には、目の前が暗くなりました。その件には湯川教授が何らかの形で絡んでいるそうです。思わぬ人物の名前が出てきて、一層不気味な思いに捕らわれました。

やがて増村という人の素性がばれたことや、高垣智也君が自供したことなどを知り、自分たちが確実に追い込まれていることを痛感しました。もう時間の問題かもしれないと覚悟を決めかけていた頃、警察から夫婦揃って任意同行を求められたのです。

事情聴取は別々に行われました。私は、何も知りません、事件とは無関係です、と押し通しましたが、内心では留美のことが気に掛かって仕方がありませんでした。彼女は本当に何も知らないのですが、夫が事件に関与しているのではないかとずっと疑っている様子でした。警察に連れてこられたことで不安が限界に達しているに違いありません。

すると案の定、聴取の最中に留美が倒れたと知らされました。私は急いで病院に駆けつけました。

過呼吸症候群だろう、と医師からは説明を受けました。これまでに同様の症状が出たことがあるかと問われたので、軽い症状なら何度かあると答えました。

病室で留美は薬で眠らされていました。ベッドの脇に座り、彼女の手を握りました。安らかに眠る妻の顔を眺めているうち、もうこんな辛い状況からは解放してあげなければ、と思いました。

## 44

廊下の一番奥にあるドアは開いたままになっていた。薫が近づいていくと、部屋から作業服を着た男性が出てきた。大きな段ボール箱を台車に載せている。一瞬、高垣智也の供述に出てきた、液体窒素を運んだ時のくだりを思い出した。

薫は室内を覗き込んだ。ワイシャツ姿の袖をまくった湯川が、両手を腰に当てて立っていた。薫に気づき、頷きかけてきた。来ることは事前に連絡してあった。

作業服の男性が立ち去るのを見届け、薫は部屋に入った。室内を見回すと印象がかなり変わっている。書棚からファイルが消え、机の上もすっきりしている感じだ。

「研究が一段落したので、ここは引き揚げることになった」湯川がいい、机のほうに向かった。湯沸かしポットやインスタントコーヒーの瓶、紙コップはまだ残っている。

「だったら、いいタイミングでしたね」

「何が？」

「事件のほうも一段落したからです。裏付け捜査とか、まだ雑務はいろいろと残っていますけど」

湯川は無言でインスタントコーヒーを作っている。その背中から意味深長なものを薫は感じ取った。

「事件のこと、係長から何か？」

湯川が、くるりと振り返った。二つの紙コップを手にし、戻ってきた。

「電話で、ざっと聞いたよ。予想した通り、多くの人間が関わっていたようだな」

「それについては管理官も感心していました。ガリレオ先生の推理通りだった、あの人の眼力はやっぱりすごいと」

警視庁内での渾名を聞かされたのが不満らしく、湯川は不機嫌な顔で片方の眉をぴくりと動かした。テーブルに二つの紙コップを置き、ソファに座った。薫も、失礼しますといって腰を下ろした。

湯川は紙コップを手にし、足を組んだ。「詳しい話を聞こうか」

「そのつもりで来ました」薫はバッグからファイルを取り出した。「ただその前に係長からの言伝を。近いうちに直々に礼をしたいので、行きたい店があればいってくれと」

「考えておこう」

薫は頷き、ファイルを開いた。多くの人間たちの供述内容から、事件の真相を自分なりに整理したものだ。供述を拒んでいた戸島も、新倉直紀の自供を知り、最終的には重い口を開いたのだった。

それをゆっくりと読みながら、薫自身も事件を振り返っていた。

本当に複雑な事件だった。蓮沼という、卑劣で凶悪な人物の犯罪を司法が裁ききれなかったことに、すべての原因があるのは明らかだった。そういう意味では直接に手を下した新倉直紀や、犯行を思いついた並木祐太郎、計画を推進した戸島修作には大いに同情の余地がある。しかしどんなに最低の人間であっても命を奪う権利は誰にもない。今後自分たちは草薙の指揮の下、いかにその犯行が許されないものであったかを実証していかねばならない。そのことを考えると薫は気が重かった。

「新倉直紀から蓮沼が死んだことを聞いた戸島修作は、すぐに増村に電話をかけ、状況を説明しました。さらに翌日には、のど自慢大会が行われた公園に隠しておいたヘリウムボンベと蓮沼の毛髪をビニール袋に入れ、現場から二〇メートルほど離れた茂みに放置しました。毛髪は、万一のことを考え、増村に頼んで事前に用意していたそうです」

「ボンベを盗んだのは戸島社長だったのか」

「風船を配っていたのは町内会の役員でした。その人が席を外して、代わりに町の顔役である戸島修作がそこにいても、誰も不審には思いません。ボンベは緑色の風呂敷に包み、公衆トイレの裏の草むらに隠したそうです。保護色になるから、気づく人はいなかったんでしょうね」

「戸島社長は並木さんが蓮沼を殺すと予想していたそうです。殺しても当然だし、もしそうなった時には助けられるものなら助けたい。そう考えて、ヘリウムボンベのトリックを用意していたといっています。液体窒素で事故が起きた時、ヘリウムでも同様の事故が起きることがあって症状は全く同じだと聞いていたそうです。そのトリックは新倉直紀のために使われることになりました」

湯川は肩をすくめ、深い友情だな、と呟いた。

あとそれから、と薫はファイルに目を落とした。

「『宮沢書店』の女社長さんは、依然として事件との関わりを否定しています。戸島修作も、彼女には何も話していないといっています。ただ宝箱を管理していた小道具係によれば、スタート前とゴール後に、特に大した用もないのに電話で宮沢社長から呼びつけられたそうです。彼等を宝箱から遠ざけるのが目的だったんじゃないか、と私たちは睨んでいます。尤も、彼女が計画をどこまで知っていたのかは疑問です。戸島から遠回しに協力を頼まれた程度かもしれません。パレードで宝箱をかなり乱暴に扱っていますから、少なくとも液体窒素が積まれていることは知らなかったと思われます」薫は一通り読み終えるとファイルを置き、紙コップに手を伸ばした。「以上です。いかがでしょうか」

湯川は、しばらく紙コップの中を見つめてから口を開いた。「矛盾はないようだな。筋は通っている」

「私たちの印象も同様です。多少の記憶違いなどはあるかもしれませんが、意図的な大きな嘘はないと考えています」

「そのストーリーで送検するわけだな」

「そうですけど……」

湯川が、ストーリー、といったのが薫には気になった。

「ちょっと訊くが、各人はそれぞれ、どういった罪で起訴されるのだろうか」

「それに関しては、やや複雑です」薫は再びファイルを取り上げた。「供述を信用すれば新倉直紀には殺意がなかったことになりますから、傷害致死が適用されると思います。並木祐太郎は結果的に犯行には参加しませんでしたが、犯行の発案者ですから共同正犯に問われるかもしれません。ただし傷害罪に留まるでしょう。増村栄治も同様です。高垣智也は、蓮沼に制裁を加えると聞いていただけで、液体窒素がどのように使われるかも知らなかった模様です。共同正犯で送検しても不起訴になりそうです。問題は戸島修作で、傷害罪の共同正犯が成り立つのは明白ですが、ヘリウムボンベによるアリバイ工作を企んでいたりして、蓮沼が死んだ場合の備えをしています。解釈によっては殺人罪の未必の故意が適用されるかもしれません。とはいえ、蓮沼を生かすかどうかの判断は、あくまでも実行犯の意思によるわけですから、可能性は低いだろうという見方が有力です。新倉留美は、もしかすると計画を知らされていたかもしれませんが、それだけで罪に問えるかどうかは微妙です」

以上です、といって薫は湯川を見た。

「蓮沼はどうなる？」

「はっ？」

「蓮沼の処遇を尋ねている。被疑者死亡で不起訴か」

「あっ……」薫が考えていなかったことで、意表を突かれた気分になった。「たぶんそうなると思います」

「それについて草薙は何といってる？　増村によって二十三年前の事件、新倉さんによって佐織さんが死んだ事件の真相が判明したわけだが」

「複雑だといっています。真相がわかったのはよかったけれど、やはり自分たちの手で決着をつけたかったと」

だろうな、と呟き湯川はコーヒーを飲み干した。空の紙コップをテーブルに置いた。

「公園は特定できているのか」

「公園？」

「新倉さんの供述の中に出てくるじゃないか。蓮沼は小さな公園で佐織さんを襲ったといったんだろ？」

ああ、と薫は頷いて手帳を取り出した。

「特定できています。工事が行われていた、というのが手がかりになりました。西菊野児童公園だろうと思われます。『なみきや』から徒歩で十分ぐらいのところにあります。三年前のその時期、工事が行われていたのはそこだけです」

それが何かと薫は訊いたが、湯川は返事をしない。何事か考え込んでいる。こういう時には声をかけないほうがいいことは、よくわかっている。しかし一体何が引っ掛かっているのだろうか。

内海君、と湯川が真剣な眼差しを向けてきた。「いくつか調べてほしいことがある。頼んでもいいかな」

薫はバッグからボールペンを取り出し、手帳を開いて構えた。「何でしょうか」

「それを話す前に断っておきたいことがある。このことは草薙には内緒だ。そして君も、なぜこんなことを調べるのかという質問をしないでもらいたい。この二つの条件を飲めないのなら、この話はここまでだ」

薫は旧知の物理学者の、彼にしては珍しく思い詰めたような顔を見つめた。

「ひとつ、訊いてもいいですか」

「何だ」

「湯川先生は、私が話した事件の真相に納得しておられますか。それとも、まだ何らかの疑問なり不満なりをお持ちなのでしょうか」

　すると湯川は大きく息を吐いて腕組みをした後、左手を顔に当てた。親指と人差し指と中指を伸ばしている。何事かを黙考しているようだが、その指の形を見て、何かに似ている、と薫は場違いなことを考えた。物理で習ったような気がする。

　フレミング、という言葉を思い出した時、湯川が姿勢を解いた。

「納得すべきなのかどうか、まだ答えを出せないでいる。だから君に頼むんだ」

「わかりました」薫は即答した。「何を調べればいいのか、話してください。もちろん、目的は一切お尋ねしません」

## 45

　玄関から外に出ると、冷えた空気に全身が包まれ、思わず首をすくめていた。気がつけば、もう十一月だ。温暖化が進んでいるとはいえ、冬は確実に近づいてきている。

　留美は庭に回った。新倉と結婚して間もなく、ガーデニングを始めた。それ以来、花の世話をするのが日課だった。

　作業を始める前に花たちを眺めた。

　百日草はその名の通り、ずいぶんと長い間咲いてくれた。まだ満開のように見えるが、さすがに終わりかけだろう。薄いピンク色のサルビア・サクラプルコもまだ咲いている。こちらはまだ勢いがありそうだ。多年草だが、冬越しさせるには剪定して室内で育てる必要がある。

今年はどうだろう、と留美は思った。もしかすると無理かもしれない。サルビアだけではない。ほかの花々も、誰も世話しなければ枯れていくだけだ。

生け垣のサザンカは、まだ開花していない。あと少しというところだが、果たしてゆっくりと観賞できる日が来るだろうか。

蕾(つぼみ)の状態を調べていると、生け垣の隙間から通りの様子が見えた。黒いワゴンが道端に止まっている。このところ、ずっと止まっている車だ。後部席にはスモークフィルムが貼ってあって、中はまるで見えない。

一度、スーツを着た男が外で煙草を吸っているのを見た。留美が郵便物を取りに出た時だ。男は少し慌てた様子で車に乗り込んだ。

ただでさえ憂鬱な気持ちが、一層落ち込んだ。彼等は刑事だろう。留美の行動を監視しているのだ。

花の世話をする気になれなくなった。すぐそばにはこの庭を見下ろせるような建物はないが、遠くに目をやればマンションなどが建ち並んでいる。どこかの階から望遠レンズで覗かれているのかもしれない。

手袋を外しながら玄関のアプローチまで戻ると、門の外に誰かが立っていた。まさか刑事かと思ったが、違っていた。その顔を見た瞬間、激しい胸騒ぎがした。留美が知っている人物だった。

『なみきや』でよく見かける人物——大学教授の湯川だった。

湯川も留美に気づいたようだ。笑みを浮かべ、お辞儀してきた。

留美は警戒心を膨らませながら門に近づいていった。いつだったか、新倉から聞いた話を思い出していた。この人物はただの学者ではない。知り合いに刑事がいる、いわば警察関係者なのだ。

門扉を開け、「うちに何か御用ですか」と訊いた。

「折り入ってお話が」湯川が柔らかい表情でいった。「事件についてです」

物理学者が、一体どんな話があるというのだろうか。留美は何と答えていいかわからず、狼狽えるばかりだった。

「あなた方が不利益を被る話をしたいわけではありません」留美の逡巡を見越したように湯川は続けた。「選択肢がある、という話をしに来たのです」

「選択肢?」

はい、と湯川は留美を見つめて頷いた。その目は、すべての真理を洞察しているかのようだった。

どう対応していいかわからなかった。どうぞ、といって湯川を招き入れたのは、この様子を見ている に違いない刑事たちの視線から逃れたかっただけかもしれない。

湯川をリビングルームに通した後、留美はキッチンで紅茶を淹れた。アールグレイを選んだのは、自分が一番好きだからだ。何となく、ゆっくりと紅茶を飲める機会は、これが最後のような気がした。

ティーカップやミルクピッチャーなどをトレイに載せてリビングに戻ると、湯川は壁際に飾ってあるアコースティック・ギターのそばに立っていた。

「ギターに御興味が？」トレイごとセンターテーブルに置きながら留美は訊いた。

「学生時代、少しだけかじりました。これはギブソンですね。しかもヴィンテージではありませんか」

「詳しいことは知りません。新倉はギターは本職ではなく、趣味で楽しんでいたようです」

「ちょっと弾かせてもらっても構いませんか」

学者の意外な申し出に戸惑いつつ留美は頷いた。「ええ、どうぞ」

湯川はギターを手にし、そばの椅子を引き寄せて座ると、弦を弾いていくつかの音を鳴らした後、ゆっくりとしたリズムで曲を奏で始めた。

はっとした。新倉が昔作った曲だった。七〇年代のフォークソングをイメージした曲で、留美も好きだった。ＣＤはちっとも売れなかったが。

湯川は演奏を途中でやめ、「いい音だ」といってギターを元の場所に戻した。

「お上手ですね。続けてくださっても構わないのに」

「やめておきます。これ以上弾くと付け焼き刃がばれてしまう」そういって湯川は笑い、ソファのほうにやってきた。

付け焼き刃——この日のために練習してきたのだろうか。自宅にアコースティック・ギターがあることは、新倉本人から聞いていたのかもしれない。

どうぞ、といって留美は紅茶を勧めた。湯川はソファに腰掛けてから、いただきますといってティーカップを引き寄せ、香りを嗅ぐ仕草をした後、ミルクピッチャーのミルクを少し注いだ。「並木佐織さんは、いつもこの部屋で練習を?」

まさか、と留美は口元を緩めた。「近所から苦情が来てしまいます。練習は、防音を施した部屋でやっていました」

「苦情が来ますか? 素晴らしい歌声だったと聞いていますが」

「本番ではね。未完成なうちは、やっぱり雑音にすぎないんです」

「それは手厳しい」湯川は紅茶を口に含んだ。「一度聴いてみたかったですね、天才歌姫の声を。ユーチューブなどを探したのですが、見つからなくて」

「お聴きになります?」

湯川は瞬きした。「聴けるんですか?」

もちろん、といって留美は足元のラックからリモコンを取り出した。それを使い、壁に並んでいる最新式の音響装置の電源を入れた。さらにスマートフォンを手に取り、いくつかの操作を行った。スマートフォンには留美がお気に入りの曲が何百曲と入っている。

やがてスピーカーから前奏が流れてきた。すぐに曲名がわかったらしく、湯川が合点した顔で首を縦に動かした。『Time to Say Goodbye』、サラ・ブライトマンが歌ったことで有名になった名曲だ。

囁くような、しかし決して弱々しくない歌声が演奏に重なってきた。耳で聴いているはずなのに、体内で響くような不思議な感覚に襲われる。途端に湯川が目を見開いた。衝撃を受けているのがわかった。

曲が佳境に入ると、佐織の異能ぶりはさらに顕著になる。伸びのある高音は聴く者の身体の中心から脳へ抜け、重厚な低音は腹の底に溜まっていくようだ。まだ二十歳にもならない娘がこれほどの技術を意図的に操れるわけがなく、まさに音楽の神からの授かり物としかいえなかった。

甘美な余韻を残しながら佐織は歌い終えた。

湯川は頭を揺らしながら手を叩いた。「素晴らしい。想像以上です」

「もう少しお聴きになります？」

「いや、やめておきます。聴きたいのは山々ですが、用件を切り出しにくくなる」

留美は深呼吸をし、紅茶を一口飲んだ。「事件について、とおっしゃいましたよね」

はい、と湯川は答えた。

「しかし蓮沼寛一が死んだ事件の話をする前に、まずは最初から振り返りたいと思います」

「最初、といいますと？」

「半年ほど前、蓮沼寛一が佐織さん殺害の容疑で逮捕されたところからです。その経緯を詳しく把握しておられますか」

「静岡県でしたっけ」留美は頬に手を当てた。「そこにある古い家から佐織の遺体が見つかった……というのがきっかけだったと思うんですけど」

「そうです。正確には、ゴミ屋敷と化していた民家が火事になり、焼け跡から二つの遺体が見つかったのです。遺体の一方は何年も前に死亡していたと思われる家の住人であり、もう一方はＤＮＡ鑑定によって並木佐織さんだと判明しました。そして住人の女性の人間関係から、蓮沼寛一の名が捜査線上に浮かんできたのです。さて、ここでまず疑問点が一つ」湯川は指を一本立てた。「何年間も放置されてきたゴミ屋敷が、なぜ突然火災に見舞われたのか。知り合いの警察関係者に調べてもらいましたが、原因は未だに不明のようです。最も疑いが濃いのは放火らしいですが、犯人に繋がる手がかりは見つかっていません」

予想外の話にどう反応していいかわからず、留美は当惑した。湯川が何について語ろうとしているのか見当がつかなかった。

「一方、蓮沼に目をつけた捜査陣は、彼と並木佐織さんの繋がりを探りました。それはすぐに見つかりました。三年前、蓮沼は『なみきや』に出入りしていたのです。しかも佐織さんに対してよからぬ感情を持っていたようだ、という証言もある。佐織さんは蓮沼に殺害された可能性が高い、と捜査陣は考えました。問題は物証があるかどうか。捜査員たちはありとあらゆるところを捜し、やがて見つけました。蓮沼の部屋から、前の職場で使っていた制服が出てきたのです。その制服には、ごくわずかですが血痕が付着していました。分析の結果、佐織さんのものだと判明しました。これを決定的な証拠として、捜査陣は蓮沼の逮捕に踏み切ったのです」

第二の疑問、といって湯川は指を二本立てた。

「この話を初めて聞いた時から、僕はずっと気に掛かっていたことがあります。蓮沼寛一は、なぜそんな服を後生大事に所持していたのでしょうか。前の職場を辞めて部屋を引き払う時、処分するのがふつうだと思いませんか。忘れていた、捨てそびれていた、といわれればそれまでですが、どうしても腑に落ちないのです」

湯川教授、と留美はいった。

「どうして私にそんな話を？　おっしゃってることは尤もだと思うんですけど、それらの疑問を投げてこられても、私には投げ返す答えがございません」

すると湯川は前屈みになり、留美の内心を覗き込むような目を向けてきた。「本当にそうですか？」

「えっ、本当にって……」

「答えを御存じありませんか。じつは知っているけれど、自分では気づいていないだけではありませんか」

何のことをいわれているのかまるでわからず、留美は当惑するばかりだった。

話を進めましょう、といって湯川は姿勢を元に戻し、指を三本出した。

「三番目の疑問、これが最も重要です。逮捕された蓮沼寛一は、全く揺らがなかった。十九年前と同様に沈黙を保ち続けた。前回の経験があるから、黙秘を続けさえすれば罪に問われることはないと自信を持っていたのでしょうか。しかし警察や検察にも意地があります。何らかの強力な証拠を見つけだしてこないとはかぎらない。それでも最後の最後まで余裕を持ち続けられたのはなぜか。蓮沼は釈放後、ある人物に、自白は証拠の王様で、王様がいないかぎり平気だと豪語したそうです。つまり彼には、絶対に自分が有罪になるような証拠など出てこないという確信があった。それはなぜか？」

湯川は三本指を立てていた手を下ろし、ティーカップの紅茶を口にしてから、改めて留美のほうを向いた。

「いかがでしょう？　この三番目の疑問については、あなたには答えがわかっているのではないですか」

心の中で何かが崩れたのを留美は感じた。それは大きなものを支えている土台の、最も大切な部分だった。そしてそこが崩れた以上、もう瓦解を止められないことは明らかだった。この物理学者は、すべてを見抜いた上でやってきたのだ。

「なぜ蓮沼は、自分が罪に問われることはないと確信できたのか。僕が推理した答えはただ一つ、佐織さんを殺したのは彼ではなかった。それだけでなく、彼は真犯人を知っていた。そして万一自分が追い詰められるようなことになれば、それを明かせばいいと思っていた。だから最後まで彼は黙秘を続けられたのです」

湯川の口から発せられた言葉は、留美の身体の中心を貫いた。血の気が引く音さえ聞こえたような気がした。全身から力が抜け、座っているのがやっとだった。

「話を続けても構いませんか」湯川が心配そうに訊いてきた。

「ええ、どうぞ」激しい動悸と息苦しさを堪え、留美は辛うじて答えた。

問題は、と湯川は話を再開した。

「蓮沼がそんなことをした理由です。そんなこととは、真犯人を知っていながら黙っていたことだけではありません。それ以前に彼は不可解な行動を取っている。佐織さんの遺体を静岡県のゴミ屋敷に隠したのです。これらの行動だけを見れば、彼は真犯人の共犯者です。しかもかなり忠実な共犯者です。あの蓮沼が、それだけの忠誠心を示す人間がいたということでしょうか」ゆっくりとかぶりを振った。「これまでの捜査で、そんな人間は一人も上がってきていません。では何が蓮沼を動かしたのか。考えられることはただ一つ、お金です。彼は金目当てで真犯人に協力したのです」

違います、と留美はいおうとした。あの男がしたことは、断じて「協力」などではない。

すると湯川が、いいたいことはわかっている、とばかりに右手を出した。

「真犯人が蓮沼に協力を頼んだわけじゃない。蓮沼が勝手に協力したのだろうと僕は推測しています。具体的には、真犯人が立ち去った後、佐織さんの遺体をゴミ屋敷に隠したのです。佐織さんが行方不明になったことで多くの人々が心を痛めたと思いますが、真犯人自身も気味が悪かったはずです。遺体はどこへ消えてしまったのか、と。その後、蓮沼は菊野を離れ、警察の捜査がどのように進むか、様子を窺いました。そして自分が疑われていないことを確信すると、息を潜めてじっと待ち続けたのです。三年間――死体遺棄罪の公訴時効が成立するまでです」

留美は声を出せなくなっていた。呼吸をするのが精一杯だ。逃げだしたかったが、身体が動きそうになかった。

「静岡県の小さな町、周囲から迷惑がられていたゴミ屋敷で、住人の老女の遺体と共に若い女性の遺体が眠っていることを知っていたのは、この世で蓮沼ただ一人でした。真犯人は何も知らないままでした。もしかしたら月日が経つうちに佐織さんのことも忘れかけて――」そこまでしゃべったところで湯川は首を横に振った。「いや、そんなことがあるはずないですね。訂正します。ずっと気に掛かっていたに違いありません」

その通りだ、と留美は胸の中で答えた。忘れたことなど一度もない。

「そして三年が過ぎ、蓮沼は動き始めました。彼が最初にしたのは、並木佐織さんは殺害されていたという事実を白日の下に晒すことでした。実際には何をしたか。もうおわかりですね。第一の疑問、なぜゴミ屋敷が火事になったのか。蓮沼が放火したのです。それしか考えられない」

湯川の低い声が留美の耳の奥で響いた。話を聞きながら、ああそうだったのか、と今更合点している部分があった。これまで考えなかったことだ。なぜゴミ屋敷が燃えたのかなど、どうでもよかった。

「蓮沼が佐織さんを殺した犯人なら、遺体が見つかるようなことをするわけがない。だから放火犯は蓮沼ではあり得ない——静岡県警も、この考えから脱却できなかったのでしょう。しかしわざと遺体が見つかるようにしたと考えれば、第二の疑問にも答えが見えてくる。なぜ佐織さんの血液が付着した服を後生大事に持っていたのか。じつはそれも意図的だったのです。つまり蓮沼は、自分が逮捕されるように仕組んだわけです。その意味は何か。一連の行動は、真犯人に対するメッセージだったと僕は考えています。自分は事件の真相を知っている、というメッセージです。知っているはずなのに、なぜかそれを話さない。その不気味な態度が真犯人に対して強烈なプレッシャーになることも見越していたと思われます。じつに狡猾で大胆な行為ですが、自分は決して罪には問われないという確信がなくてはできないことです。真犯人を知っているという切り札があればこそでしょうが、約二十年前の成功体験が彼を支えていたのも事実だと思われます」

淡々と語る湯川の言葉は、一つ一つがジグソーパズルのピースのようだった。空いたところにぴたりぴたりと嵌まっていく。留美でさえ十分には把握していなかった部分までもが埋まっていく。

「処分保留で釈放されたのは、蓮沼にとっては予定外だったと思います。裁判で無罪判決を勝ち取るまで、二年間ぐらいは拘置所暮らしになることを覚悟していたでしょうからね。そうなったとしても彼は平気だった。出所した暁には、前回と同様に刑事補償金を請求できる。わざと逮捕された目的の一つにはそれもあったのだろうと僕は睨んでいます。ところが思いがけず釈放になり、蓮沼は計画の実行を早めることにした。方法は不明ですが、ついに真犯人に接触し、取引を持ちかけたのです。すなわち、真相を黙っている見返りとして金銭を要求した。取引というより脅迫ですね」

湯川は一息つくように紅茶を飲み、カップをソーサーに戻した。カップは空になっている。お代わりをいかがですか、の一言が留美の頭に浮かんだが、声を出せなかった。

「真犯人が佐織さんを死に至らしめた理由や経緯については全くわかりません。突発的な出来事で、佐織さんだけでなく真犯人にとっても不幸なアクシデントだったのではないかと想像します。その時に警察に連絡していれば、問題はこれほど大きくならずに済んだ。でもそれができない事情が真犯人にはあったのでしょう。したがって蓮沼の脅迫にも抗えなかったと思われます。しかし金銭の要求が一度や二度で済むはずがありません。一生つきまとわれるのかと思うと絶望的な気持ちになったのではないでしょうか。その心境を思うと僕も胸が痛くなります」

学者が講義をしているようだった湯川の口調が、いつの間にか優しく語りかける如くに変わっていた。

「そんな時、思いがけない話が舞い込んできた。並木祐太郎さんが蓮沼を監禁し、真相を問い詰めるという計画です。真犯人は驚愕したことでしょう。もし計画が成功したならば、蓮沼は真実をしゃべってしまうかもしれない。それだけは何としてでも食い止めねばならなかった。そこで真犯人たちは打開策を練った。そうして思いついたのが、並木さんを足止めし、自分たちが蓮沼を殺害するというものでした。『なみきや』で突然体調不良を訴えた女性客――たしかヤマダさんといったはずです」湯川が留美に目を向けた。「あの女性は何者ですか?」

不意に投げかけられた質問が、鋭い矢のように留美の胸に突き刺さった。これがとどめだった。辛うじて保たれていた心の均衡がついに破れ、彼女を支えていたものがすべてがらがらと音を立てて崩れていった。

新倉さん、にいくらさん、と呼ぶ声が聞こえる。はっとして目を開けた。何が起きたのかわからなかった。

気がつくとソファからずり落ちていた。一瞬、気を失ったらしい。すぐそばで片膝をついた湯川が顔を覗き込んできた。「大丈夫ですか?」

「あ、はい……」留美は上体を起こし、胸に手を当てた。鼓動が速い。

すみません、と湯川は謝った。「調子に乗って、一人でしゃべりすぎました。少しお休みになったほうがいいかもしれませんね」

「いえ、大丈夫です。ただ、ちょっと席を外していいですか。お薬を飲みたいので」

「もちろんです。どうぞごゆっくり」

ソファに手をつき、留美は立ち上がった。少しふらつきながら居間を出て、洗面所に向かった。医師から貰った薬は、化粧ポーチに入れてある。

薬を飲み、洗面台の鏡を見つめた。すっかりやつれた中年女の顔があった。肌には張りがなく、血色も悪い。

こんな顔で人前に出たら彼に叱られる——そう思うとじっとしていられなくなり、化粧ポーチに手を伸ばしていた。

留美が居間に戻ると、湯川は壁に掛けられた額縁の前に立っていた。中に収められているのは一枚の楽譜だ。

「私たちのデビュー曲です」留美はいった。「はるか昔。私が新倉たちのバンドにボーカルとして加わって、メジャーデビューした時の曲です。今ひとつ売れませんでしたけど」

「記念すべき第一歩というわけですね」そういって湯川は留美のほうを向き、驚いたように目を見張った。「どういう薬を飲まれたのかは知りませんが、効果はてきめんですね。見違えるほど顔色がよくなった」

留美は微苦笑を漏らした。

「化粧を直しただけです。でも鏡に向かって化粧をしていると、無心になれるし、混乱した頭の中を整理できたりします。その意味では薬なんかより効果があるかもしれません」

湯川は頷いた。「どうやらそのようだ」

「紅茶のお代わりはいかがですか。新しく淹れようと思いますけど」

「いただきます」

「紅茶を淹れましたら」留美は湯川の目を見つめて続けた。「今度は私の話を聞いていただけますか」

湯川は当惑したように瞬きした後、にっこりと笑った。「聞き手が僕でよければ」

留美も笑みを返し、キッチンに向かった。だが途中で足を止めると振り返っていった。

「御存じですか。お茶も花が咲くでしょう？　だから花言葉もちゃんとあるんです」

「そうなんですか。いや、知らなかったな。何ですか」

「お茶の花言葉は『追憶』です。そして『純愛』」

やや虚を突かれた顔をしている湯川に、「少しお待ちくださいね」といって留美はキッチンに入った。

## 46

すべてが順風満帆に進んでいた。音楽の神から授かった自分たちの宝の存在は、間もなく世界中に衝撃を与えるはずだった。その日が刻一刻と近づいてくると思うと、留美は毎日が楽しくて仕方がなかった。少年のように目を輝かせて佐織のことを語る夫の姿を見ては、幸せを嚙みしめた。

だが、ただ一つだけ気になっていることがあった。

それは高垣智也の存在だった。

その青年とは『なみきや』で出会った。常連客らしく、何度か顔を合わせるうちに言葉を交わすようになった。上品な顔立ちをした、礼儀正しい若者だ。

留美が気になったのは、高垣智也の佐織を見つめる眼差しだった。いや、それは別に構わない。佐織の美貌を考えれば、彼女に惹かれる男性がいるのはむしろ当然のことだ。問題は、佐織のほうだった。彼女もまた高垣智也に恋心を抱いている気配があった。周囲の誰も気づいていないようだが、留美にはわかった。理由はうまく説明できない。女の直感とでもいうべきものが働いたのだ。

よりによってこんな時期に、と苦々しく思った。恋をしたら表現力が高まる、という意味のことが芸術の世界ではよくいわれるが、現実にはそんな単純なものではない。恋にうつつをぬかし、修行に身が入らなくなることのほうが多い。特に佐織はまだ発展途上だ。だからこそほかのことに気を取られないよう、生活面でも夫婦で厳しく管理してきた。そのことでは並木夫妻にも喜ばれていたのだ。

ところが、どうやら事態は留美が恐れていた方向に進み出したようだった。高校を卒業してしばらくした頃から、佐織には明らかな変化が生じていた。その時点で佐織は高垣智也と交際していることを明かしていなかったが、留美は察知した。二人に肉体関係ができたのだと確信した。

新倉にはいえなかった。彼は何も気づいていない。知ればショックを受けるだろう。愛弟子(まなでし)は歌のことしか考えていないと思い込んでいる。

迷った末、佐織と話し合うことにした。高垣智也との仲を尋ねると、佐織はあっさりと認めた。「やっぱり、ばれちゃってました?」悪びれる様子もなく、ぺろりと舌を出した。

留美は、今は大切な時期だから少し我慢してほしい、といった。

「別れろとはいわない。無事にプロとしてデビューできて、それなりの結果も残せたら、そこから先はあなたの人生だから好きにしたらいい。でも今は自粛してちょうだい。歌のレッスンに集中して。あなた、プロになりたいんでしょ?」

佐織は悄然(しょうぜん)とした表情で、はい、と頷いた。しかし留美は不安だった。彼女が納得しているようには見えなかったからだ。男と付き合っていることがばれないように、これからはもっとうまくやろう、と思っただけではないか。

この想像は的中した。用があって渋谷に出かけた際、留美は、腕を組んで楽しそうに歩いている佐織と高垣智也の姿を目撃した。その日佐織は、友人の見舞いに行かねばならなくなったといって、ボイストレーニングを休んでいた。

後日、佐織を問い詰めた。プロになる気があるのかと叱責(しっせき)した。

すると佐織の口から思いがけない言葉が発せられた。自分にとって高垣智也と過ごす時間は、歌手になる夢と同じぐらい大事だ、というのだった。

「どうして人が夢を叶えようとするのかっていうと、そうすれば幸せになれると思ってるからでしょ？　でも今のあたしは、智也君と一緒にいれば幸せなんです。別の幸せを手に入れるために今の幸せを捨てるって、変じゃないですか？」

予想外の反論に留美は目眩がしそうになるほど混乱した。たかが若い男との青臭い恋愛ではないか。そんなちっぽけなものと、世界を目指そうという壮大な夢を天秤にかけるのか。しかもその夢に新倉は人生を賭けている。留美は夫の気持ちを踏みにじられたように感じた。

留美は、いかに自分たちが佐織の才能を買っているかを語り、どうか期待を裏切らないでほしいと念押しした。それは懇願に近いものだった。

わかりましたと佐織はいったが、どこまで理解しているのかは不明だった。

その日以後、留美はそれまで以上に佐織の日常生活を気にするようになった。練習に来ない日は理由を問い詰め、出かけると聞けば行き先を確認した。

佐織の様子が少しおかしい、と新倉がいいだしたのは年が明けて、しばらくしてからだ。練習に身が入っていないように思う、というのだった。

「そろそろデビューの準備を始めようと思っているのに、ここへ来て、気持ちが少し緩んでる感じだな。まあ、そういう時期は必ず来るとは思っていたけどね。一度、お灸をすえてやるか」

新倉の言葉に留美は焦りを覚えた。佐織の生活面を管理しきれていないのは、自分の責任だと思った。

そしてあの日――。

夕方、佐織を電話で呼びだした。大事な話があるとだけいったのだが、彼女は何となく用件がわかっている様子だった。声の感じから、うんざりした表情が目に浮かんだ。

どこで話すかを迷った。会話を誰かに聞かれたくなかった。すると佐織のほうも、店ではなく公園とかがいいといった。町外れにある小さな公園で会うことにした。

行ってみると、公園の一部は工事中で、そのせいか人気は全くなかった。近くには民家もなく、ひっそりとしている。

ベンチに二人で並んで座り、留美は用件を切り出した。いよいよ新倉も変だと感じ始めたようだから、恋人との交際はほどほどにしてほしいといった。

佐織は黙って俯いていたが、やがて顔を上げ、留美のほうを見た。その目に宿る真剣な光に、留美はぎくりとした。嫌な予感が迫ってきた。

「あたし……やっぱりやめます」佐織はいった。

何をいっているのか、留美にはわからなかった。「……やめるって、何を?」

だから、といって佐織は唇を舐め、続けた。「歌手を目指すことです。やめます」

その言葉が留美の頭にはすぐに入ってこなかった。聞こえてはいるが、意味を理解することを本能が拒否していた。

「何いってるの」留美は声を震わせた。身体中の血が逆流するような感覚があった。

「冗談でしょう？　やめてよ」

佐織は首を振った。落ち着いた顔をしていた。

「本気です。もう、いいんです。あたし、別の道を目指すことにしましたから」

「別の道？　歌手以外に、どんな道があるというの？」

佐織は微笑みを浮かべた。次に彼女が発した台詞は予想外のものだった。

「あたし、お母さんになります。赤ちゃんを産んで、素敵な家庭を作りたいです」

「赤ちゃん？」留美は佐織の下腹部に視線を落とした。「まさか……」

「今朝、検査をしたんです。陽性でした。まだ智也君には話してないけど、喜ぶと思います。結婚したいといってくれてるから」

陽気に話す佐織の顔が、とんでもない痴呆に見えた。この娘は何をいっているのか。

「ちょっと待って、佐織ちゃん、よく考えて。あなた、自分がしゃべっていることの意味、わかってる？　どうしてこんな時に赤ん坊なんか……。デビュー前なのに……。大事な時だっていうのに……」

「だから、もうデビューはしないといってるじゃないですか。留美さんこそ、自分が何をいってるのかわかってないみたい」

ふふふと笑われ、留美の頭に一層血が上った。

「そんなこと……そんなこと、許されるわけないでしょっ。あなたのために、私たちがどれだけがんばってきたか、わかってるの？　何もかも、あなたを一流の歌手にするための努力だったのよ。うちの人だって、すべてを犠牲にしてきたっていうのに……。そんなに簡単に夢を諦めるなんて、認められるとでも思ってるの？　私たちの今までの苦労をどう思ってるのっ」

留美の剣幕にさすがにまずいと思ったか、ごめんなさい、と佐織は謝った。

「お二人には感謝しています。ありがとうございました。この経験を、これからの人生に生かせたらいいなと思っています」

「あなたのことなんかどうでもいいっ。私たちの夢はどうなるのと訊いてるのよっ。あなたに賭けてきたのに……」

留美の言葉を聞き、佐織は眉をひそめた。首を捻り、「それって、おかしくないですか」といった。

「おかしい？　何が？」

「どうしてあたしが新倉先生たちの夢を叶えてあげなきゃいけないんですか。よく新倉先生は、留美ではできなかったことが君ならやれるとおっしゃるんですけど、あたしはお二人の雪辱戦に参加する気なんかなかったです。もっと自由に歌いたかったし、ほかに夢ができたなら、進路変更したって構わないと思ってました」

留美は佐織の顔を睨みつけた。「よくもそんな恩知らずなことを……」

わかりました、と佐織は冷めた表情でいった。

「新倉先生にも、きちんと話します。そうして謝ります。それとも子供を堕ろせとでもいうんですか。あたし、絶対に嫌ですから」

彼女がスマートフォンを取り出したのを見て、留美は狼狽した。「何をする気？」

「だから新倉先生に電話をするんです。何もかも正直に話します」

「待って、ちょっと待って」

留美はスマートフォンを奪おうとした。こんな話、新倉には聞かせられないと思った。自分が何とかしなければ――。

「考え直してっ。お願いだから。何か方法を考えよう。きっと道はあるはず。赤ちゃん、産んでいいから。お母さんになっていいから。だからお願い、歌を諦めないで」

「やめてください。あたし、仕方なく諦めるわけじゃないですから。喜んで違う道に進むだけだから。留美さんたちの夢を押しつけないで。そういうの、重たいし、気持ち悪い」

スマートフォンを奪い合っているうちに、どちらも立ち上がっていた。

「気持ち悪い？」留美は目を見開いた。「何てことを……」

「だって、そうだもの。まるでストーカーに見張られてるみたいで息が詰まっちゃう」

この一言で留美の理性が消し飛んだ。夫婦で命懸けで取り組んできたことを、あろうことかストーカーとは。

「馬鹿にしないでっ」全身の力を込め、突き飛ばしていた。踵(かかと)が何かに引っ掛かったのだろうか、佐織の身体は真っ直ぐ後ろに倒れた。鈍い音が耳に残った。

すぐに起き上がってくるだろうと思った。そうしたら、今度は頬を平手打ちしてやろうと留美は身構えた。それほど怒りは大きかった。

ところが佐織は動かなかった。地面に大の字になったままだ。佐織ちゃん、と呼びかけながら顔を覗き込むと薄目を開けていた。身体を揺すっても反応がない。まさかと思い、口元に手をやった。佐織は息をしていなかった。

何が起きたのかを瞬時に理解した。

死なせてしまった、佐織を殺してしまったのだ——。

頭が真っ白になり、次に激しく混乱した。何をすべきか、わからなくなった。気づくと、その場から逃げだしてしまっていた。思考がほぼ停止している中、新倉にどう説明したらいいだろうということばかりを考えていた。

街中を徘徊しているうちに、絶望感が増していった。自分は警察に逮捕されるだろう。新倉には多大な迷惑をかけることになる。何より、彼の生き甲斐である愛弟子の命を奪ったことに対して申し開きができない。

死んで詫びるしかない、と思った。どこでどうやって死ねばいいだろうか。飛び降り自殺が一番楽かもしれない。

どこに高い建物があっただろうか、と考え始めた時、遠くで救急車のサイレンの音がした。もしかすると佐織の遺体が発見され、搬送されたのかもしれないと思った。今頃、あの場所は大騒ぎになっているのではないか。

気がつくと先ほどの公園に足を向けていた。サスペンスドラマなどでよく見る、パトカーが集結している様子が頭に浮かんだ。きっと警察は簡単に犯人を突き止めるだろう。その前に死ななければ、と留美は思った。

ところが公園のそばまで近づいても、騒ぎなどは起きていなかった。無論、パトカーなど影も形もない。さっきの救急車は関係がなかったということか。

おそるおそる、佐織を突き飛ばした現場まで歩を進めた。足が、がくがくと震えるのを止められなかった。大変なことをしてしまったという思いで息が苦しくなっている。

しかし——。

元の場所に佐織の遺体はなかった。位置を勘違いしているのだろうかと思って周りを見たが、どこにもなかった。

再び思考が混乱した。これは一体どういうことだろう。佐織の遺体はどこへ消えてしまったのか。

その時、地面に向けていた目が、きらりと光るものを捉えた。留美はそれを拾い上げた。蝶の形をした金色のバレッタだった。佐織が髪につけていたのを覚えている。先程、彼女が倒れた拍子に外れたのだろう。

もしや、と思った。佐織が死んでしまったというのは自分の早とちりで、じつは気を失っていただけではないか。あの後、佐織は意識を取り戻し、自力で立ち去ったのではないか。そうではなく誰かに見つけられたのだとしたら、警察が駆けつけて来るはずだ。

考えれば考えるほど、それが妥当な推論のように思われた。迷った末、留美は佐織のスマートフォンに電話をかけた。彼女が電話に出たら、まずは暴力をふるったことを謝らねばと思った。

だが電話は繋がらなかった。佐織が意図的にしていることなのかどうかはわからない。もやもやとした思いを抱えつつ、留美は帰路についた。明日も佐織のレッスンが予定されている。おそらく彼女は現れず、新倉は不満に思うだろうが、そのことはとりあえずどうでもよかった。今はとにかく一刻も早く佐織の無事を確認したかった。

その夜は新倉は仕事で帰るのが遅かった。佐織のデビューに関する打ち合わせをしてきたそうで、機嫌がよかった。そんな彼を見ていると留美は心が痛んだ。佐織が歌手になる夢を断念したことなど口が裂けてもいえなかった。

しかしそんな苦悶など、次に起きる事態に比べれば何でもなかった。夜遅くに並木祐太郎からかかってきた電話に、留美は戦慄を覚えた。電話を終えた新倉が、「佐織が夕方に出かけていったきり、帰らないそうだ」といったのだ。

途端に留美はパニックになった。どう対応していいか、まるでわからなくなった。だがその様子を新倉は、単に佐織の身を案じ、取り乱しているだけだと受け止めたようだ。心配いらない、きっとけろりとして帰ってくるに違いない、といって慰めてくれたのだった。

翌日になっても佐織は戻らず、警察の捜査が本格的に始まった。留美は、彼女との間にあったことを話さねばと思いつつ、どうしてもいえなかった。佐織の心変わりを新倉に伝えるのは心苦しかったし、自分のしでかしたことを隠しておきたいという思いもあった。佐織の行方不明と自分の行動には関係がないはずだ、と勝手に決めつけてもいた。

こうして佐織は失踪した。留美には、何が何だかさっぱりわからなかった。夢と目標を失った夫の姿を見るのは辛かったが、あの夜のことは話さないほうがいいだろうと思い、ずっと黙っていた。

それから三年あまりが過ぎた。時間の経過と共に、留美は詳細な記憶を失いつつあった。いや、決して忘れてはいないのだが、自分と佐織の間に起きたことが現実ではなかったような気がするのだった。夢で見たことを事実と混同している——そんな感覚だった。

そして半年ほど前、恐れていた事実が発覚した。やはり佐織は死んでいた。遺体が見つかったのだ。しかも静岡県の小さな町にあるゴミ屋敷の火災跡という、思いがけない場所からだった。

どんな事情があるのかさっぱりわからず、留美は新倉と共に経緯を見守った。やがて蓮沼という男が逮捕された。犯人である可能性が高いという。

留美はあの日に思いを走らせた。佐織を突き飛ばして自分が現場を去った後、一体何が起きたのか。

だが詳しいことは全く明らかにならなかった。逮捕された蓮沼という男が黙秘を続けたからだ。さらに、ついには釈放されたという。それを知った時、新倉は狂わんばかりに激怒した。自分の手で殺したい、というのが彼の口癖になった。

奇妙な話だ、と留美も思った。警察が逮捕したぐらいだから、しっかりとした証拠があったはずだ。それなのになぜ釈放なのか。

しかしそれから程なくしてかかってきた一本の電話が、そんな留美の疑問を根底から覆した。電話の主は、まず、「あんたの恩人だ」と名乗った。男の声だった。

気味が悪かったので、すぐに切ろうとした。その気配を察知したのか、「電話を切るとあんたの立場がまずくなるぜ。俺は三年前、あんたが並木佐織に何をしたかを知っている者だ」と相手はいった。さらに、「俺の名前ぐらいは聞いたことがあるんじゃないか？　あんたの代わりに殺人犯の汚名を着せられ、あやうく刑務所に入れられそうになった蓮沼寛一という者だ」と続けた。

留美が言葉を発せられないでいると、蓮沼はくっくっと押し殺したような笑い声を漏らした。

「驚くよなあ、そりゃあ。あの件はもう済んだと思ってたんだろ？　自分とは関係のない形で片がついたと。ところがそうじゃないんだなあ。主役はあんたのままなんだよ。むしろ出番はこれからだ。並木佐織を殺した犯人という主役でね。まさか忘れちゃいないよな。並木佐織を突き飛ばして即死させた。俺はね、見てたんだよ。一部始終をね。

あんたが逃げるところも。でも俺は警察には通報しなかった。代わりに何をやったと思う？　遺体を運んだんだよ。運んで、誰にも見つからないところに隠した。おかげで今日まで、あんたのところに警察は来なかっただろ？　疑われることもなかったはずだ。俺が黙っててやったからな。ここまでいえば、もう事情がわかっただろ？」

「どうして……遺体を隠したんですか」

「はあ？　じゃあ、隠さないほうがよかったか？　遺体が見つかって、警察の捜査が始まって、殺人犯として捕まったほうがよかったのか？　だったら、余計なお節介だったかな。だけど俺としても、ビジネスのチャンスを逃したくなかったんでね」

「ビジネス？」

「そう、ビジネスだ。それとも俺が単なる善意から、遺体を処分したり、黙秘を続けたりしたとでも思うのか？　世の中に、そんな馬鹿はいないよ。金になると思ったから、やったんだ」

相手の言葉の一つ一つが、どす黒い塊（かたまり）となって留美の全身を覆（おお）っていくようだった。そのまま深い闇に包まれ、さらには奈落の底に落ちていくことを予感させた。

「だから大丈夫だよ」彼女の絶望感とは対照的に、蓮沼は楽しげにいった。「あんたが警察に捕まることはない。真相は闇の中だ。この先ずっと、遺族も世間の連中も、俺が殺（や）ったと思い込んだままだろう。すべてはあんたが取引に応じてくれたらの話だけど、まさか断るってことはないよな？」

ここまで聞いて、留美はようやく蓮沼の目的を理解した。

「私は……どうすればいいんですか」

ふふん、と蓮沼は薄く笑った。「じつに簡単なことだ。あんたにとってはね」


二杯目の紅茶にダージリンを選んだのは、強い香りで気持ちを引き締めようと思ったからだった。ミルクもレモンの輪切りも入れず、ストレートで嗜んだ。最後の一口を飲み干し、カップをソーサーに置いた。

「要求は百万円でした」留美はいった。「私の名義で銀行口座を作って、そこに百万円を入れた後、キャッシュカードと暗証番号を記したメモを郵送しろ、といわれました」

ひゃくまんえん、と湯川は復唱した。「なかなか微妙な金額ですね。こう申し上げては何ですが、思ったよりも安いと思ったのではないですか」

「おっしゃる通りです。一千万円とか二千万円、もしかしたら億単位の要求をしてくるかもしれないと思っていました」

「いきなり一億円といわれていたらどうでしたか」

留美は首を振った。「どうすることもできなかったでしょうね」

「御主人に相談を？」

「していたかもしれません。そうでなければ、諦めて警察に出頭していたかも。いえ、違いますね。たぶん――」留美は少し息を止めてから続けた。「自殺していたかも」

「そうだと思います。いずれのケースも蓮沼にはメリットが全くない。しかし百万円なら話は別です。資産家の妻ならさほど苦労することなく工面できる金額だと蓮沼は考えたのではないでしょうか。脅迫されてどうしていいか迷いつつ、とりあえずは払っておこうという気になるだろうと見越したというわけです」

まさにその通りだったので留美には返す言葉が出なかった。黙って項垂(うなだ)れた。

「あなたは要求に応えたわけですね」

はい、と答える声が弱々しくかすれた。

「二回目の要求は?」

「ありました。最初の脅迫から約一か月後です。やっぱり百万円でした」

「それも支払ったのですね」

「払いました。自首したり、夫に相談する勇気が出ず、問題を先送りにしていました。でも、いつまでもこんなことを続けられないこともわかっていました。特に蓮沼が菊野に来てからは、生きた心地がしませんでした」

「蓮沼とは、いつも電話で連絡を? 直(じか)に会ったことは?」

湯川の質問に、留美は躊躇(ちゅうちょ)しつつ答えた。「……一度だけあります。金銭以外のものを要求されました」

「金銭以外?」そういってから湯川は、それが何なのか即座に気づいたようだ。「わかりました。それについては詳しくはお尋ねしません」

ありがとうございます、と留美は答えた。

蓮沼が菊野にやってくるより少し前のことだ。直接会って話したいことがあるといわれたので、都内の喫茶店で待ち合わせた。

「俺たちは共犯関係なんだから、もう少し仲良くしておいたほうがいいと思ってね」そういった蓮沼の声にも、留美の身体を舐めるように見る視線にも、ねっとりとした粘り気があった。そしてこう続けた。「まさか、嫌とはいわないよな」

それから約一時間後、安っぽいホテルの一室で、留美はこの世で最低最悪の男に身体を任せていた。何も考えないようにし、地獄の時間が過ぎ去るのをただ待った。

逃げるように蓮沼と別れた後、年増の割に悪くない、という言葉がいつまでも耳に残った。改めて死ぬことを本気で考えた。

「先程教授がおっしゃった通り、絶望的な気持ちになっていたところへ、夫が思いがけない話を持ち帰りました。戸島社長の計画を聞き、総毛立ちました。蓮沼が真相を暴露したら、私は破滅します。私だけでなく、夫の人生も台無しになってしまうでしょう。私の様子がおかしいことに気づいたらしく、夫は一体どうしたのかと尋ねてきました。私は迷いましたけど、もうこれ以上は隠しておけないと思い、彼にすべてを告白しました」

# 47

新聞に隅から隅まで目を通したが、気になる記事は見つからなかった。菊野市という小さな町で起きた事件は、急速に人々の記憶から消えつつあるのだなと実感した。一時は、『殺人容疑者殺人事件』などという言葉がネット上で躍ったりもしたらしいが、世間というのは飽きっぽいものだ。

それがありがたい、と新倉直紀は思った。もう誰も、こんな事件には興味を持たないでもらいたい。一人の音楽家崩れが愛弟子を殺された恨みを被疑者にぶつけ、挙げ句の果てに死なせてしまった——ということで決着すればいい。

読み終えた新聞を綺麗に畳み、絨毯敷きの床に置いた。留置場では新聞が無料で読めるのはありがたい。

壁にもたれて座ったまま、傍らに置いたデジタル音楽プレーヤーを手に取った。留美が差し入れてくれたものだ。ヘッドホンを装着し、スイッチを入れる。入り口のほうを見たが、座っているかぎり、不透明な板のおかげで誰かと目が合うことはない。居室は四畳半程度で、幸いこの部屋に入っているのは新倉だけだった。ほかの犯罪者たちと同じ部屋で寝起きする生活を覚悟していたので、ほっとしていた。

耳に流れてきたのは、聞き慣れた曲だった。『I Will Always Love You』——元々はカントリーミュージックだったが、映画『ボディガード』の主題歌としてホイットニー・ヒューストンが歌い、世界的に大ヒットした。

しかし今、新倉が聴いているのは留美だ。録音したのは、彼女がまだ二十代の頃だった。

美しく透き通り、伸びのある声。佐織は天才だったが、留美だって負けてはいなかった。彼女の才能を開花させられなかったのは自分の力不足だった、と今も新倉は思っている。

瞼を閉じた。留美と二人で音楽の道を究めようと努力していた頃のことを思い出そうとした。だが蘇るのは、やはりあの日の出来事だった。佐織の死の真相を聞かされた時のことだった。

留美が涙ながらに語るのを聞きつつ、新倉は奇妙な感覚に襲われていた。離れたところにもう一人の自分がいて、この状況、つまり今まで何も知らなかった能天気な夫が、妻から衝撃的な告白を聞かされている場面を客観的に眺めている——そういう感覚だ。離人症とはこういうものなのかな、などと頭の隅で考えていたりもする。

あまりに過酷な事態に精神がついていけなかったのだろう、と後から振り返って思う。それほど留美の話は信じがたく、また新倉にとって受け入れがたいものだった。聞いている間、彼はしばしば目眩を感じた。この話は全部でたらめで、妻は自分を驚かせようとしているだけだと思いたかったが、嗚咽を漏らしながら話す彼女の姿は、到底演技には見えなかった。

すべてを聞き終えた後も、すぐには声を出せなかった。この世がひっくり返り、暗い闇に落ちていくような感覚が残っていた。

ごめんなさい、ごめんなさい、と弱々しく繰り返しながら留美は泣いていた。その姿を呆然と眺めている自分——を見ているもう一人の自分がいた。

「どうして、そんなことを……」

ようやく言葉を発したが、口から出たのはそんな間抜けな質問だった。どうして？それについては留美が懸命に語ったではないか。佐織が歌の道から外れようとするのを止めたくてやったことだ。なぜ止めたかったのか。佐織を世界に通用する歌手にすることが自分たちの、いや、愛する夫の悲願であり生き甲斐だと思ったからだ。

あなた、と留美が顔を上げた。目は充血し、その周囲も赤く腫れていた。頰は涙でぐっしょりと濡れている。

「私、どうしたらいい？　やっぱり自首したほうがいい？」

そうだなと思いつつ、それが言葉にならなかった。佐織を殺害した罪で留美が逮捕される——その事実をどうしても受け入れられそうになかった。犯人は蓮沼寛一ではないのか。あの男が犯人ということで、世間は了解している。犯人なのに罰せられないから、皆で天誅を加えることになったのではないか。

そう思った瞬間、新倉の頭に一つの考えが浮かんだ。

並木祐太郎は液体窒素を使い、蓮沼から真相を聞き出そうとしている。それを阻止し、代わりに自分たちが蓮沼を殺せばいいのではないか。予想外の展開に、並木やほかの者は驚くだろう。しかし、どうしてもこの手で復讐したかったのだといえば、わかってもらえるような気がした。

それに蓮沼が死なず、並木の脅しに屈せず真相を語ることもなかった場合は、留美への脅迫が続く。いずれは始末しなければならない問題なのだった。

万一、犯行が警察にばれても仕方がないと思った。この件で逮捕されるのなら構わない。たぶん世間も同情してくれるだろう。だが留美が佐織を死なせたことだけは、何としてでも隠し通さねばならなかった。

耳の奥で留美が歌っている。『I Will Always Love You』――いつまでもあなたを愛している。それは新倉の妻に対する思いでもあった。

何としてでも留美を守ってみせる、と決意した。

## 48

「戸島さんが夫に話した計画は、多くの人が少しずつ犯行に加担するという、とても複雑なものでした。でも監禁状態の蓮沼を尋問するのは並木さん一人です。夫は、何とかしてこの役割を並木さんの代わりに自分がやるような状況を作りたい、と考えました」

そこまで話したところで、留美は湯川のティーカップが空になっていることに気づいた。「紅茶のおかわりはいかがですか？」こんなふうに訊けるのは、覚悟が決まり、気持ちに多少の余裕ができてきたからかもしれない。

「いいえ、結構です」湯川は小さく手を振った。「話を続けてください」

はい、といって留美は改めて背筋を伸ばした。

「そこで思いついた方法が、さっき教授がおっしゃったものです。『なみきや』で食事をしていたお客さんが急に具合が悪くなり、病院へ連れていってほしいと訴えたら、並木さんとしては放っておけないのではないか、と考えました」

「ヤマダさんの登場ですね」湯川が目を輝かせた。「誰だったんですか」

じつは、と留美はいった。「私たちも本名は知りません」

「えっ？」眼鏡の向こうで湯川の目が丸くなった。

「家族代行業に依頼したんです」

湯川は眉をひそめた。「何ですか、それは？」

「レンタル家族、という言葉を使っている業者もあるようです。簡単にいうと、依頼主の希望通りの家族を演じられる役者さんを派遣してくれるところです。たとえば、事情があって恋人に本当の両親を紹介できない時なんか、仲の良い両親のふりをしてくれる男性と女性が来てくれるそうです」

「そんな業者が……驚いたな」

「家族だけじゃなく、仕事でミスをして謝りに行く時に上司のふりをしてくれる人とか、本のサイン会でサクラとして並ぶ人とか、とにかくいろいろなお芝居のできる人を派遣してくれるんです」

「ヤマダさんも、そういう業者の役者だった？」

「そうです。菊野商店街に加盟している店の、危機管理能力の抜き打ち検査だ、と説明しました」

「なるほど。考えましたね」

「計画は思った以上にうまくいきました。夫が事務所に行った時、蓮沼は寝ていたそうです。音をたてたり、大声で呼んだりして目を覚まさせたというのは、もちろん嘘です。夫はそのまま液体窒素を注ぎ込みました。夫がいうには、液体窒素の威力は想像を超えていたそうです。室内からは何の物音も、苦しむ声も聞こえてこず、注ぎ終えてから戸を開けたら、すでに心肺停止の状態だったといいます」

「眠った状態で液体窒素を注がれたら、目を覚ます暇はないでしょうね」

留美は深呼吸をした。清々しいとさえいえる気分になっていた。

「私がお話しできることは以上です。ごめんなさい、要領を得なくて」

「いえ、大変よくわかりました」

警察では、と留美はいった。「もっと上手に話せればいいんですけど。夫がどれほど私のためを思ってくれたのか、とか」

湯川の表情が曇った。「自首するつもりですか」

「それを勧めるためにいらっしゃったんでしょう？」

すると彼は、違います、といって首を振った。意外に強い口調だった。

「僕は刑事じゃない。あなたに何らかの供述を求める立場にはありません。最初にいったでしょ？　あなた方が不利益を被る話をしたいわけではない、と。選択肢がある、ともいったはずです」

「今までの話を警察には……」

「僕のほうから話す気はありません。そして僕が話さないかぎり、彼等が真相に辿り着くのはなかなか難しいのではないか、と考えています。自惚れかもしれませんが」

留美は唇を舐めてから口を開いた。「黙っていてくださると？」

「親しい人々が次々に刑務所に送られていくのは、僕としても辛いですからね。それに今のままでも、新倉さんは傷害致死で三年以上の実刑は免れないでしょう。死んだのがあんな男だと考えれば、それで十分だという気もします」

それに、と湯川は視線を外して続けた。

「僕には苦い経験があるんです。以前にも似たようなことがありました。愛する女性のために、すべての罪を背負おうとした男がいたんです。でも僕が真相を暴いたため、その女性は良心の呵責に耐えきれなくなり、結果的に彼の献身は水泡に帰してしまいました。同じようなことはもう繰り返したくない、という気持ちがあります」

　深刻な表情でそこまで話した後、湯川は自嘲気味に笑い、頭を振った。

「それなら一体何のために来たのだといわれそうですね。自首を勧める気がないのなら、わざわざ真相を確かめる必要もない。すべてを胸の内にしまっておけばいい話です。でも、あなた自身も知らない、極めて重大なことに僕だけが気づいているのだとしたら、どうしても話しておかざるを得ないと思ったんです」

　学者が何をいいたいのかわからず、留美は眉を少しひそめ、首を傾げた。「どういうことでしょうか」

「それをお話しする前にお尋ねしたいことがあります」湯川はいった。「あなたの話に佐織さんの髪留めが出てきましたね。金色の蝶の形をした……」

「バレッタですか」

「それです。佐織さんが倒れた場所に落ちていたとおっしゃいましたが、それは今、あなたの手元にありますか」

「ええ、ありますけど……」

「ちょっと見せていただけませんか」

「バレッタを、ですか」

　はい、と湯川は答えた。

　わけがわからなかったが、少々お待ちくださいといって留美は立ち上がった。

　夫婦の寝室に入り、ドレッサーに近づいた。一番下の抽斗（ひきだし）を開けると、奥に入れてある小さな箱を取り出した。この三年間、開けたことのない箱だ。どう扱っていいかわからなかったが、捨てることなど考えられなかった。

それを持って居間に戻った。これです、といって湯川に手渡す時、はっとした。彼が白い手袋を嵌めていたからだ。

「拝見します」湯川は箱の蓋を開け、中からバレッタを出した。金色の輝きは、三年前と少しも変わっていなかった。

じっくりとバレッタを観察した後、湯川は箱に戻し、蓋をした。手袋を外しながら、満足そうな目を留美に向けてきた。「やはり思った通りだった」

「何がでしょうか」

「あなたは僕に本当のことを話してくれましたね。嘘は一つもない」

「ええ、この期に及んで嘘などつきません」

「しかし、あなたが本当だと思っていることが、必ずしも真実だとはかぎらない。それを知らずして、運命の選択はあり得ない」湯川は外した手袋をテーブルに置き、縁なし眼鏡の位置を指先で直してから留美を見つめてきた。「真実をお話しします。僕が推理した真実です」

## 49

ドアを開けると、カウンターの奥の席で湯川と白髪頭のマスターが何やら話しているところだった。二人は同時に草薙のほうを向いた。いらっしゃいませ、とマスターがいった。

ほかにはテーブル席にカップルが一組いるだけだ。草薙はそのまま進み、湯川の隣に腰を下ろした。「ワイルドターキーをロックで」マスターに注文した。

「祝杯か？」湯川が訊いてきた。「ヤケ酒でなければいいんだが」

「その中間だ」草薙は提げてきた紙袋から細長い包みを出し、湯川の前に置いた。「とりあえず、これを渡しておく」

「何かな。形状から察するとワインのようだが」

「何年か前に渡しそびれたワインだ」

「『オーパス・ワン』か。それはいい。そういうことなら遠慮なく貰っておこう」湯川は包みを摑むと、傍らに置いた鞄に押し込んだ。

ロックグラスが草薙の前に置かれた。手に取ると湯川がタンブラーを近づけてきた。かちん、と軽く合わせた。

草薙はバーボンのロックを口にした。強い刺激が舌から喉へと移っていく。独特の香りが鼻から抜けた。「新倉直紀が供述を翻した」

「ほう、どのように？」

「驚かないんだな」

「驚いたほうがよかったか」

　ふん、と草薙は鼻を鳴らした。

「昨日、新倉の家を見張っていた捜査員から報告があった。来客あり。送られてきた画像には、おまえの姿が映っていた。一時間以上、話し込んでいたみたいだな。そして今朝、新倉留美が菊野署に面会に来た。五分でいいから夫と二人きりで話がしたいという。本来なら留置係を立ち会わせるところだが、新倉は全面的に自供している。署長らと相談して特別に認めることにした。だから接見室でどんなやりとりがあったのかはわからない。その後の取り調べで、新倉直紀は突然、これまでの話はすべて嘘だといいだした。誤って蓮沼を死なせたんじゃありません、私は強い殺意を持って殺害しました、だってさ。たまげたよ。殺したといってた容疑者が、殺す気はなかったといいだすことは多いが、その逆なんて聞いたことがない」

「殺害の動機は？」

「妻を守るため。詳しいことは本人から聞いてくださいってさ」

「聞いたのか？」

「もちろん、すぐに新倉留美を署に呼んだ。彼女、落ち着いてたな。新倉が供述を変えたことをいうと、悲しそうにしていたが、すぐに覚悟を決めたように話し始めた。説明が理路整然としているんで驚いたよ。その内容には、さらに腰を抜かしたが」

新倉留美が語った話は、これまでに描いていた事件の構図を根底から覆すものだった。並木佐織の変死事件からして、真相は草薙たちの想像からは遠くかけ離れていた。

しかしその内容に矛盾や齟齬はなかった。むしろ、草薙たち捜査陣が漠然と抱いていた疑問は、彼女の説明ですべて解決するのだった。

参ったよ、といって草薙はロックグラスを掲げた。

「ここ何か月も、俺たちは一体何を追いかけていたんだろうって虚しくなった。さっき祝杯とヤケ酒の中間だといったのは、そのせいだ。事件はたぶん、これで解決するんだろう。だけど勝利したという感覚はまるでない。こっちの作戦は全くの的外れだったのに、敵のオウンゴールで勝ちが転がり込んできたって感じだ」

「別に構わないじゃないか。勝ちは勝ちだ」

「そんなわけにはいかない。おそらく俺たちには、まだやるべきことがある。不可解なのは、なぜこの段階で新倉夫妻が本当のことを話す気になったか、だ。今朝の面会が重要な意味を持っていることは確実だが、どんなやりとりがあったのか、新倉も新倉留美もプライバシーに関わることだといって話そうとしない」

そこで、といって草薙は湯川のほうに上体を向けた。

「おまえに訊くしかないと思ったわけだ。新倉留美は、何をいうために旦那に会いに行ったのか。新倉は女房のどんな言葉を聞いて、供述を変える気になったのか。おまえはわかっているんだろ？　いや、そうじゃないな。全部、おまえが仕組んだことだ。おまえが彼等を心変わりさせた。そうだろ？」

　湯川は口元でタンブラーを傾けた後、首を振った。「そんなことはしていない」

「うそつけ」

「噓じゃない。昨日、新倉夫人に、事件の真相に関する僕の推理を披露したのは事実だ。でもそれは、彼等を糾弾するためでも、自首を勧めるためでもない。彼等自身も知らないであろう真実を伝えるためだった」

「どんな真実だ」

　湯川は息を整えるように胸を上下させた。「並木佐織さんの死に関することだ」

　草薙は口元を曲げた。「新倉留美の供述が真相じゃなかったのか」

「彼女は自分が知っていることを話しただけだ。すべてが事実だとはかぎらない」

　どうやら流し聞く話ではなさそうだ。草薙は周囲を見回した。「場所を変えるか？」

「ここでいい。誰も聞いてない」

　草薙は湯川のほうに顔を寄せた。「話してくれ」

　問題は、と湯川は切りだした。「いつ出血したのか、だ」

「出血？」

「君たちが蓮沼の逮捕に踏み切ったのは、奴が以前働いていた職場の制服から佐織さんの血液が検出されたからだろ？　頭蓋骨陥没の重傷なら、大量に出血しても不思議はない。しかしそれなら現場に痕跡が残るんじゃないだろうか。佐織さんが失踪した翌日、地元の警察はかなり広範囲に捜索を行っている。地面に血痕が残っていたりしたら、必ず問題にしたはずだ。内海君にその時の資料を確認してもらったが、問題の公園も調べているようだ。それにも拘わらず、そんな記録は残っていなかったらしい。そして留美さんの話だ。彼女は佐織さんを死なせてしまったショックで一旦現場から立ち去った。その後現場に戻ったが、バレッタを見つけるまで正確な場所がわからなかったといっている。これらの情報は、地面に血痕がなかったことを示しているんじゃないか」

「血痕がない。つまりその時点では……」湯川のいいたいことが見えてきた。「蓮沼が佐織さんの遺体を運んだ時点では、まだ出血していなかったということか」

「君は今、遺体といった。しかし本当にそうだったんだろうか」

「佐織さんは、まだ死んでなかった。息があった。その可能性があるといいたいんだな」

「むしろ、可能性が高いといいたい。地面に突き倒されて即死することもあるだろうが、そう起こりうることではない。頭蓋骨陥没にしてもそうだ。人間の頭蓋骨は、そんなに弱いものだろうか。留美さんは佐織さんが息をしていなかったといったが、気が動転していて錯覚したということは大いに考えられる」

「だとすれば、佐織さんを本当に殺したのは……」

「蓮沼も、最初は死んでいると思ったのかもしれない。ところが輸送中に佐織さんが意識を取り戻したらどうだ。せっかくの目論見が台無しになる。騒がれても面倒だ」

「そこで後頭部を殴打し、とどめをさした」草薙はいった。「その際に出血したわけか」

「あり得ない話ではないだろ？」

「あり得ないどころか……おいおいおい、こいつはとんでもない話だぞ」草薙は自分の体温が上昇するのを感じた。

「僕が留美さんの弁護人なら、証拠品としてバレッタを挙げる」湯川がいった。

「バレッタ？」

「現場に落ちていた金色のバレッタだ。倒れた時に出血したのなら、バレッタに血液が付着したはずだ。分析して血液が検出されなければ、致命傷は別人によるものと主張できる」

「そうかっ」

草薙は時計を見た。まだ十二時前だ。内ポケットからスマートフォンを出しながら立ち上がろうとした。だが押し留めるように湯川が草薙の左手を摑んだ。

「こんな時間だ。少しは部下たちを休ませてやれ。バレッタは逃げない。留美さんが大切に保管している」

それもそうか、と思い直して草薙は浮かしかけていた腰を下ろした。ロックグラスに残っていたバーボンを飲み干し、おかわりを、とマスターに頼んだ。

「さっきおまえがいった、新倉夫妻自身も知らない真実というのは、それか」

そうだ、と湯川は頷いた。

「自分たちのやったことを告白するかどうか、それは彼等自身が決めればいい。だけど本当の真実を知らないままでは意味がない。だから教えにいったんだ」

「新倉留美は、夫と二人で話し合おうと考えたわけだな。それで今朝、面会に……」

「留美さんは悩んでいたよ。今のままなら御主人の罪は傷害致死に留まる。真相を話せば殺人罪だ。留美さん自身も罪に問われる。だけど黙ったままでは、蓮沼のやったことは永久に闇の中だ。何より、自分たちも正当に罪を償わねばという思いもあるようだった」

「最後の最後で、二人は沈黙を破ったわけか」

ロックグラスが草薙の前に置かれた。指先で中の氷を弾くと、からりと音が鳴った。

## 50

入り口に暖簾を掛け、『準備中』の札を返して『営業中』にした。たったそれだけで、夏美は何か大きな仕事をやり遂げたような気になった。

「あっ、今日から始めるのね」背後から女性の声が聞こえた。振り返ると近所にある豆腐屋のおばさんだった。濃い紫色のカーディガンが、丸々とした身体には少しきつそうだ。

「はい、これからもよろしくお願いいたします」

「がんばってね。応援してるから」おばさんは優しい笑みを浮かべた。「近いうちに、来させてもらう」

「ありがとうございます。お待ちしています」夏美は腰の前で手を揃え、頭を下げた。

おばさんは、じゃあね、といって去って行った。その後ろ姿を眺め、夏美はふっと息をついた。安堵のため息だった。

祐太郎が任意で何度も警察に呼び出されるため、このところ『なみきや』は休業が続いていた。一時はこのまま店を畳まねばならないのではないか、と心配になった。主人が逮捕され、刑務所に入るようなことになれば、店の継続は不可能だ。

祐太郎が問われているのは殺人の共同正犯と殺人予備罪だった。前者に関しては、祐太郎には新倉の行為を予期できなかったということで、罪には問われなくなった。残るは殺人予備罪だ。

結果的に蓮沼殺害に使用された液体窒素は、祐太郎が戸島に頼んで用意してもらったものだ。それを使い、蓮沼を脅迫しようと考えていた。ただし殺すかどうかは決めていなかった。蓮沼がどんなことを語るか、すべてはそれを聞いてからだと考えていた。

問題は、この言い分が通るかどうかだった。実際には、佐織を殺害したのは蓮沼だと断定していて、ただ単に、殺す前に本人の口からそれを聞きたかっただけではないか、と疑われているわけだ。

この疑問に対して祐太郎は、取調官には次のように語ったらしい。

「たしかに、そう思われても仕方がありません。でも液体窒素を修作に頼んだ時点では、どうするかは本当に決めていませんでした。人殺しなんていう恐ろしいこと、自分にできるとは思えませんでした。でもあいつから……蓮沼から佐織を殺した時の様子なんかを聞いたら、もしかしたらそんな気になるかもしれない、そうなったらそうなった時のこと……そんなふうに考えていました」

ほかの人間が聞いたらどう思うかはわからないが、父は嘘をついていないと夏美は確信している。元来は小心で穏やかな人間だ。むしろ、娘を殺したに違いない男がすぐ近くにいるというのに、出刃包丁を手にして乗り込んでいけない自分の気の弱さを歯痒く思っていたに違いない。

だがどうやらそのことは取調官にも伝わったようだ。殺人予備罪での送検は見送られることになった。それでようやく『なみきや』も、久しぶりに開店の運びとなったのだ。彼聞くところによれば、戸島も大きな罪には問われずに済みそうだとのことだった。彼はあくまでも祐太郎に手を貸そうとしただけで、新倉のために液体窒素を準備したわけではない。問題になったのはヘリウムボンベを使ってアリバイ工作をしたことだが、真相を知らずにやったことなので、こちらもお咎めなしで落ち着く見込みだという。

店を再開したことが耳に入れば、いずれ戸島もやってくるだろう。その時には何事もなかったかのような顔をしているかもしれない。以前と変わらぬ豪放で磊落（らいらく）な態度を早く見てみたかった。

それにしても大変な事件だった。

新倉直紀の自供に続いて、次々と驚くべき話が飛び込んできて、何がどうなっているのか、どれが本当でどれが嘘なのか、まるでわからなくなった。

そこに至り、ようやく祐太郎が夏美たちに本当のことを話してくれた。真智子はある程度知っていたらしいが、計画の全貌は聞かされていなかったようだ。

液体窒素を使って蓮沼を脅し、真相を白状させる――心の底から驚いた。さらにびっくりしたのはトリックの内容だ。あの時のパレードで、そんなことが行われていたとは。

やがてその祐太郎も警察に呼ばれた。計画のいいだしっぺは彼だ。だからこれでもう事件は収束に向かうのだろうと思っていた。

ところがそうはならなかった。収束するどころか、思いがけない方向に転がりだした。

まず、事件とは無関係だと思われていた新倉留美が逮捕された。その後に発表された新倉夫妻の供述内容に、夏美は驚愕した。新倉が蓮沼を殺害したのは意図的なもので、動機は留美が脅迫されていたからだというではないか。しかもその脅迫の材料とは、佐織の死に関するものだった。

信じられなかった。あの優しそうな新倉留美が佐織を殺したというのか。だがそれが事実でないなら、脅迫されるはずがない。

わけがわからず、夏美は両親と共に眠れぬ日々を過ごした。するとしばらくして草薙が訪ねてきた。

「本来、警察としてはルール違反なんですが、裁判が終わるまで待っていろというのは、あなた方にとってあまりに酷だと思いましたので」

これから話す内容は、どうか他言無用でお願いしますと前置きして、草薙は話し始めた。それは新倉夫妻の供述を手短にまとめたものから始まった。

草薙が淡々とした口調で語る内容は、夏美にとって意外なものばかりだった。佐織が歌手になる道を断念しようとしたことにまず驚いたが、その理由が高垣智也の子を身籠もったから、というものだと聞いた時には耳を疑った。両親も同様の思いらしく、それは本当の話ですか、嘘じゃないんですか、と何度も確認した。

新倉留美が嘘をいっているとは思えない、というのが草薙の回答だった。

その後も彼は手帳に目を落とし、感情を抑えた声で事件の経緯を説明した。逆上した留美が佐織を突き飛ばしたところは、少し早口で、さらりと流すように語った。

留美が蓮沼から脅迫され始めたところまで話すと、草薙は新倉直紀の供述内容に移った。妻からの告白を聞き、蓮沼殺害を決心した経緯だ。

「以上が、現在までの捜査で判明していることです」草薙は手帳を閉じた。「何か御質問はありますか」

何も思いつくことがなく、夏美は両親を見た。二人共、あまりに思いがけないことばかりなので、今すぐには何も考えられない様子だった。

「ひとつ付け加えておきたいことがあります」草薙が改まった口調でいった。「本日、ある証拠物件についての分析結果が出ました」

それはバレッタだ、と彼はいった。そしてそのバレッタから血液が検出されるかどうかがどんな意味を持つのかを説明した後で、次のように続けた。

「結論をいいますと、血液は検出されませんでした。しかし皮脂や表皮は微量ながらも検出でき、DNA鑑定の結果、佐織さんがつけていたバレッタに間違いないことが判明しました」

つまり、と祐太郎が訊いた。「新倉留美さんに突き倒された時、佐織は気を失っていただけで、殺したのはやっぱり蓮沼だったと？」

「断定はできません」草薙は慎重な口調でいった。「しかし裁判では、弁護側はその可能性を主張してくるでしょうね」

その言葉は、夏美にとっても救いとなるものだった。新倉留美のことを恨みたくはなかったからだ。

草薙が帰った後、これでおしまいにする、と祐太郎がいった。「あれこれ考えたって仕方がない。見苦しい愚痴になるだけだ。後は警察や検察に任せて、俺たちは店の再開に全力を尽くす。わかったな」

真智子が黙って頷いたので、夏美も倣った。父のいうことは尤もかもしれなかった。

あの日のことを思い出し、がんばらなきゃ、と洗濯したばかりの暖簾を撫でた。

夏美が格子戸を開けて店内に戻ろうとした時、横から足早に近づいてくる人物が左の視界に入った。そちらを見て、はっとした。

高垣智也だった。顔を合わせるのは、いつ以来だろう。

「予定通りに再開できるみたいだね」智也は暖簾を見ていった。

昨日、うまくいけば明日には店を開けられる、というメッセージを夏美から智也に送ったのだった。すぐに、よかったですね、がんばってくださいと返事が来たが、その文面に何となくよそよそしいものを夏美は感じた。

「智也さん……もう店には来てくれないと思ってた」

智也は暖簾から夏美の顔に視線を戻した。「どうして?」

「だって、うちに来たら嫌なことや辛いことをいっぱい思い出すだろうし……」

智也は表情を沈ませ、小さく顎を引いた。

「たぶんそうだと思う。これから先、何年経っても忘れられないだろうね。きっと、くよくよ考える。佐織が生きていたらとか、彼女が産んだ子はどうなっていただろうか、とかもね」

夏美は、どきりとして彼の顔を見上げた。「智也さん、その話を誰から?」

「先日警察に呼ばれた時、確認されたんだ。佐織が妊娠していたことを知っていたかどうか。びっくりしたよ。全く聞いてなかったから」

「事件の真相については？　教えてもらったの？」

「大まかなところはね」智也は俯いた。「驚いた。信じがたい話ばかりだった」

「そう……だよね」

「夏美ちゃんも知ってるの？」

「うん、捜査責任者の人が来て、いろいろと話してくれた」

　そうか、と智也はため息混じりにいった。

「正直いうと、今日来ようかどうか迷ったんだ。でも今日来なかったら、明日はもっと来づらいような気がした。僕の家から駅に行くには、この店の前を通るのが一番の近道なんだ。それなのにこの店を避けながら生きていくなんて、考えただけでも息苦しいじゃないか。だったらこれまで通り店に通って、楽しい思い出を増やしていったほうがいい。そう思ったんだ」

　涼しげな眼差しで智也が歯切れよく話すのを見て、夏美は姉が彼に惹(ひ)かれた気持ちが改めてわかった。この人となら、たとえ贅沢な生活ができなくても、楽しく前向きに生きていけると思ったのだろう。子供ができたとわかった時、きっと飛び上がるほどに嬉しかったに違いない。その瞬間の喜びは、歌手になる夢など吹き飛ばしてしまったのだ。

「どうしたの？」夏美が黙り込んだからか、智也は怪訝そうに訊いてきた。

　彼女は首を振り、何でもない、と答えた。「ありがと。さあ、中に入って」

　智也を席に案内すると、「最初のお客さんよ」と厨房に向かって声をかけた。

後、カウンターの向こうから祐太郎が顔を覗かせた。智也を見て、少し表情を険しくした後、こちら側に出てきた。

御無沙汰しています、と智也が挨拶した。

智也さん、といって祐太郎は前掛けを外した。「あんたにも迷惑をかけました」

「いえ、そんな、迷惑だなんてことは……」智也は手を振った。

「隠さなくていいです。やっぱり、何回か警察に呼ばれたんでしょう？」

「ああ、それは……はい。でもそれほど多くは……。液体窒素を運んだことを話しました」

祐太郎は苦々しそうに舌打ちした。「修作の野郎から頼まれたそうですね。俺としては、あんたを巻き込みたくなかったんだけど」

「戸島さんは、恨みを晴らしたい人々の気持ちを考えてくれたんだと思います。もし声を掛けてもらえてなかったら、きっと悔しかったと思います」

「智也さん、警察で全部聞いたんだって」夏美が横からいった。「お姉ちゃんが妊娠していたことも」

そうか、と祐太郎は小声で答えた。

並木さん、といって智也が立ち上がり、深々と頭を下げた。

「申し訳ありませんでした。結婚したいといいだしたのは僕のほうです。もちろん本気だったのですけど、佐織さんの運命を大きく変えることになってしまいました。彼女にとって大事な時期だったのだから、もっと慎重に行動するべきでした」

佐織を妊娠させてしまったことを悔いているようだった。

「智也さん、顔を上げてください」祐太郎が静かにいった。「あんたにはね、感謝しているんです。たしかに妊娠しなきゃ、佐織が歌の道を捨てることはなかったかもしれない。死なずに済んだかもしれない。でもそのことと、あいつの気持ちは別だ。あいつは智也さんの子を宿して、母親になれることを心底喜んでいたわけだ。そういう気持ちをほんの一時でも味わったんだと思うと、親としては救われるんです。――なあ、そうだろ？」後ろを振り向き、真智子に同意を求めた。

彼女は目の縁を赤くし、大きく頷いた。

「私たちはね、智也さんのことを少しも恨んじゃいませんよ。それより、自分たちのことを情けなく思っているんです。妊娠したとわかった時、佐織は喜びつつも悩んだはずです。でも母親である私にさえも、すぐには相談しなかった。心配かけちゃいけないと思ったんでしょう。もっと頼りになる親でなきゃいけなかったと反省するばかりです」

智也は返す言葉が思いつかないのか、黙って立ち尽くしている。

その時、がらりと引き戸の開く音がした。夏美が入り口に目をやると、湯川が入ってくるところだった。

全員の視線を受け、湯川は当惑した表情を浮かべた後、夏美を見た。「取り込み中のようだな」

いえいえ、と夏美は手を振った。「いらっしゃいませ。どうぞ、お好きな席にお掛けになってください」

「いや、今日は挨拶をしに来ただけなんだ」湯川は祐太郎のほうを向いた。「こちらにある施設での研究が一段落したので、当分の間、この店にはお邪魔できないと思います。だからしばしのお別れをいいに来たんです」

えっ、夏美は声を漏らした。「そうなんですかあ？」

「それはまた残念なことですなあ」祐太郎も無念そうにいった。「教授とは、一度ゆっくり話をしたかったんです。訊きたいことが山ほどある」

「そうですか。ではまたいつか機会があれば」

湯川は皆に一礼した後、店を出ていった。

「不思議な人でしたね」智也が改めて席についた。

「全くだ。警察とどんな関係があるのか、最後までわからないままだった」そういって祐太郎は真智子と一緒に厨房へ下がっていく。

夏美は引き戸を開け、外に出た。通りを歩いていく湯川の背中を見つけ、追いかけた。教授っ、と呼びかける。

湯川は足を止め、振り返った。何の用だ、という顔だ。

教えてください、と夏美はいった。「教授の正体って、何なの？」

「正体？」湯川は眉根を寄せた。「ただの物理学者だ」

「うそだ。探偵でしょ」

　ぎょっとした様子で湯川はのけぞった。「何をいいだすんだ」

「だって教授が『なみきや』に現れたのは、蓮沼が釈放された直後だった。で、事件が解決したら去っていく。出来過ぎだと思う。みんなで話してたんです。あの人はきっと今度の事件解決に関わっているに違いない、まるでエルキュール・ポアロだって」

「光栄だが買い被(かぶ)りだ」

「そうかなあ」

「研究が一段落したので、この町を去ることになったのは本当に偶然だ。しかしまあ、『なみきや』に通うようになったのは偶然ではないな」

「どういうこと?」

「戸島社長と一緒だ」

「一緒って?」

「親友の悔しい思いを晴らしてやりたかった。『なみきや』に通い、この町の人々と接すれば、何かヒントが摑めるかもしれないと思った」

「親友って……それがもしかして警察関係者?」

　湯川は答えず、意味ありげに微笑んでから歩きだそうとした。

「教授、きっとまた来てくれますよね」

　少し考える顔をした後、湯川はいった。

「今度来た時も、最高に美味しい炊き合わせを食べられるようにしておいてくれ」

夏美は大きく頷いた。「約束しますっ」

物理学者はにっこりと笑い、人差し指で眼鏡を少し押し上げた後、再び前を向いて軽やかに歩き始めた。

単行本　二〇一八年十月　文藝春秋刊

文春文庫



沈黙(ちんもく)のパレード

定価はカバーに表示してあります

2021年9月10日　第1刷
2022年8月30日　第16刷

著　者　東野圭吾(ひがしのけいご)
発行者　大沼貴之
発行所　株式会社 文藝春秋

東京都千代田区紀尾井町 3-23　〒102-8008
TEL 03・3265・1211(代)
文藝春秋ホームページ　http://www.bunshun.co.jp

落丁、乱丁本は、お手数ですが小社製作部宛お送り下さい。送料小社負担でお取替致します。

印刷・凸版印刷　製本・加藤製本
Printed in Japan
ISBN978-4-16-791745-6

（　）内は解説者。品切の節はご容赦下さい。

東野圭吾
## 真夏の方程式
夏休みに海辺の町にやってきた少年と、偶然同じ旅館に泊まることになった湯川。翌日、もう一人の宿泊客の死体が見つかった。これは事故か殺人か。湯川が気づいてしまった真実とは？

ひ-13-10

東野圭吾
## 虚像の道化師
ビル五階の新興宗教の道場から、信者の男が転落死した。教祖は自分が念を送って落としたと自首してきたが…。天才物理学者・湯川と草薙刑事のコンビが活躍する王道の短編全七作。

ひ-13-11

東野圭吾
## 禁断の魔術
姉を見殺しにされ天涯孤独となった青年。ある殺人事件の被害者と彼の接点を知った湯川は、高校の後輩にして愛弟子だった彼のある〝企み〟に気づくが…。ガリレオシリーズ最高傑作！

ひ-13-12

東野圭吾
## 片想い
哲朗は、十年ぶりに大学の部活の元マネージャー・美月と再会。彼女が性同一性障害で、現在、男として暮らしていると告白される。しかし、美月は他にも秘密を抱えていた。（吉野　仁）
ひ-13-4

東野圭吾
## レイクサイド
中学受験合宿のため湖畔の別荘に集った四組の家族。夫の愛人が殺され妻が犯行を告白、死体を湖に沈め事件を葬り去ろうとするが……。人間の狂気を描いた傑作ミステリー。（千街晶之）
ひ-13-5

東野圭吾
## 手紙
兄は強盗殺人の罪で服役中。弟のもとには月に一度、獄中から手紙が届く。だが、弟が幸せを摑もうとするたび苛酷な運命が立ち塞がる。爆発的ヒットを記録したベストセラー。（井上夢人）
ひ-13-6

（　）内は解説者。品切の節はご容赦下さい。

赤川次郎
赤川次郎クラシックス
**幽霊列車**
山間の温泉町へ向う列車から八人の乗客が蒸発。中年警部・宇野は推理マニアの女子大生・永井夕子と謎を追う——。オール讀物推理小説新人賞受賞作を含む記念碑的作品集。（山前　譲）
あ-1-39

赤川次郎
**幽霊記念日**
英文学教授の息子の自殺の原因とされた女子大生が、その偲ぶ会の会場となった学園で刺された。学部長選挙がらみの事件で学園中が大混乱に陥った。好評「幽霊」シリーズ第七冊目。
あ-1-16

赤川次郎
**幽霊散歩道（プロムナード）**
オニ警部宇野と女子大生の夕子がＴＶのエキストラに出演中、殺人事件と首吊り事件が発生。無理心中か、はたまた真犯人はいるのか？　騒然とするスタジオで名コンビの推理が冴える。
あ-1-17

赤川次郎
**幽霊協奏曲**
美貌のピアニストと、ヴァイオリニストの男。因縁の二人が舞台で再会し、さらに指揮者が乱入？　ステージの行方は……。「後ろ姿の夜桜」「夕やけ小やけ」など全七編を収録。
あ-1-46

赤川次郎
**マリオネットの罠**
私はガラスの人形と呼ばれていた——。森の館に幽閉された美少女、都会の空白に起こる連続殺人。複雑に絡み合った人間の欲望を鮮やかに描いた、赤川次郎の処女長篇。（権田萬治）
あ-1-27

阿刀田　高
**ローマへ行こう**
忘れえぬ記憶の中で、男は、そして女も、生きたい時がある。あれは夢だったのだろうか。夢と現実を行き交うような日常の不可解を描く、大切な人々に思いを馳せる珠玉の十話。（内藤麻里子）
あ-2-27

我孫子武丸
**裁く眼**
法廷画家が描いた美しい被告人女性と裁判の絵がテレビ放送された直後、彼は何者かに襲われた。絵に描かれた何が危険を呼び込んだのか？　展開の読めない法廷サスペンス。（北尾トロ）
あ-46-4

（　）内は解説者。品切の節はご容赦下さい。

有栖川有栖
## 火村英生に捧げる犯罪
臨床犯罪学者・火村英生のもとに送られてきた犯罪予告めいたファックス。術策の小さな綻びから犯罪が露呈する表題作他、哀切でエレガントな珠玉の作品が並ぶ人気シリーズ。（柄刀　一）
あ-59-1

有栖川有栖
## 菩提樹荘の殺人
少年犯罪、お笑い芸人の野望、学生時代の火村英生の名推理、アンチエイジングのカリスマの怪事件とアリスの悲恋。「若さ」をモチーフにした人気シリーズ作品集。（円堂都司昭）
あ-59-2

青柳碧人
## 国語、数学、理科、誘拐
進学塾で起きた小6少女の誘拐事件。身代金5000円、すべて1円玉で?!　5人の講師と生徒たちが事件に挑む。「読むと勉強が好きになる」心優しい塾ミステリ！（太田あや）
あ-67-2

青柳碧人
## 国語、数学、理科、漂流
中学三年生の夏合宿で島にやってきたJSS進学塾の面々。勉強漬けの三泊四日のはずが、不穏な雰囲気が流れ始め、ついには行方不明者が！　大好評塾ミステリー第二弾。

あ-67-4

天祢　涼
## 希望が死んだ夜に
14歳の少女が同級生殺害容疑で緊急逮捕された。少女は犯行を認めたが動機を全く語らない。彼女は何を隠しているのか？捜査を進めると意外な真実が明らかになり……。（細谷正充）
あ-78-1

秋吉理香子
## サイレンス
深雪は婚約者の俊亜貴と故郷の島を訪れるが、彼には秘密があった。結婚をして普通の幸せを手に入れたい深雪の運命が狂い始める。一気読み必至のサスペンス小説。（澤村伊智）
あ-80-1

明日乃
## お局美智　経理女子の特命調査
地方の建設会社の経理課に勤める美智。普段は平凡なOLだが、会社を不祥事から守るため、会長から社員の会話を盗聴する特命を負っていた――。新感覚〝お仕事小説〟の誕生です！

あ-83-1

（　）内は解説者。品切の節はご容赦下さい。

池井戸　潤
**株価暴落**
連続爆破事件に襲われた巨大スーパーの緊急追加支援要請を巡って白水銀行審査部の板東は企画部の二戸と対立する。日本経済の闇と向き合うバンカー達を描く傑作金融ミステリー。
い-64-1

乾くるみ
**イニシエーション・ラブ**
甘美で、ときにほろ苦い青春のひとときを瑞々しい筆致で描いた青春小説――と思いきや、最後の二行で全く違った物語に！「必ず二回読みたくなる」と絶賛の傑作ミステリ。（大矢博子）
い-66-1

乾　くるみ
**セカンド・ラブ**
一九八三年元旦、春香と出会った。僕たちは幸せだった。春香とそっくりな美奈子が現れるまでは。『イニシエーション・ラブ』の衝撃、ふたたび。究極の恋愛ミステリ第二弾。（円堂都司昭）
い-66-5

乾　くるみ
**リピート**
今の記憶を持ったまま昔の自分に戻る「リピート」。人生のやり直しに臨んだ十人の男女が次々に不審な死を遂げて……。『イニシエーション・ラブ』の著者が放つ傑作ミステリ。（大森　望）
い-66-2

石持浅海
**殺し屋、やってます。**
《650万円でその殺しを承ります》――コンサルティング会社を経営する富澤允。しかし彼には、殺し屋という裏の顔があった…。殺し屋が日常の謎を推理する異色の短編集。（細谷正充）
い-89-2

伊東　潤
**横浜１９６３**
戦後の復興をかけた五輪開催を翌年に控え、変貌していく横浜で起きた女性連続殺人事件。日米ハーフの刑事と日系三世の米軍ＳＰが事件の真相に迫る社会派ミステリ。（誉田龍一）
い-100-3

内田康夫
**汚れちまった道**（上下）
「ポロリ、ポロリと死んでゆく」――謎の言葉を遺し、萩で行方不明になった新聞記者。中原中也の詩、だんだん見えてくる大きな闇と格闘しながら浅見は山口を駆け巡る！（山前　譲）
う-14-22

内田康夫
**氷雪の殺人**
利尻富士で、不審死したひとりのエリート社員。あの日、利尻島にわたったのは誰だったのか。警察庁エリートの兄とともに謎を追う浅見光彦が巨大組織の正義と対峙する！　（自作解説）
う-14-24

内田康夫
**贄門島（にえもんじま）**（上下）
二十一年前の父の遭難事件の謎を追う浅見光彦は、房総に浮かぶ美しい島を訪れる。連続失踪事件、贄送り伝説――因習に縛られた島の秘密に迫る浅見は生きて帰れるのか？　（自作解説）
う-14-25

歌野晶午
**葉桜の季節に君を想うということ**
元私立探偵・成瀬将虎は、同じフィットネスクラブに通う愛子から霊感商法の調査を依頼された。その意外な顚末とは？　あらゆる賞を総なめにした現代ミステリーの最高傑作。
う-20-1

歌野晶午
**春から夏、やがて冬**
スーパーの保安責任者・平田は万引き犯の末永ますみを捕まえた。偶然の出会いは神の導きか、悪魔の罠か？　動き始めた運命の歯車が二人を究極の結末へと導いていく。　（榎本正樹）
う-20-2

歌野晶午
**ずっとあなたが好きでした**
バイト先の女子高生との淡い恋、美少女の転校生へのときめき、人生の夕暮れ時の穏やかな想い……。サプライズ・ミステリーの名手が綴る恋愛小説集は、一筋縄でいくはずがない!?　（大矢博子）
う-20-3

冲方　丁
**十二人の死にたい子どもたち**
安楽死をするために集まった十二人の少年少女。全員一致で決を採り実行に移されるはずのところへ、謎の十三人目の死体が!?　彼らは推理と議論を重ねて実行を目指すが。　（吉田伸子）
う-36-1

江戸川乱歩・湊　かなえ　編
**江戸川乱歩傑作選　鏡**
湊かなえ編の傑作選は、謎めくパズラー「湖畔亭事件」、ドンデン返し冴える「赤い部屋」他、挑戦的なミステリ作家・乱歩に焦点を当てる。　（解題／新保博久・解説／湊　かなえ）
え-15-2

（　）内は解説者。品切の節はご容赦下さい。

江戸川乱歩・辻村深月 編
**江戸川乱歩傑作選　蟲**
没後50年を記念する傑作選。辻村深月が厳選した妖しく恐ろしい名作。恋に破れた男の妄執を描く「蟲」。四肢を失った軍人と妻の関係を描く「芋虫」他全9編。（解題／新保博久・解説／辻村深月）
え-15-3

折原 一
**異人たちの館**
樹海で失踪した息子の伝記の執筆を母親から依頼された売れない作家・島崎の周辺で次々に変事が。五つの文体で書き分けられた目くるめく謎のモザイク。著者畢生の傑作！（小池啓介）
お-26-17

折原 一
**侵入者**　自称小説家
聖夜に惨殺された一家四人。迷宮入りが囁かれる中、遺族から調査を依頼された自称小説家は、遺族をキャストに再現劇を行い、犯人をあぶり出そうと企てる。異様な計画の結末は!?（吉田大助）
お-26-18

折原 一
**死仮面**
仕事も名前も隠したまま突然死した夫。彼が残した「小説」には、謎の連続少年失踪事件が綴られていた。DV癖のある前夫に追われながら、真実を探す旅に出たが……。（末國善己）
お-26-19

大沢在昌
**闇先案内人**（上下）
「逃がし屋」葛原に下った指令は、「日本に潜入した隣国の重要人物を生きて故国へ帰せ」。工作員、公安が入り乱れ、陰謀と裏切りが渦巻く中、壮絶な死闘が始まった。（吉田伸子）
お-32-3

恩田 陸
**まひるの月を追いかけて**
異母兄の恋人から兄の失踪を告げられた私は、彼女と共に兄を捜す旅に出る。次々と明らかになる事実は、真実なのか——。恩田ワールド全開のミステリー・ロードノベル。（佐野史郎）
お-42-1

恩田 陸
**夏の名残りの薔薇**
沢渡三姉妹が山奥のホテルで毎秋、開催する豪華なパーティ。不穏な雰囲気の中、関係者の変死事件が起きる。犯人は誰なのか、そもそもこの事件は真実なのか幻なのか——。（杉江松恋）
お-42-2

（　）内は解説者。品切の節はご容赦下さい。

恩田 陸
**木洩れ日に泳ぐ魚**
アパートの一室で語り合う男女。過去を懐かしむ二人の言葉に、意外な真実が混じり始める。初夏の風、大きな柱時計、あの男の背中。心理戦が冴える舞台型ミステリー。（鴻上尚史）
お-42-3

恩田 陸
**夜の底は柔らかな幻**（上下）
国家権力の及ばぬ〈途鎖国〉。特殊能力を持つ在色者たちがこの地の山深く集う時、創造と破壊、歓喜と惨劇の幕が切って落とされる！ 恩田ワールド全開のスペクタクル巨編。（大森 望）
お-42-4

恩田 陸
**終りなき夜に生れつく**
ダークファンタジー大作『夜の底は柔らかな幻』のアナザーストーリーズ。特殊能力を持つ「在色者」たちの凄絶な過去が語られる。至高のアクションホラー。（白井弓子）
お-42-6

大山誠一郎
**密室蒐集家**
消え失せた射殺犯、密室から落ちてきた死体、警察監視下で起きた二重殺人。密室の謎を解く名探偵・密室蒐集家。これぞ究極の密室ミステリ。本格ミステリ大賞受賞作。（千街晶之）
お-68-1

大山誠一郎
**赤い博物館**
警視庁付属犯罪資料館の美人館長・緋色冴子が部下の寺田聡と共に、過去の事件の遺留品や資料を元に難事件に挑む。超ハイレベルで予測不能なトリック駆使のミステリー！（飯城勇三）
お-68-2

太田紫織
**あしたはれたら死のう**
自殺未遂の結果、数年分の記憶と感情の一部を失った遠子。その時に亡くなった同級生の少年・志信と自分はなぜ死を選んだのか——遠子はSNSの日記を唯一の手がかりに謎に迫るが。
お-69-1

太田紫織
**銀河の森、オーロラの合唱**
地球へとやってきた、慈愛あふれる宇宙人モーンガータ（見た目はほぼ地球人）。オーロラが名物の北海道陸別町で宇宙人と暮らす日本の子どもたちが出会うちょっとだけ不思議な日常の謎。
お-69-2